日本の歴史　九

# 「鎖国」という外交

ロナルド・トビ

Ronald Toby

小学館

日本の歴史　第九巻

# 「鎖国」という外交

アートディレクション　原研哉
デザイン　竹尾香世子
美馬英二

## 凡例

- 年代表示は原則として和暦を用い、適宜、西暦を補いました。
- 本文は原則として常用漢字および現代仮名遣いを用いました。また、人名および固有名詞は、原則として慣用の呼称で統一しました。なお、敬称は略させていただきました。
- 歴史地名は、適宜、（　）内に現在地名を補いました。
- 引用文については、短歌・俳句なども含めて、読みやすさ、わかりやすさを考えて、句読点を補ったり、漢字を仮名にあらためたりした場合があります。
- 文献史料の読み下しは、原則として『新編日本古典文学全集』（小学館刊）に収められている史料はそれに依拠し、そのほかは適宜、筆者が読み下しました。
- 中国の地名・人名については、原則として漢音の読みに従いました。ただし慣習の表記に従ったものもあります。
- 朝鮮・韓国の地名・人名は、原則的に現地音をカタカナ表記しました。ただし、歴史的事柄にかかわる地名・人名などは漢音読みにした場合があります。
- 図版には章ごとに通し番号をつけ、それぞれの掲載図版所蔵者、提供先は巻末にまとめて記しました。
- おもな参考文献は巻末に掲げました。
- 五十音順による索引を巻末につけました。
- 本書のなかには、現代の人権意識からみて不適切な表現を用いた場合がありますが、歴史的事実をそのまま伝えるために当時の表記どおりに掲載しています。

1

# 異国と交わる

## 「鎖国」下の海外との接触

◉朝鮮人行列

江戸時代に一二回来日した朝鮮通信使は、来日のたびに見物ブームが起こったり、祭りに仮装行列が取り込まれるなど、人々の関心を呼んだ。（羽川藤永《はねがわとうえい》筆『朝鮮人来朝図《ちようせんじんらいちようず》』）

→247ページ

2

●オランダ船の来航

長崎の出島《でじま》は、寛永《かんえい》一八年（一六四一）以降オランダ商人の居住地とされた。屏風が描く寛文《かんぶん》期（一六六一〜七三）は、オランダ船来航の最盛期だった。（『寛文長崎《ながさき》図《ず》屏風《びょうぶ》』）→131ページ

3

●唐人屋敷の交易風景

長崎の中国人は、元禄《げんろく》二年（一六八九）以降は唐人屋敷（唐館）に収容された。唐人屋敷は出島より広く、日本人との日用品交易場もあった。（伝渡辺秀石《わたなべしゅうせき》筆『長崎唐蘭館図巻《ながさきとうらんかんずまき》』）

↓161ページ

●外国書物の影響
平《ひら》賀《が》源内《げんない》が物産会の主要出品物をまとめた『物類品隲《ぶつるいひんしつ》』に描かれた、イグアナ（右）とオオヤモリ（楠本雪渓《くすもとせっけい》筆）。『物類品隲』には、中国やオランダの書物の影響が色濃い。

↓181ページ

5

●天文学への関心

一八世紀、八代将軍徳川吉宗《とくがわよしむね》の影響で自然科学への関心が高まった。日本にはじめて地動説を紹介したオランダ通《つう》詞《じ》本木良永《もときりようえい》の家には、ヨーロッパ製の星座図が伝来した。 ↓176ページ

6



◉**通信使を描く**

通信使のなかでも、ひげがなく女性のような「少童《しょうどう》（小童）」は注目を集め、多くの絵師が描いている。狩野探幽《かのうたんゆう》門下の久隅守景《くすみもりかげ》もそのひとり。（『朝鮮通信使行列図屏風』）

↓２４１ページ

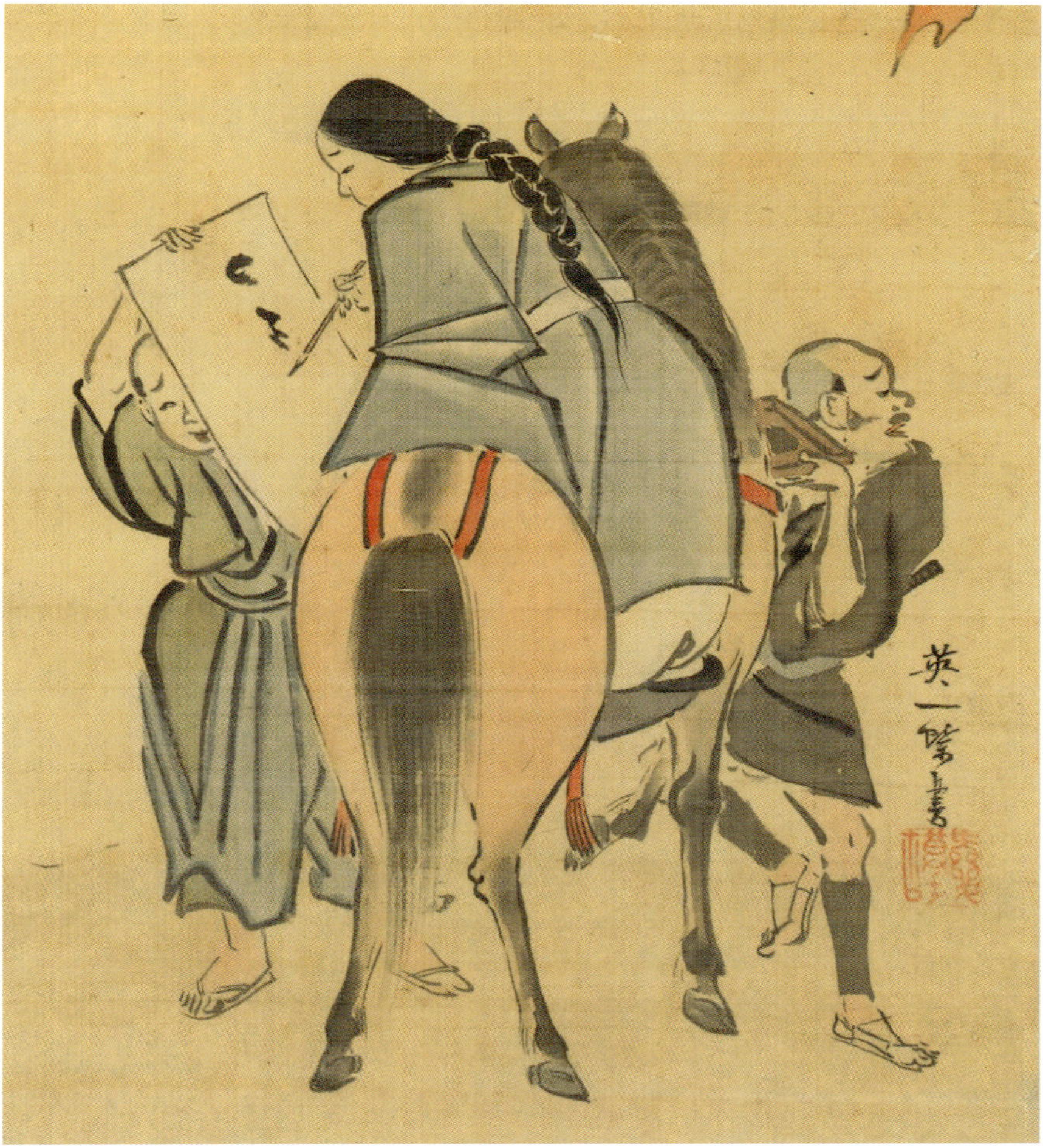

7

●通信使との交流

通信使には書に秀でた人が多く、現在でも彼らの書や詩が多く残っている。このような、馬上の少童が揮毫《きごう》する場面も現実にあったかもしれない。（英《はなぶさ》一蝶《いっちょう》筆『馬上揮毫図』）→３０９ページ

◉『朝鮮通信使歓待図屛風』

江戸城へと向かう、明暦《めいれき》元年（一六五五）の通信使の三使（正使・副使・従事官）。通信使行列をはじめて写実的に描いた作品である。↓207ページ

9

◉技術の伝来

長崎は、ヨーロッパの文化や技術の玄関口だった。ガラス製作技術も、一七世紀なかばにヨーロッパから長崎に伝来した。これは日本製の「藍色《あいいろ》ちろり」（酒を温める容器）。 ↓１１０ページ

# 目次

日本の歴史　第九巻

# 「鎖国」という外交

## 第二章

# 第五章 朝鮮通信使行列を読む

「鎖国」という外交

# はじめに

## 「鎖国」史観を超えて

## 「鎖国」のストーリー

本巻は、「鎖国」といわれてきた近世日本の外交の実態が、はたしてほんとうに「鎖国」という名に相当するものかどうかをみていくものである。

近世を総括するキーワードとして、必ず浮かんでくる熟語は「鎖国」であろう。多くの人々にとって、近世日本は「鎖国」であったというのは、一種の「常識」に属することかもしれない。日本は、寛永《かんえい》中期の一六三〇年代に「鎖国」への道を歩み、日本人の海外渡航・ポルトガルなど「キリシタン」諸国との通交・キリシタン宗門などを禁じ、オランダの商館を平戸《ひらど》から長崎の出島《でじま》へ移し、海外貿易を長崎の一か所に絞って、日本国を外の世界からほとんど切り離した、というのがこれまでの日本史の常識だったからである。筆者がアメリカで学んだ日本の歴史も、「近世日本は鎖国だった。一九世紀にその扉をこじ開けたのが、われらが英雄ペリーである」という論調であった。

一六三〇年代の「鎖国」化以前のおよそ一〇〇年間は、「キリシタン世紀」ともいわれた。戦国動乱期のさなか、ジパング（日本）をめざすヨーロッパ勢力（南蛮《なんばん》）が、画期的な技術（鉄砲）と宗教（キリシタン）をもたらした。いわゆる「大航海時代」の波に乗って、イスパニア（スペイン）が南北アメリカ・太平洋を東回りで、そしてポルトガルが南や西回りでインド洋からゴア、マラッカから南シナ海を経て、東西両方から迫ってくる南蛮勢力の波は、天文《てんぶん》一二年（一五四三）にはじめて日本に及んだ。その年、明《みん》のジャンク（商船）に便乗したポルトガル人が、種子島《たねがしま》に鉄砲を伝えたのである。それを皮切りとし、同一八年にはイエズス会士のフランシスコ・ザビエルが薩摩《さつま》に来訪してキリスト教伝道活動を開始し、やがて京都にまで活動を広げた。「キリシタン世紀」とは、ポルトガルやスペインからの「南蛮」、イギリスやオランダからの「紅毛《こうもう》」が、それぞれの貿易拠点を確保して、南蛮勢力が商業・宗教面に活動し、紅毛人は商業・貿易に専念して活躍を続けた時期であった。

ところでちょうど同じ一六世紀頃から、西国《さいごく》を中心に、日本から外へ行って交易と攻撃をする海上勢力（「倭寇《わこう》」）も、東南アジアの島嶼部《とうしよぶ》や大陸沿岸、朝鮮半島へと活躍圏を広げてゆき、貿易拠点を開きはじめた。そして日本は朱印船《しゆいんせん》貿易を通じて、現在のベトナム、フィリピン、インドネシア、タイなどに「日本人町」を築き、かなりの広域にわたる政治・経済活動を営んだ。また朝鮮も、倭寇的活動を抑える一手段として、平和的な交易をする「倭人」には、指定の貿易港・居留地を定めていた。

このように海外諸国・諸地域・諸人に対して「開かれた」日本は、弥生《やよい》時代から八世紀初頭ごろまでの大陸人流入に次ぐ規模のものだったといっても、過言ではないだろう。それなのに、天正《てんしよう》一五年（一五八七）に九州を制覇した豊臣秀吉《とよとみひでよし》が、ただちに「伴天連追放令《バテレンついほうれい》」を発したのを端緒に、日本は南蛮勢力締め出しへと向かいはじめる。そして秀吉の跡を継いだ徳川家康《とくがわいえやす》・秀忠《ひでただ》・家光《いえみつ》の徳川初期三代将軍によって「鎖国」政策が進められ、一六三〇年代には「開かれた日本」から「閉ざされた日本」への転換が完了した、という「鎖国＝日本の悲劇」的なストーリーが語られてきたのである。

## 「鎖国」への疑問の出発点

だが、一九七〇年代頃から、筆者を含む複数の歴史研究者の間で、こうした「鎖国」史観への疑問がとなえられるようになった。そこでまず、筆者がなぜ「鎖国」に疑問を抱くようになったかを述べておきたい。それは、なぜ外国人の研究者が「鎖国」について論じるのかという、読者の多くの方が感じているであろう疑問に対する回答にもなるかと思われるからである。

筆者は一九六〇年代前半から日本史の専攻を志し、日本語も学びはじめた。コロンビア大学を卒業した翌一九六五年（昭和四〇年）の秋から、日本語研修のため、国費留学生となり、東京外国語大学、続いて早稲田大学で勉強する機会に恵まれ、二年間の留学生活を送った。一九六五年は、たまたま日本と大韓民国が国交正常化をはかり、日韓基本条約を結んだ年であり、韓国から日本への留学生も急に多くなった時期でもあった。

韓国からの留学生と交流があったこともあって、一九六六年の夏休み、筆者は約二週間韓国を旅行することにした。七月下旬のある日、東京から下関《しものせき》、そして釜山《プサン》へと旅立った。フェリーの一晩は、畳の大部屋を数十名の船客とともにし、そのほとんどが韓国人・在日韓国人だったようで、耳に入ってくる会話が韓国語のみだったことから、「異国の旅」を強く実感させられた。

釜山から、新羅《しらぎ》の古都慶州《キョンジュ》や仏国寺《ブルグクサ》・石窟庵《ソックラム》の名刹《めいさつ》を見てまわり、慶州からバスで大邱《テーグ》、さらに山間部に入って桐華寺《ドンファサ》、最後は大邱からの汽車で釜山に戻り、ふたたび日本へ発《た》った。二週間という短い期間で、また慶尚南道《キョンサンナムド》・同北道《ブクド》という、韓国のごく限られた一部しか見なかったが、この観光旅行が、筆者の人生を大きく変えたのである。

それは仏国寺を見学したときのことであった。今日の仏国寺は、観光名所として、ほぼ完全に整備されており、一二〇〇年前の絢爛《けんらん》豪華な、極彩色の伽藍《がらん》が復元されている。だが四〇年前の仏国寺は、かなり荒れており、階段の石組みから伽藍の建物まで、破損が目立つばかりだった。そして大雄殿（本殿）のほかには、ほとんど堂宇が残っておらず、草ぼうぼうの境内に散在した礎石しか、ありし日の面影が残されていなかった。そして案内してくれていた住職は、礎石しかないところを指して、「あれは、豊臣秀吉《とよとみひでよし》によって焼かれた！」と怒りに満ちた口調で説明したのである。

豊臣秀吉による朝鮮侵略（日本では「文禄《ぶんろく》・慶長《けいちょう》の役《えき》」、朝鮮では「壬辰《じんしん》・丁酉倭乱《ていゆうわらん》」）のことはもちろん知っていたが、四〇〇年近く前のことが、昨日負った傷のように韓国の人たちの間に痛みとして残っていることは、筆者には驚きだった。そして、当時の筆者は、日本と韓国は共通するところが多い隣国だと思っていたのだが、そんな両国の間に横たわる問題に気がつき、日本と韓国の関係を歴史的に探りたいと、いまだあいまいな状態ではあったが、一生の研究課題がみえてきたのである（なお、のちに知ったことだが、仏国寺は秀吉侵略後に何度も再興と火災による焼失を繰り返しており、筆者が見た荒廃の姿が「秀吉のせい」というのは、正しくないようである）。

コロンビア大学へ戻り、大学院で植民地支配下の朝鮮、とりわけ日本の「皇民化教育」・「同化政策」から取り上げようとしたところ、朝鮮総督府や朝鮮在住の日本人による議論は、「朝鮮人」についての固定化したイメージを前提にしていることがわかり、そのイメージのルーツを探り出した。

つぎに、明治時代初期の「征韓論《せいかんろん》」や、明治八年（一八七五）の雲揚艦《うんようかん》事件（江華《こうか》島《とう》事件）に端を発した江華島条約（日朝修好条規）から、「併合」までのプロセスを見はじめた。すると、征韓論自体が、幕府の朝鮮観にも深く根付いていることに気づき、征韓論の言説にも、秀吉の「朝鮮征伐」や神功《じんぐう》皇后の「三韓征伐《さんかんせいばつ》」神話に言及されることが多いのが目についた。

そこで、秀吉の朝鮮侵略に立ち戻り、戦争そのものの軍事史ではなく、双方の戦後処理をみることにした。そこで筆者がはじめて知ったのが、朝鮮通信使の存在だったのである。

### 朝鮮通信使との出会い

豊臣秀吉《とよとみひでよし》による朝鮮侵略は、慶長《けいちょう》三年（一五九八）九月一八日に秀吉が死去すると、徳川家康《とくがわいえやす》を筆頭とする五大老が戦場からの撤退を命じ、加藤清正《かとうきよまさ》ら諸将が苦戦して引き揚げることで終結した。この「倭乱《わらん》」は、朝鮮だけでなく、明《みん》との戦争でもあったので、終戦直後の日本は、東アジアのなかで孤立しており、貿易による利益を求める家康は、「国際社会」への復帰に力を注いだ。

その復帰をなしとげるには、まず朝鮮との平和的な旧交を取り戻さなければならず、また家康以上に、朝鮮貿易が唯一の生命線であった対馬《つしま》にとって、戦前と同様の交易関係を、朝鮮との間に築きあげないと、島民の生活と大名の宗《そう》氏・家臣一同が共倒れすることが必定なことだった。したがって、終戦前後から、現地の武将同士による交渉など、お互いの腹の探りあいがみえはじめた。

そして慶長九年に朝鮮の宣祖《ソンジョ》太王が、僧侶の松雲大師《ソンウンデサ》（惟政《ユジョン》）を、「倭情探索」を目的として対馬へ遣わし、宗氏がその松雲を京都へ連れていき、翌慶長一〇年に伏見《ふしみ》城で徳川初代将軍家康に引き合わせたことから、事態が好転しはじめた。このあたりの詳しい経緯は第一章に譲るが、ここで朝鮮からの〝非公式〟な使節が日本に来て、天下人家康と直接会談していることに注目したい。

このあとも、朝鮮側が国王を代表して「国書《こくしょ》」を携える使節を派遣するまでにはさらに条件があり、交渉を経てその条件がやっと満たされた慶長一一年に、はじめての「回答兼刷還使《かいとうけんさつかんし》」（「通信使」との正式名称を冠していない理由は、第一章で述べる）を日本へ派遣する運びとなった（実際の来日は翌慶長一二年）。これによって国家と国家、国王と「関白」（将軍）との間の親書交換と外交儀礼に基づく関係が成立し、正式な「国交」が復旧したといえるだろう。

さらにみていくと、朝鮮からの使節はこの一回きりではないことがわかった。一〇年後の元和《げんな》三年（一六一七）に、「大御所」家康が死去し天下人となった二代将軍秀忠《ひでただ》は、みずからの「御威光《ごいこう》」を朝廷・諸大名に誇示する目的もあって、二度目の回答兼刷還使の謁見《えつけん》を京都伏見城で受けたのである。この招聘《しょうへい》・来日・接待の経緯を追っていくうちに、外国使節の来訪が、外交にとどまらず、国内政治の手段でもあることがみえてきた。大御所家康が健在なかぎり、「御所」秀忠に挑む者がないことは、誰もがわかることであったが、単独御所としての力量が試されるこの時期における回答兼刷還使の謁見は、幕府権力を維持するデモンストレーションとして重要な出来事だった。

六年後の元和九年に、秀忠は父と同じ道を歩み、将軍職を家光《いえみつ》に譲り、「大御所」として表舞台から一歩引いて、実権は握りながら、諸儀礼は家光にゆだねる方針をとった。したがって、翌寛永《かんえい》元年（一六二四）の招聘により来日した三度目の回答兼刷還使は、仁祖太王《インジョ》の国書と「別幅《べっぷく》」（贈与品目録）の品々を携え、それらを家光が応対して受け取り、返答の国書も家光名義で差し出された。

こうして朝鮮からの使節の来日が相次いだことを知るにつれ、これがいつまで続くのかと、興味がわいてきた。つまり、寛永一〇年代の「鎖国」化によって、朝鮮からの使節、対馬の朝鮮交易なども、いったいどういう運命になるのだろうか、同じく「鎖国への道」をたどり、いつ、どのようにして絶たれてしまうのか、ということが知りたくなったのである。

## なぜ、「鎖国」後も朝鮮通信使が?

ちょうどその時期に、対馬《つしま》藩で一種の「御家《おいえ》騒動」が勃発《ぼっぱつ》した。これも詳しくは第一章に譲るが、寛永《かんえい》一二年（一六三五）に家光《いえみつ》の親裁を仰ぐなかで、慶長期《けいちょう》以来、対馬藩が繰り返し行なっていた将軍書簡の捏造《ねつぞう》、朝鮮からの国書や将軍の返書の改竄《かいざん》が露顕したのである。まさに「鎖国への道」を歩もうとしていた幕閣であれば、この詐欺《さぎ》を理由に、朝鮮との国交を絶ち、対馬の朝鮮貿易を停止するよう命じるだろう、と筆者は思った。

しかし、その後の経緯はまったく予想外だった。対馬の家老柳川調興《やながわしげおき》、その他の関係者の多くは死罪、流罪に処されたのだが、対馬の藩主宗義成《そうよしなり》はお構いなし、対馬に幕府の監視役を置く程度ですんだのである（「柳川一件《やながわいっけん》」）。

翌寛永一三年に来日した朝鮮使節は、はじめて「通信使」との正式命名を受け、名目は「泰平之《たいへいの》賀《が》」であった。仁祖太王《インジョ》の国書にも、日本が「泰寧のさいわい、久しかるべき」を祝う文言が盛り込まれていた。このときは、大御所家康《いえやす》を亡くした父秀忠《ひでただ》同様、寛永九年に大御所秀忠の後ろ盾をなくした家光が、みずからの御威光を誇示する必要があって、使節の来聘《らいへい》を求めたと思われる。

その後も、寛永一八年に家光の嫡男家綱《いえつな》が誕生したことを契機に、家光政権がさらに朝鮮からの使節を招聘し、二年後の寛永二〇年に、四六二名にものぼる通信使が家綱の生誕を祝う名目で来日した。さらに、明暦《めいれき》元年（一六五五）には家綱の四代将軍襲職を祝う通信使、天和《てんな》二年（一六八二）には綱吉《つなよし》の五代将軍襲職を祝う通信使、と将軍代替わりの恒例として、通信使の来日が続いたことに、いささかとまどった覚えがある。それは、寛永一〇年代に対外関係に関する方針が徐々に厳しくなっていき、寛永一六年七月に発布された「條々」をもって、いわゆる「鎖国政策」・「鎖国体制」が完成したという、一般の歴史認識（イメージ）と、「鎖国」以降も継続する朝鮮通信使・対馬藩の朝鮮貿易とは、あまりにも矛盾するようにみえたからである。「『鎖国』なのに、なぜ朝鮮との外交は継続しているのか」、いいかえれば「朝鮮との外交は継続しているのに、なぜ『鎖国』なのか」という疑問である。

寛永二〇年、明暦元年、天和二年以降の通信使をはじめて知った私は、こうしていわゆる「鎖国」史観に疑問を覚え、この通信使や対朝鮮の経済関係（貿易）という現実と、江戸時代の基本的な特徴とされていた「鎖国」とがどのような関係にあったのかを明らかにして、その矛盾を解消することをめざし、修士論文・博士論文以降のテーマとすることにした。

研究を重ねていくうちに、朝鮮通信使や朝鮮貿易と類似した存在として、薩摩《さつま》による琉球《りゅうきゅう》支配と琉球王国経由の明《みん》（清《しん》）貿易、一八回も来日した琉球使節を知るに及んで、対朝鮮関係が「鎖国」を基調とする消極的な対外政策における一例外ではなく、「鎖国」というレッテル自体にこそ問題があるのでは、と考えるようになった。幕府には、対朝鮮・対琉球・対明（清）・対オランダ・対蝦夷《えぞ》など、もっとスケールの大きな構想の一貫した対外方針があったようにみえてきたのである。

## 「鎖国」史観からの脱却

筆者が「鎖国」史観に疑問を抱きはじめた一九七〇年代前半は、日本国内においても田中健夫《たなかたけお》や朝尾直弘《あさおなおひろ》による、草分けの研究が出はじめており、また田代和生《たしろかずい》による、斬新《ざんしん》な近世日朝貿易史の研究がなされはじめているころであり、「鎖国」というテーゼに疑問をもつ研究者が、少数派ではあったが、従来のイメージを打ち破る史実と斬新な見解を打ち出していた時期である。

筆者自身は、日朝関係、それも朝鮮通信使を契機としていたこともあって、日本と朝鮮や中国（明《みん》・清《しん》）など東アジアとの関係を中心に「鎖国」について考えてきた。そして研究を進めれば進めるほど、近世の日本は、「鎖国」が完成したとされた一六四〇年以降も、東アジアと不可分に結びついていたことがわかってきた。具体的な話は第三章で述べるが、一六四〇年以降の日本は、東アジアにおいて確固とした存在感をもっており、東アジアの発展と歩調を合わせていた。従来の「鎖国」論は、日本がアジアの一員であることを無視して、ヨーロッパとの関係だけを切り離して論じていたといえるだろう。しかし、明らかに日本は東アジアに対しては国を閉ざしてはいなかったし、ヨーロッパに対しても完全に閉ざしてはいなかったのである。

そして、一九八〇年代以降活発になってきた「鎖国」をめぐる研究を通じて、今日では研究者レベルでは「鎖国」＝「国を完全に閉ざしていた」という認識はほとんど否定されているといっていいだろう。それを象徴するのが、千葉県佐倉《さくら》市にある、国立歴史民俗博物館（歴博）の総合展示第三展示室（近世）のリニューアルである。

筆者も監修者のひとりとして協力したこのリニューアルは、数年の準備期間を経て、二〇〇八年三月に公開された。この新たな近世展示では、「国際社会のなかの近世日本」というコーナーがまず入室者を迎える構成になっている。そして、長崎・対馬《つしま》・薩摩《さつま》・松前《まつまえ》という「四つの口」を通じて中国（明・清）・オランダ・朝鮮・琉球《りゅうきゅう》・蝦夷《えぞ》といった異国・異人たちと交流をもち、世界とつながっていたという点が強調されている。説明書きでも、以前は「鎖国体制」という言葉が使われていたのに対して、リニューアル後は「近世日本は、『鎖国』をしていた

1

●リニューアルされた近世展示
国立歴史民俗博物館の新しい近世展示は、屏風《びょうぶ》などの絵画史料も用いて、「国際社会のなかの近世日本」を多角的に描き出している。

と思われがちだが、東アジアのなかで孤立していたわけではない」などと、大きく変化している。

もちろん、近世日本が「鎖国」ではなかったとしても、完全に開かれていたわけではない。ただ、江戸幕府が「鎖国」とされた近世日本の外交方針は、決して「国を閉ざす」という消極的なものではなく、江戸幕府が主体的に選択していったものなのである。本巻では、そのことを述べていくとともに、そこから派生する、近世日本と異国との関係、とくに日本人が異国人をどのように認識していたかという問題などにも触れていきたい。筆者の研究対象が東アジア中心であることから、朝鮮・中国との関係が記述の大部分を占め、ヨーロッパ関係への言及が少ない点は、ご容赦願いたい。それでも、従来の「鎖国」イメージにかわる新たな近世像を、読者の皆さんに呈示できればと思っている。

なお、「近世」という歴史用語は、「江戸時代」と同義とされることもあるが、筆者は、織田信長《おだのぶなが》が京に入った永禄《えいろく》一一年（一五六八）から、豊臣《とよとみ》政権を経て、徳川家康《とくがわいえやす》が開いた江戸幕府が解体・崩壊する慶応《けいおう》四年（明治元年〈一八六八〉）までの約三〇〇年間を指して用いている。したがって「近世」には「安土桃山《あづちももやま》時代」と「江戸時代」が含まれている。本文では、時代全体を指す場合には基本的に「近世」を用い、時代を限定して語る場合に「安土桃山時代」「江戸時代」を用いている。

それから、第三章「東アジア経済圏のなかの日本」の「一七世紀後半の大陸の動向と日本の情報収集」は、以前大庭脩《おおばおさむ》と行なった共同研究の際に大庭から受けたさまざまな刺激に、多くを拠《よ》っている。また大庭の研究データも一部利用させていただいている。ここに記して感謝申しあげる次第である。もちろん、論考は筆者によるものであり、誤りがあればそれはすべて筆者の責任である。

# 第一章

# 徳川政権と朝鮮通信使

# 『江戸図屏風』の異形の行列

## 都市図屏風の誕生

日本の近世（江戸時代・徳川時代）といわれて、読者の皆さんは何を連想するだろうか。おそらく、「城下町」「鎖国《さこく》」「浮世絵《うきよえ》」「俳句」「吉原《よしわら》」「元禄文化《げんろくぶんか》」……など、さまざまなキーワードが思い浮かぶことだろう。そうした近世の姿をわれわれにいきいきと伝えてくれる、この時代を代表する絵画作品のひとつに、江戸の町並みを描いた「江戸図屏風《えどずびょうぶ》」と呼ばれる都市図屏風がある。都市図屏風というのは、一六世紀に生まれた「洛中洛外図屏風《らくちゅうらくがいずびょうぶ》」から派生したジャンルである。

都市図屏風は、都市景観や風俗を細かく描いたものとして、近年は美術史の分野で秀作として扱われるのみならず、歴史研究者が「絵画史料」として、文献史料と並び、風俗史・建築史・服装史などの角度から、分析の対象として取り上げるようになってきた。

「洛中洛外図屏風」は、いうまでもなく「洛」すなわち京の都の内外に散在する多くの名所旧跡や、四季折々の風景や風物、年中行事《ねんじゅうぎょうじ》をキーポイントとして描いたもので、そこには絵師の目と画風・技法だけでなく、依頼主（発注者）の希望や目的、時の流行や政治・社会状況なども反映されている。ある特定の屏風を、いったい誰が、いつ発注し（制作時期）、なぜ（動機・目的）、そしてどの絵師（あるいは工房）に依頼したか（作者論）という、作品完成に至るまでの諸問題と、いつごろの洛の姿が描かれたのかという景観年代や、そこに描かれている都市景観の虚実、そしてさらに、風物や出来事（たとえば公家や武家の行列、天皇行幸《ぎょうこう》、姫の入内《じゅだい》）などを特定して歴史的に位置づけようとする議論がこれまで活発に行なわれ、「洛中洛外図屏風」研究を深めてきた。

一六世紀のなかばごろに描かれた初期の「洛中洛外図屏風」を代表するといわれる歴博甲本《れきはくこうほん》や上《うえ》杉本《すぎぼん》では、戦国時代の兵火で焼失した、ありし日の都やそのにぎわいを、回想的《ノスタルジック》に描いている傾向がとても濃厚である。山形県の米沢市《よねざわし》上杉博物館が所蔵する上杉本（国宝）は、永禄《えいろく》期（一五五八〜七〇）ごろの作と推定される秀作である。永禄年間といえば、ポルトガル人やキリシタンが来航してしばらくたち、京の都にも「南蛮人《なんばんじん》」がときどきその姿を現わしはじめている時期である。にもか

1

◉描かれた年中行事
内裏の紫宸殿《ししんでん》の庭で開かれた、元《がん》日節会《じつのせちえ》の舞楽。元日節会は応仁《おうにん》の乱で中断したが、延徳《えんとく》二年（一四九〇）に再興された。（『洛中洛外図屏風』上杉本）

かわらず、上杉本が再現（想像）する都には、南蛮人どころか、朝鮮人または明《みん》人などの「異国人」は、ひとりも描かれていないのである（ただし、古代中世を通じて、日本の絵画で「日本」とわかる場に、異国人と特定できる人物を描いた作品は、きわめてまれである。この点は第四章で詳しく述べる）。

ところで、徳川家康《とくがわいえやす》が関ヶ原《せきがはら》の戦い（慶長《けいちょう》五年〔一六〇〇〕）で天下をとり、慶長八年に征夷大将軍《せいいたいしょうぐん》となって江戸に幕府を開くと、日本全国の政治の重心が京都から関東へと、急速に移りはじめる。日本史上においても、画期的な変動であることは、いうまでもない。関ヶ原以前にも、家康の城下町江戸へ、五大老のひとり前田利長《まえだとしなが》が母親の芳春院《ほうしゅんいん》を人質に出したのを皮切りに、各地の大名が家康の居城の周辺に土地を分け与えられ、そこに屋敷を建て、妻子を住まわせるという、のちの参勤《さんきん》交代《こうたい》への第一歩ともいえる動きが始まってはいたが、一七世紀になって江戸は、辺境に領地をもつ一大名の城下町から、巨大都市へと変わろうとしていたのである。

### 家光と『江戸図屏風』

そうした、巨大都市へと発展していく時期の江戸の繁栄ぶりと活気あふれる雰囲気を雄弁に物語る絵画史料に、国立歴史民俗博物館蔵の秀作『江戸図屏風《えどずびょうぶ》』（以下、とくに断わらないかぎり『江戸図屏風』という場合はこの歴博本《れきはくぼん》を指す）がある。京の都を俯瞰《ふかん》する「洛中洛外図屏風《らくちゅうらくがいずびょうぶ》」に倣ったように、寛永《かんえい》期（一六二四〜四四）の江戸の「府内府外」ともいえる景観を、房総半島の上空から色鮮やかに描いた、まことに優れた美術作品である。名所や四季折々の風物も盛り込まれており、当時の江戸を知る手がかりとして、貴重な史料である。

屏風のいちばん右にあたる右隻《うせき》第一・二扇《せん》には、前景に中山道《なかせんどう》の七番目の宿駅鴻巣《しゆくえきこうのす》（埼玉県）と江戸の玄関である板橋《いたばし》の宿の間を往来する人々と、鴻巣の鷹野《たかの》へ向かう、身分の高い武士の小さな行列が描かれている。遠景には、遠く府外に「洲渡谷《すどのや》御《お》猪《しし》御《お》仮屋《かりや》」や「川越《かわごえ》御城」と、その間を流れる入間《いるま》川《がわ》ののどかな風景がみられる。

一方、いちばん左の左隻第五・六扇は、前景に東海道の品川宿《しながわしゆく》の茶屋で休憩する武士、客引きをする食売女《めしうりおんな》（飯盛女《めしもりおんな》）、天秤《てんびん》や背負いで商品を持ち込む行商や、荷駄を積んだ馬を曳《ひ》く男、刀を帯に差し、太刀《たち》を肩にかけて江戸を出る武士など、江戸の表玄関にふさわしいシーンを描いている。遠景には、池上本門寺《いけがみほんもんじ》と「檜物屋《ひもんや》（碑文谷）法花寺《ほつけじ》」のかなたに、江戸の西を守る富士山がその優雅な姿を現わしている。

両隻を結ぶ役割として、天下に君臨する将軍の居城江戸城が左隻の右端に配されている。そして右隻の左端には、隅田《すみだ》川《がわ》に流れ込む神田《かんだ》川《がわ》が上から下に置かれている。これはおそらく、「洛中洛外図屏風」で、鴨《かも》川《がわ》が、内裏や二条城《にじようじよう》の洛中を、三十三間堂《さんじゆうさんげんどう》・知恩院《ちおんいん》・八坂神社《やさかじんじや》などの洛中洛外と東西に分ける工夫に倣ったものかと思われる。こうして江戸を

2

◉将軍の鷹狩
近世において鷹狩《たかがり》は、支配者の特権的な遊楽であった。鷹狩をこよなく愛した徳川家康に倣って、家光もさかんに鷹狩を行なっている。
（『江戸図屏風』）

左右（南北）に分ける神田川と交差するように、右隻手前の浅草寺《せんそうじ》・蔵《くら》前《まえ》・浅草橋《あさくさばし》が、左隻の両国《りょうごく》や浜町《はまちょう》、そして日本橋《にほんばし》・京橋《きょうばし》・新橋界隈《しんばしかいわい》へとつながるが、それらの町人地には屏風の下の三分の一以下のスペースを割いただけで、残る大半は、徳川《とくがわ》家の菩提寺《ぼだいじ》である上野《うえの》寛永寺《かんえいじ》と芝増上《しばぞうじょ》寺《うじ》を除いては、江戸城と大名屋敷地がそのほとんどを占めるのである。その真ん中に、そびえたつ五層の天守閣《てんしゅかく》を中心に、螺旋《らせん》状の堀を巡らした江戸城が広がり、その内外でさまざまな行事が行なわれている。

『江戸図屏風』は、一九七〇年代の初頭ごろから研究が活発化し、多くの研究者によって検討され、詳細に論じられてきている。景観年代（いつごろの江戸を描いたのか）に関しては、ここに描かれている江戸城の五層の天守閣が、明暦《めいれき》三年（一六五七）の「明暦の大火」で、市中の大半とともに焼け落ちたあとは再建されることなく、天守閣のない江戸城となっていることから、明暦の大火以前の江戸であることは、間違いない。だが、それ以上の年代の絞り込みや、制作時期・依頼主・制作目的などについては、諸説あってまだ定まっていない状態である。

そのなかで筆者は、黒田日出男《くろだひでお》がとなえた、『江戸図屏風』はおそらく三代将軍徳川家光《いえみつ》に限りなく近い人物が、家光に献上するためか、あ

3

◉品川宿（右）と富士山
江戸から西へ向かう東海道の一番目の宿品川と、江戸の西に鎮座する富士が、左隻第六扇にセットで描かれている。（『江戸図屏風』）

るいはみずからの屋敷に家光の御成《おな》りがあるときに将軍に披露《ひろう》するために、家光本人がもっとも誉れに思った出来事を選び、「御代始《みよはじ》め」の事績を顕彰することを目的として発注し、寛永一一年から一二年（一六三四〜三五）の約一年の間に制作されたものだろうという説を、いちばん説得力のある見解だと考えている。

　依頼主についても、黒田は最有力候補として、大御所《おおごしょ》秀忠《ひでただ》が死去してまもなく、家光が年寄《としより》（のちの老中《ろうじゅう》）並《なみ》に抜擢《ばってき》した松平伊豆守信綱《まつだいらいずのかみのぶつな》をあげている。信綱は、家光が将軍宣下を受けるため元和《げんな》九年（一六二三）七月に上洛した際、小姓組頭《こしょうくみがしら》として家光に供奉《ぐぶ》して身辺を固めるなど、家光に重宝された側近のひとりであった。また「知恵伊豆」と呼ばれるほどその才覚が評価されており、家光にとって何が大事であったかを重々把握していたはずなので、依頼主としてふさわしい。筆者も、依頼主はおそらく信綱であろうと考えている。

4

◉五層の天守閣
徳川秀忠が元和九年に完成させた江戸城の五層の天守閣を描くが、千鳥破風《ちどりはふ》の向きなど、細部は必ずしも正確でないといわれている。（『江戸図屏風』）

　また制作目的については、たんに江戸の景観と繁栄を座敷で鑑賞し楽しむためではなく、家光の事績を称賛する内容が盛り込まれていることから、家光の一代記という見解が、従来なされてきた。だが、その点についても黒田は、この屏風の制作年代が寛永一一年から一二年であれば、この年代は家光が将軍職《しき》を継いで一二年から一三年目で在職期間のまだ半分にも満たない時期なので、「一代記」というよりは、寛永九年の秀忠死去による実質的な「家光御代始め」の、家光にとってもっとも重要な出来事を中心に描いたものではないかと推測しており、その説はおそらく要を得ていると筆者には思われる。そこで、以下は基本的に黒田説に拠《よ》って論じていきたい。

### 三代将軍の「御代始め」

三代将軍家光《いえみつ》は、父の秀忠《ひでただ》もそうであったように、父から将軍職《しき》を譲られたものの、「大御所《おおごしょ》」となった父の後見・庇護を受けながら、一種の「見習い将軍」として、時にはみずからの意にそわない、苦い修業をさせられた。家康《いえやす》が隠居してから死去するまで、家康が「大御所」として駿府《すんぷ》（静岡市）の隠居所から二代将軍秀忠の「御所」を見守りながら、実権のほとんどを握りつづける二重構造をとったように、元和《げんな》九年（一六二三）に秀忠も将軍職を嫡男の家光に譲って江戸城西《にし》の丸《まる》に移り、大御所として君臨しつづけたのである。この二重構造は、大御所秀忠が寛永《かんえい》九年（一六三二）一月二四日に世を去るまで、九年間も続いた。したがって、『江戸図屛風《えどずびょうぶ》』が寛永一一年から一二年に制作されたとすれば、家光一代記ではなく、まさしく「御代始め」を、府内府外の点描として描いていることになるであろう。

屛風全体に、金箔《きんぱく》をふんだんに使って雲を漂わせているが、これらの金雲は、画面全体をいくつかの時空間に区分けしている。そしてここでは、これらの時空間一つひとつに、同じ人物を何か所にも描いている。これは、異時同図法《いじどうずほう》という絵巻や屛風に多く取り入れられた独特の技法である。

この異時同図法を駆使することによって、『江戸図屏風』の大画面を数十の小画面に分け、家光のこれまでの生涯を描き分けることができるのである。

山王権現宮《さんのうごんげんぐう》の鳥居前、鑑賞者の目をひくグループを、例として見てみよう。前髪立《まえがみだ》ちの美少年に先導されて、山王社へと参拝する被衣《かずき》姿の貴婦人二人と下女三人、そしてその下女のひとりが抱く赤ん坊を描いた場面である。残りの下女のひとりは、貴婦人二人が日に当たらないように、赤い長柄《ながえ》傘《かさ》をさし、もうひとりは大きな風呂敷包みを頭上に載せる。前髪立ちの少年は、前田《まえだ》家の家紋とおぼしき星梅鉢《ほしうめばち》の紋付《もんつき》を羽織っている。この山王社参拝の場面は、あるいは家光の宮参りを描いたものではないだろうか。

このような朱塗りの長柄傘は、平安時代以来の有職故実《ゆうそくこじつ》によれば、身分の高い貴族や武家、僧侶にその使用が限られていた、身分を表現するひとつの象徴であるので、この宮参りの主人公（赤ん坊）を家光と仮定して、差し支えはないだろう。

そのほかにも、『江戸図屏風』の場面のいくつかに、同じような赤い長柄傘をさしたシーンがある。たとえば、「目黒追鳥狩《めぐろおいとりがり》」の場面で崖の上から雉《きじ》追いを上覧する家光らしき人物、江戸城の堀端を散策する前髪

5

◉山王権現宮
江戸城の鎮守神として信仰された山王権現宮は、明暦三年の大火で焼失して永田町に移転するまでは、半蔵門外の堀端にあった。（『江戸図屏風』）

立ちの少年を見守る被衣姿の貴婦人たち、そして「松平陸奥守《まつだいらむつのかみ》」（仙台藩主伊達《だて》政宗《まさむね》）の上屋敷《かみやしき》門から門内の様子をのぞく同様の被衣姿の貴婦人たち、などである。このうち、いずれも被衣姿の貴婦人にさしている二か所以外は、家光の顔を隠すための、一種の絵画上の約束事である。現役の王・覇者など、権力者の素顔をそのまま描くことは忌避されていた。したがって絵の中では、笠《かさ》をかぶらせたり、赤い長柄傘をさしたり、御簾《みす》の内にいる姿や駕籠《かご》に乗っている姿で描いたりといった工夫によって、その人の顔を隠して描くのがふつうであった。

　また右隻には、本郷《ほんごう》の加賀《かが》（金沢）藩邸が大きく描かれ、その表門に数人の供奉《ぐぶ》の者が、鑓《やり》を持ったり、馬の手綱を握ったりして待機している。これは、寛永六年四月二六日に「加賀中納言《ちゅうなごん》（前田）利常《としつね》卿が上野の別墅《べっしょ》（別荘）にならせ給ふ。利常に二字国俊《にじくにとし》の御太刀《おたち》、秋田正宗《まさむね》の御《お》脇差《わきざし》、銀三千枚。時服《じふく》三百、夜着羅紗《よぎラシャ》三十間……」と、本郷の加賀屋敷へ、家光が御成りしたことを記念するシーンだと推測できる。

『江戸図屏風』にはこのように、家光が個人的に好きだった狩りの様子や、数々の行事や儀式が描かれているのだが、それだけではなく、都市の平和と繁栄を楽しむ人々の姿もまた多様に描かれている。元和元年の

6

●赤い長柄傘
右は洲渡谷《すどのや》の猪狩《ししがり》、左は松平陸奥守上屋敷前の場面。家光を隠す傘は、狩りの場面に多く描かれている。（『江戸図屏風』）

大坂夏の陣を最後に国内の戦争が終わって約二〇年、一六世紀末の豊臣《とよとみ》秀吉《ひでよし》の朝鮮出兵以来途絶えていた朝鮮との関係も完全に回復する。まるで、こののち二〇〇年以上にわたって戦争のない平和な世の中が始まることを象徴するかのようである。この屏風からは、江戸時代の様子がさまざまに読みとれるのである。

### 大手門の異形の行列

ところで、武士の都江戸の中心は、なんといっても江戸城である。したがって、『江戸図屏風《えどずびょうぶ》』も当然、江戸城を中枢の位置に据えて、その左右（南北）や手前に、大江戸の府内府外の様子を繰り広げるのである。

その江戸城は、左隻《させき》第一・二扇《せん》に据えられ、その周辺には御三家《ごさんけ》（尾《お》張《わり》・紀伊《きい》・水戸《みと》）の上屋敷《かみやしき》や日本橋界隈《にほんばしかいわい》が描かれている。ここで目をひくのは、その中心の位置を占める江戸城三《さん》の丸《まる》へと向かって、異形《いぎょう》の人物たち四七名が、大手門《おおてもん》の桝形《ますがた》を通って、登城行列を組んでいる光景である。後ろを固めている警固の武士たちとは、服装も顔も異なり、また武士たちや見物人たちの様相とはかなり異質な姿である。なお、これまで指摘されることがなかったが、堀尾山城守《ほりおやましろのかみ》屋敷あたりに、同様の異形の人物がもうひとりいることにも注意されたい。

7

◉加賀肥前守下屋敷
加賀前田家は、寛永六年の家光の御成りに際して、三年をかけて下屋敷を整備した。将軍の御成りは、大名家にとってひじょうに名誉なことであった。（『江戸図屏風』）

8

◉朝鮮通信使の登城
輿に乗って大手門に差しかかっている人物が正使。行列の先頭は、すでに下乗橋前の広場に入っている。広場に置かれているのが、朝鮮国王から贈られた「別幅」の品々。（『江戸図屏風』）

徳川家光《とくがわいえみつ》の事績を称賛する屏風の中央に、江戸城に登城する行列が配されているということは、この行列の登城は家光にとって、よほど重要かつ有意義な行事であるに違いない。屏風には、府内府外に多くの武家行列が描かれているが、この四七名の行列や、三の丸の庭内、下乗橋《げじょうばし》前の堀端に並べられている珍奇な品々は、ほかの武家行列とはまったく異質な雰囲気を漂わせている。

この行列こそ、家光が迎えた外交使節団、朝鮮通信使である。家光の在職中に朝鮮通信使は三回訪れているが、屏風の制作時期を寛永一一年から一二年（一六三四〜三五）であるとすれば、ここに描かれているのは、そのうちの最初の使節が寛永元年一二月一九日に、家光に「国書《こくしょ》」（国王の親書）

を呈するために江戸城に登城する様子と、朝鮮の仁祖《インジョ》太王から家光に贈られた「別幅《べつぷく》」の品々であろう。なお、このときの朝鮮使節の名称は、正式には「朝鮮通信使」ではなく「回答兼刷還使《かいとうけんさつかんし》」なのだが、この点については後述する。

描かれた行列の四七名（さらに、離れた場所から行列を見る男ひとり）は、屏風に登場するその他の人物たちとは、頭から足までの装束・身体、旗印や乗り物、顔つきや身ぶりまで、かなり異なっており、異国情調を漂わせる表現内容である。『江戸図屏風』に描かれている「総人口」は、老若男女・貴賤《きせん》を合わせて四九八三名といわれる。だとすると、朝鮮使節の登城行列の人たちと、もうひとりの朝鮮人を加えた計四八名は、数では屏風人口のわずか一パーセントにも満たないのである。

人数としては少ないながらも、この重要な位置に演出されているのみならず、周囲を囲んだ多くの人々にじっと見つめられていることからも、彼らがこの屏風全体の枢軸をなしていることがわかるであろう。じつは、朝鮮人四七名に、見物人一三七名、警固の人々など二五名の、計二〇九名がかかわるこの行列は、左隻に描かれたイベントのなかで最大規模のものである。それだけに、屏風の注文主・絵師は、朝鮮使節の来日が家光の

9

◉もうひとりの朝鮮人
図の右下、白い服を着て、通り過ぎていった通信使行列のほうを見ているのが、もうひとりの朝鮮人である。筆者には、その背中がどこか寂しげにみえる。（『江戸図屏風』）

「御代《みよ》」にとってかなり重要な出来事であると認識していたことがうかがえる。

ここで注目すべきは、『江戸図屛風』が家光の事績を称賛するものならば、家光が将軍に襲職《しゅうしょく》してから屛風が制作されるまでの間に江戸城で行なわれた、彼にとってもっとも重要な国家行事がここには描かれているはずであり、結論からいえば、それが朝鮮の使節を迎えることであったということである。筆者は寛永元年の使節（回答兼刷還使）を描いたと考えるが、それは徳川氏の天下になってからは、大御所《おおごしょ》の家康《いえやす》・御所秀忠《ごしょひでただ》に対する第一回（慶長《けいちょう》一二年〔一六〇七〕）、家康が死去した翌年の秀忠への第二回（元和《げんな》三年〔一六一七〕）に次ぐ第三回目の朝鮮からの使節であった。今回も、第一回目の家康・秀忠と同様、大御所秀忠・御所家光という二元的トップを冠した二重構造の将軍権力のなかで、家光政権の誕生を諸大名や朝廷に印象づけるために、大御所が表に出ることなく、新米の御所家光に公式的な国家代表役を演じさせたのである。

つまり幕府は、朝鮮使節を、外国の王が家光の将軍襲職を祝って盛大な使節を派遣し、虎皮《とらがわ》・豹皮《ひょう》・朝鮮人参《にんじん》といった数々の珍奇な品物を贈ってきたと喧伝《けんでん》することによって、日本に君臨する家光が国際的に承認されていることを示す、格好の宣伝材料に利用したのである（朝鮮が使節を派遣した名目は「慶賀」ではなかったのだが、それはのちほど説明する）。『江戸図屛風』を発注したと思われる年寄並《としよりなみ》の「知恵伊豆」こと松平伊豆守信綱《まつだいらいずのかみのぶつな》は、それを重々認識していたからこそ、画中の江戸城という、もっとも重要な位置に、使節の登城行列を描かせたに違いない。

# 朝鮮通信使とは何か

**ゆえなき侵略――壬辰・丁酉倭乱**

ところで、寛永《かんえい》元年（一六二四）の使節一行はなぜ、なじみの薄い「回答兼刷還使《かいとうけんさつかんし》」という名称を冠して来日したのか、いいかえれば、なぜこのときの朝鮮使節は正式名称として「通信使」と呼ばれなかったのかを、ここで考えてみたい。

朝鮮通信使は、近世になってからのものではなく、すでに室町時代から、朝鮮は室町幕府へ通信使を派遣していた。具体的には、応永《おうえい》二〇年（一四一三）から文明《ぶんめい》一一年（一四七九）までの六回である（ただしそのうちの三回は途中で中止）。通信使とは、朝鮮国王の音信や贈与品を「日本国王」としての将軍のもとへ届け（伝命）、将軍からの返書と回答品を漢城《ハンソン》（ソウル）の国王まで運ぶ（復命）と同時に、当時問題となっていた倭寇《わこう》対策などについて具体的な交渉も行なう外交使節であったことは、間違いない。しかし、「通信」という言葉は、現代のように「コミュニケーション」という意味で使用されていたわけではなかった。むしろ、「信《まこと》」すなわち信頼・誠実・誠心を通わせる媒体であり、根底にお互いの信頼関係が必要であったことを、忘れてはならないのである。

その後一世紀以上の中断があったが、天正《てんしょう》一八年（一五九〇）には、豊臣秀吉《とよとみひでよし》に対して通信使が派遣された。これは、秀吉の強引な要請に応じて対馬《つしま》の宗義智《そうよしとし》が斡旋《あっせん》して、実現したものである。朝鮮としては、秀吉による全国統一を慶賀する名目であったが、秀吉は、同年に秀吉に攻められて服従した小田原《おだわら》の北条氏《ほうじょう》などの諸大名と同様に、朝鮮国王みずからが秀吉に帰服し日本の（秀吉の）臣下となるための使節と見なしていた。明《みん》征服を企てていた秀吉は、朝鮮に日本への帰服と、明出兵の際に朝鮮国内を通行させることを要求していたのである。

要求に従わない朝鮮に対し秀吉は、文禄《ぶんろく》元年（天正二〇年〔一五九二〕）に一六万の大軍を出兵した。日本では「朝鮮出兵」あるいは「文禄《ぶんろく》の役《えき》」、韓国・朝鮮では「壬辰倭乱《じんしんわらん》」と呼ばれるこの戦争は、朝鮮にとってはゆえなきものであり、秀吉による侵略戦争であったことは間違いない。

当初は優勢だった日本勢だが、明軍の救援などによりしだいに劣勢となった。その後も一進一退の状態が続き、最初は日朝間、途中からは日明間で和議交渉が行なわれたが、なかなか進展しなかった。慶長《けいちょう》元年（文禄五年〔一五九六〕）には明の冊封《さくほう》使《し》と朝鮮通信使が来日したが、秀吉が要求した七か条の講和条件が無視されたことで交渉は決裂し、翌慶長二年に秀吉は再度

10

◉蔚山城に籠城する加藤清正軍
慶長の役（丁酉倭乱）での、慶長二〜三年の蔚《ウル》山《サン》城の攻防戦を描いたもの。約三〇〇〇の加藤清正軍が籠城する蔚山城を、約四万の明・朝鮮軍が取り囲む。清正軍は、鍋島・毛利《もうり》らの救援軍によって救出された。（『朝鮮軍陣図屏風《ちょうせんぐんじんずびょうぶ》』）

一四万の軍を派兵した（「慶長の役」、朝鮮では「丁酉倭乱《ていゆう》」）。

しかし明・朝鮮軍の前に日本勢は苦戦し、翌慶長三年八月一八日に秀吉が生涯を閉じると、政権を預かった五大老・五奉行らは戦線の諸将に、秀吉の死は伏せたまま、すみやかに和議をまとめて日本へ引き揚げるよう命じた。

だが、大老・奉行たちの出した和議の条件は、朝鮮の王子を日本へ人質に出すこと、日本へ調物《ちょうもつ》（貢物《こうもつ》）を贈ることなど実現困難なもので、すでに窮地に追い込まれた日本勢が置かれている現実を、彼らがどこまで把握していたのかは定かでない。また秀吉死去の情報も、日本から抜け出して帰国した朝鮮人捕虜によって、すでに八月二〇日には朝鮮の朝廷に伝えられており、秀吉の死を知った明・朝鮮軍は、日本勢追撃へと方針を転じた。

こうした状況下にあった島津《しまづ》義弘《よしひろ》や小西行長《こにしゆきなが》・鍋島直茂《なべしまなおしげ》・加藤清正《かとうきよまさ》ら諸将たちに、和議の条件を示す余裕などあるはずはなく、撤退・後衛作戦しか選択肢は残されていなかった。露梁津《ノリヤンジン》での一一月一八日から一九日の最後の大合戦は、日本側の記録では日本勝利となっているが、実際には日本勢は多数の船や兵を失い、命からがら帰国したのである。足かけ七年も続いた秀吉の朝鮮侵略戦争は、こうして幕を閉じた。

| 年 | 月 | 事項 |
|---|---|---|
| 文禄1年（1592） | 4 | 文禄の役（壬辰倭乱）始まる |
| | 5 | 漢城陥落 |
| 文禄2年（1593） | 4 | 小西行長、朝鮮と休戦 |
| | 6 | 秀吉、和議7条を明に示す |
| 慶長1年（1596） | | 明冊封使と朝鮮通信使来日 |
| | 9 | 秀吉と明使の講和交渉決裂 |
| 慶長2年（1597） | 2 | 秀吉、朝鮮への再出兵を命じる |
| | 7 | 慶長の役（丁酉倭乱）始まる |
| 慶長3年（1598） | 8 | 秀吉死去、五大老ら撤兵を命じる |
| | 11 | 露梁津の戦闘 |
| | 12 | 日本軍の撤兵、ほぼ完了 |

●秀吉朝鮮侵略の経緯
秀吉の要求した七か条の講和条件に明がいっさい回答せず、明の臣下を意味する「日本国王」と為すと告げてきたことが秀吉を激怒させ、交渉は決裂し、再度の派兵となった。

## 通交回復に向けての戦後処理

文禄《ぶんろく》・慶長《けいちょう》の役《えき》（壬辰《じんしん》・丁酉倭乱《ていゆうわらん》）は、日朝双方にとどまらず、東アジアの歴史においても、重要な意味をもつ出来事であった。まず、豊臣《とよとみ》政権という国家権力が国策として起こした戦争であり、日本の中央政権が天智《てんじ》天皇二年（六六三）の白村江《はくそんこう》の戦い以来九〇〇余年ぶりに、干戈《かんか》を外国に向けて起こした戦争だということである。もうひとつは、日朝間の戦争で始まったにもかかわらず、日本軍が鴨緑江《アムノッカン》の近くまで北上するや、明《みん》軍がただちに参戦することとなり、東アジア全域を巻き込む戦争に転じたことである。

その結果日本は、東アジア世界で広く憎まれる国となった。戦火で荒れ、多くの人民が犠牲になった朝鮮はもちろんのことだが、朝鮮に援軍を送った明も日本に対する遺恨が強かった。もともと明は倭寇《わこう》による沿岸攻撃や略奪に苦しめられ、対策として一六世紀のなかばから、日本船の入港も明船の日本渡航もいっさい禁じる、「海禁」という対策を講じて対日関係を絶っていた。そこに今回の戦争によって経済的・人的に大きな負担がかかったのである。その余波は、のちの一七世紀に入ってからの清《しん》帝国の台頭や明の滅亡（一六四四年）にも深く影響を与えている。

さて、そのような状況下で新政権を発足させた徳川家康《とくがわいえやす》は、秀吉《ひでよし》の強圧外交は受け継がず、近隣諸国との安定外交をめざした。家康は明との貿易再開を望んでおり、そのためにまず朝鮮との国交・貿易の再開を必要としたのである。また、もともと半島と列島の交易を中継することを唯一の経済基盤としていた対馬《つしま》藩にとっては、朝鮮との関係中断は死活問題であった。そのため対馬の宗《そう》氏は、終戦直後から通交回復を求めた。

だが朝鮮では、この戦争によって兵だけでなく多くの一般人が、老若男女・貴賤《きせん》の別なく犠牲となっていた。その数は定かでないが、たとえば慶長《けいちょう》三年（一五九八）一〇月の泗川《サチヨン》合戦で、島津《しまづ》氏が「一戦を遂げ、味方勝利を得、（敵軍を）切り崩し、三万五千余りの首を打ち捕」ったほか、「討ち捨て」た敵兵は、「その数知らず」と、石田《いしだ》三成《みつなり》が伊達《だて》政宗《まさむね》に告げたという。泗川で攻防した軍勢は、実際のところは明・朝鮮軍が多く見積もって四万から五万、島津勢はわずかに数千であったらしく、三成が報告した「三万五千余りの首」は、誇張した数に違いないにしても、殺戮《さつりく》の恐ろしさが十分伝わってくるであろう。両役を合わせれば、犠牲者は計り知れない数になるだろう。国土も焦土と化した状態であり、そこに明が派遣した援軍が日本軍撤退後も朝鮮に駐屯《ちゅうとん》しつづけたため、疲弊した官民に大きな負担となっていた。

またこの戦争では、秀吉の命令によって日本勢が朝鮮の戦場で殺した敵兵のみならず、生者からも、その耳や鼻を大量に切り取り、塩漬けにして秀吉のもとへ搬送するという残虐行為も行なわれており、朝鮮の人々の体と心に深い傷を残した。

11

◉「堕涙碑」拓本
朝鮮水軍を率いて文禄の役で日本軍を破った李舜臣《イスンシン》は、慶長三年の露梁津での合戦で戦死した。李の死後の一六〇三年、部下たちが徳をしのんで建てたのが「堕涙碑《だるいひ》」である。李は現在でも韓国では英雄として称えられている。（名護屋城博物館所蔵）

さらに、朝鮮に出兵した島津氏・藤堂《とうどう》氏・伊達氏・毛利《もうり》氏、そして加《か》藤清正《とうきよまさ》・小西行長《こにしゆきなが》らによって、日本に連れ去られた朝鮮人捕虜の問題もあった。確かな数は定かでないが、数万人を下らないことは確実と思われる。

捕虜は一種の戦利品として、東南アジアやヨーロッパに奴隷《どれい》として売られた例も少なくなかったようであるが、多くは日本各地でさまざまなかたちで利用された。たとえば朝鮮人陶工《とうこう》は登窯《のぼりがま》や上絵《うわえ》付《つけ》の技法を日本に伝え、有田《ありた》・唐津《からつ》・萩《はぎ》などの各地に陶工集落をつくって、陶磁器の生産を始めた。「薩摩《さつま》焼《やき》」と呼ばれるようになった苗代川《なえしろがわ》（鹿児島県日置《ひおき》市）の陶工たちは、その典型的な例である。

そのほかに武士身分となった朝鮮人捕虜も少なくなく、諸藩の家臣団に編入され、子孫が幕末まで仕えた家系すらある。たとえば、両役に参戦しなかった加賀《かが》の金沢《かなざわ》藩でも、朝鮮人捕虜を始祖とする家臣の家は、一一家に達したという。「渡来武士」は、めずらしくなかったようである。

そのうえ、秀吉が死去したとはいえ、嫡男秀頼《ひでより》が父の跡を継いでおり、朝鮮で活躍した日本の諸将も、日本各地にまだ残っている。七年にわたる戦争が終結してからも、朝鮮が「倭賊《わぞく》」と見なしていた日本に対し怨恨《えんこん》を覚え、もはや日本には通わせるべき信頼・誠実がなかった、と考えていた

12

◉黒釉貼付梅文半胴甕《こくゆうはりつけうめもんはんどうがめ》
一七世紀前半に苗代川で焼かれた「黒もん」と呼ばれる薩摩焼の日常雑器。広口で胴が張り底の丸い甕に、貼付文を施した独特のもの。秋の豊年祭りの際の甘酒の仕込みに使われたと思われる。

といっても、決して過言ではない。しかも日本軍は撤退しただけで、講和を結んだわけではないから、ふたたび攻めてくる疑念すらあった。

秀吉のあとに全国制覇をなしとげた徳川家康には、こうして深い傷を負った朝鮮とどのようにして関係を修復し、二国間の関係を再構築していくかという、大きな課題が残されていたのである。

### 通交回復と貿易再開

文禄《ぶんろく》・慶長《けいちょう》の役《えき》（壬辰《じんしん》・丁酉倭乱《ていゆうわらん》）終戦後の朝鮮は、日本から脱出して帰国した捕虜や、あるいは対馬《つしま》藩が集めて送り返してきた捕虜を通じて、日本の情報を得ていた。一六〇〇年（慶長五年）に帰国した姜沆《カンハン》は、学識の高い儒学者だったが、徳川家康《とくがわいえやす》が関ヶ《せきが》原《はら》の戦いで勝利をおさめたこと、彼は豊臣秀吉《とよとみひでよし》の強圧外交を受け継ぐのではなく、近隣諸国との安定外交をめざしていることなどを報告している。

朝鮮王族の遠戚であった金光《キムグワン》が一六〇一年から〇三年頃に帰国し、日本との講和を国王に進言したことから、朝鮮の日本に対する態度は軟化しはじめた。一六〇四年、朝鮮は国交回復の交渉に向けて松雲大師《ソンウンデサ》（惟政《ユジョン》）らを対馬に送った。対馬は江戸の家康に松雲大師との面会を打診した。その結果、翌一六〇五年春、松雲大師らは京都伏見《ふしみ》で家康に謁見《えっけん》したのである。とはいえ、その際の対馬藩主の宗義智《そうよしとし》宛《あて》の書簡のなかで、朝鮮礼曹参議成以文《ソンイムン》は、明《みん》帝国の権威と兵力がみずからの背後にあることをほのめかして日本の再出兵を牽制《けんせい》しながら、日本に対する怨恨《えんこん》の念を示している。日本に対する怨恨と疑念は、決して払拭《ふっしょく》されてはいなかったのである。
家康の家臣との交渉で朝鮮側が要求したのは、捕虜の全員送還であった。朝鮮に残された家族が、連れ去られた身内の帰還を望むのは当然だが、捕虜の帰還は人情や国家としての威厳というだけの問題ではなかった。戦火により倒壊した家屋や官舎、荒廃した田畑、崩れ果てた灌漑《かんがい》用水など、戦災の物的後遺症からの復興において、連れ去られた壮年男女は、必要な人材であったのである。

これに応じて家康は、約一四〇〇人の捕虜を松雲大師とともに帰国させた。それを家康の誠意と見なした朝鮮は、翌一六〇六年、対馬との交渉であらためて講和条件を示した。それは、家康の地位の確認のための書状を出すことと、「犯陵之賊《はんりょうのぞく》」の引き渡しであった。「犯陵之賊」というのは、戦争中に朝鮮王家の墓を荒らした日本兵のことで、その犯人を捕らえることは、朝鮮側にとって重要なことであったのである。

仲介役の対馬が、家康から地位確認の書状を得ることは難しいと判断し反対すると、朝鮮は今度は家康の側から講和を求める国書を出すことを求めてきた。だが、それも厳しい条件であった。先に国書を出すことは、当時の外交慣行としては相手への恭順を示すことになるので、家康がそれに応じるとは考えにくかったのである。また「犯陵之賊」の引き渡しも、その犯人は特定できないため、事実上不可能であった。

13

◉朝鮮国書を偽造した対馬藩
宗家が所蔵していた「為政以徳《いせいいとく》」の通印。天正《てんしょう》一八年（一五九〇）の通信使が持参したとされる国書の印影と一致することから、宗家が家康の国書偽造以前から朝鮮の国書を改竄《かいざん》していたことがわかる。

だが日朝貿易の再開に藩命がかかっていた対馬藩は、講和を進めるために国書を偽造し、別の事件で捕まった若い男性二人を犯人に仕立てて、朝鮮に送ったのである。

朝鮮側は、国書が偽造であることを見抜き、二人の犯人も実際の「犯陵之賊」とは年齢的に合致しないことに気づいた。だがその当時、満州では太祖ヌルハチが満州族（女真族《じょしんぞく》）を束ねて勢力を増してきており、朝鮮は北からの脅威に備えるために、日本とは早めに講和を結ぶ必要が生じていた。そこで朝鮮はあえて国書と犯人をそのまま受け入れ、二つの講和条件が満たされたとして、今度は朝鮮から使節を送って様子をうかがうことにしたのである。

**「回答兼刷還使」の派遣**

その使節が、一六〇七年（慶長一二年）年の呂祐吉《ヨウギル》を正使とする「回答兼刷還使《かいとうけんさつかんし》」であった。「回答」とは家康《いえやす》の国書に答えるという意味、「刷還」とは日本に残っている捕虜を送還するという意味である。一行は最初は家康に謁見《えつけん》するつもりだったが、家康がすでに将軍職を退き駿府《すんぷ》に隠居していたので、江戸城で秀忠《ひでただ》に国書を渡した。だがそれは対馬《つしま》が偽造した国書への返書なので、そのままでは偽造が発覚してしまう。そこで対馬は、朝鮮の国書を事前に改竄《かいざん》したのである。

となると、今度は秀忠から朝鮮国王への返書も改竄しないといけなくなる。こうして、その後約三〇年にわたって、対馬による国書の偽造・改竄が続くことになるのである。なお、朝鮮使節側は対馬による偽造・改竄にある程度気がついていたが、表立って問題にはしなかった。

また、もうひとつの「刷還」問題に関しては、朝鮮側は捕虜の全員送還を望んだが、現実には難しかった。日本に滞在する時間が長くなるほど、日本に家族ができたり朝鮮での記憶が薄れてきたりして、帰国を断念するケースが多くなったのである。米谷《よねたに》均《ひとし》の集計によれば、一六四三年（寛永《かんえい》二〇年）までに本国に戻れた人は、自力で帰国した人を含めて六三〇〇名あまりに達したという。一生日本に残った人、南蛮人《なんばんじん》に売られた人の数はその何倍にものぼったことであろう。

慶長一二年の回答兼刷還使によって、日本と朝鮮の講和は一応なされたこととなった。そこでさっそく対馬藩は正式な貿易再開を求め、数度にわたる交渉の結果、慶長一四年に、対馬藩主宗義智《そうよしとし》と朝鮮国王の間に己酉約条《きゆうやくじよう》が取り交わされた。年間の貿易船数が半減され、港が釜山《プサン》に限定されるなど、条件的には戦前より厳しくなっていたが、対馬の念願はここにようやくかなえられたのである。

一方、家康にとっては、朝鮮との国交回復・貿易再開はあくまで明《みん》との貿易再開のための第一歩にすぎなかった。家康は対馬を通じて朝鮮の仲介を求めようとしたが、壬辰倭乱《じんしんわらん》のきっかけが秀吉

| 年代 | 刷還主体 | | | 合計人数 |
|---|---|---|---|---|
| | 自力 | 日本 | 朝鮮 | |
| 慶長４年(1599) | 11 | 19 | | 30 |
| ５年(1600) | 149 | 480 | | 629 |
| ６年(1601) | 91 | 290 | | 381 |
| ７年(1602) | 3 | 634 | | 637 |
| ８年(1603) | 14 | 94 | | 108 |
| ９年(1604) | 2 | 51 | | 53 |
| 10年(1605) | | 362 | 1391 | 1753 |
| 11年(1606) | | 456 | | 456 |
| 12年(1607) | | 94 | 1418 | 1512 |
| 13年(1608) | | 8 | | 8 |
| 14年(1609) | | 9 | | 9 |
| 15年(1610) | | 38 | | 38 |
| 18年(1613) | | 3 | | 3 |
| 元和２年(1616) | | 41 | | 41 |
| ３年(1617) | | 4 | 321 | 325 |
| ４年(1618) | | 160 | | 160 |
| 寛永2年(1625) | | 3 | 146 | 149 |
| ４年(1627) | | 1 | | 1 |
| ６年(1629) | | 9 | | 9 |
| 14年(1637) | 2 | | 1 | 3 |
| 20年(1643) | | | 14 | 14 |
| 不　明 | | 4 | | 4 |
| 合計人数 | 272 | 2760 | 3291 | 6323 |

◉朝鮮人捕虜の帰国人数
帰国する朝鮮人捕虜の人数は、終戦直後が多く、また使節の来日時に急増するが、慶長一〇年と一二年をピークとして、時間の経過とともにしだいに減っていった。（米谷均「松雲大師の来日と朝鮮捕虜人の送還について」より作成）

による明出兵の仲介要求だったことから、朝鮮側は拒否反応を示した。家康は当時日本と明に両属していた琉球《りゅうきゅう》経由でも明との貿易再開の道を探ったが、それも実らなかった。

そこで慶長一五年一二月に、家康の命を受けた側近の本多《ほんだ》正純《まさずみ》が、明の福建道総督軍務《ふっけんどうそうとくぐんむ》都《と》察院《さついん》都《と》御史《ぎょし》に貿易再開を求める書簡を送った。

そのなかで日本は、まず文禄《ぶんろく》の役《えき》（壬辰倭乱）の講和交渉のために明の冊封使《さくほうし》が日本に来た際に、明からの「秀吉を日本国王と為す」という書簡に秀吉が激怒し、交渉が決裂したことに触れる。しかしそれは通詞《つうじ》（通訳）が正しく伝えなかったために、お互いの気持ちが通じなかったからだとする。そして、朝鮮・琉球をはじめとする各国が日本に貢物《こうもつ》を贈ってくるとして家康の正統性を主張し、勘合符《かんごうふ》（貿易通交証）の発行を求めている。

だが、明を中心とする国際秩序のなかで明の臣下とされる朝鮮などの国々が、日本に貢物を贈ってくるといわれて、明側が喜ぶはずがない。このような文書に明がこたえるはずがなく、実際のところ、明からの返答はなかった。さらに中国側の史料には、管見のかぎりこの書簡は伝わっておら

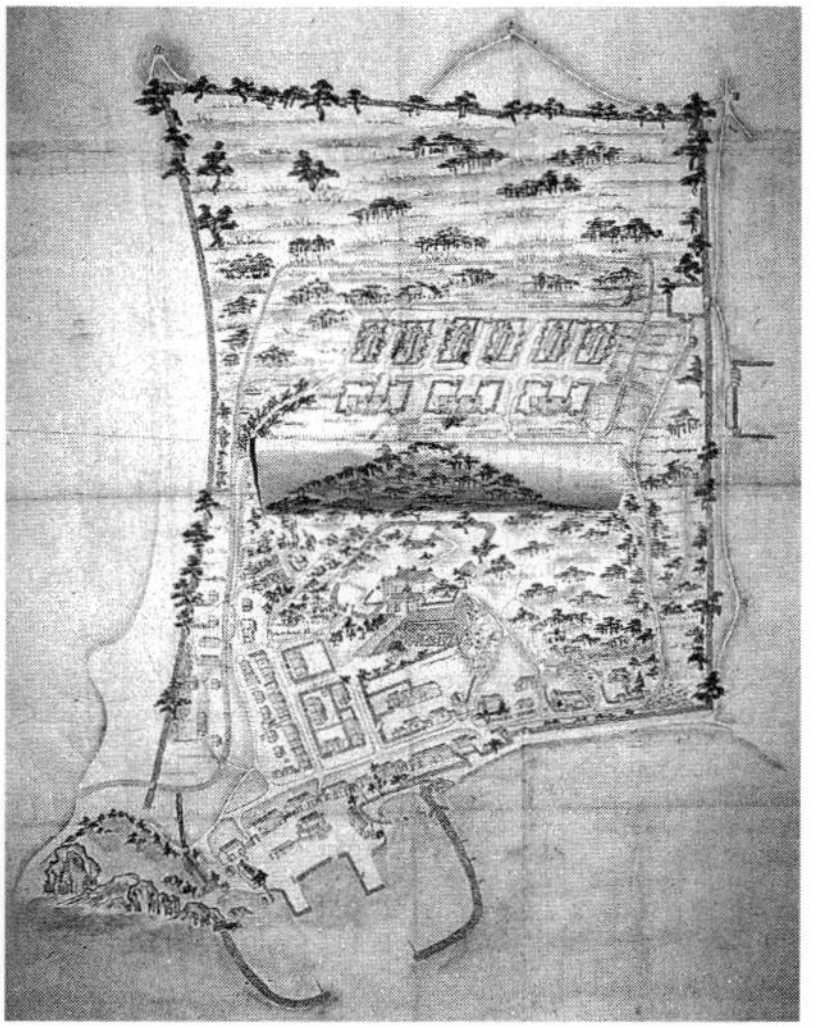

14

◉倭館
朝鮮は、対馬の貿易管理と儀礼接待のために、倭館《わかん》を釜山に設置した。図は、延宝《えんぽう》六年（一六七八）に新設された倭館。約五〇〇人の日本人が常駐していた。（『草梁倭館絵図《そうりょうわかんえず》』）

ず、明がこの書簡をどう扱ったかをうかがわせる。
こうして、日明貿易再開にひとつの夢を見ていた家康は、大きな失望を味わったのである。

## 「回答兼刷還使」から「通信使」へ

慶長《けいちょう》一一年（一六〇六）から三〇年近く続いた対馬藩《つしまはん》による国書の偽造・改竄《かいざん》も、ついに明らかとなるときがきた。寛永《かんえい》一〇年（一六三三）、対馬藩の家老柳川調興《やながわしげおき》と藩主宗義成《そうよしなり》との間の年来の不仲が頂点に達し、調興が藩を離れて幕府の直参旗本《じきさんはたもと》になろうとした御家《おいえ》騒動が起こり、調興が幕府に暴露したのである。両者の対立は、寛永一二年三月一二日、江戸城における徳川家光《とくがわいえみつ》親裁の裁判によって、義成はお咎《とが》めなしの結果に対し、調興一派は流罪に処され、義成の完全勝訴となった（柳川一件《やながわいっけん》）。そこには、宗氏以外に、朝鮮が認める日朝関係の窓口はないという判断などがあったと思われる。

じつは江戸幕府は、これまで国書の形式・体裁・用語などを正式に決めていなかった。とくに徳川将軍を国際的になんと呼ぶかが定まっておらず、そのことが国書の偽造・改竄を招いた面もあったのである。そこで幕府は寛永一二年、徳川将軍の外交上の称号を「日本国大君《たいくん》」と定め、日本の年号を明記することとした。「日本国王」が中国を頂点とする国際序列に組み込まれた称号であるのに対し、「日本国大君」は国際序列とは関係のない、独自の称号であり、日本の年号を用いることとあわせて、中国中心の「華夷《かい》」体制を否定するものである。この新しい体制は、「大君外交」と呼ばれる。この決定は、対馬を通じてその年のうちに朝鮮に伝わり、翌年の朝鮮使節の国書から「日本国大君」が用いられている。ただし、将軍の自称としては「日本国源《みなもと》…」を用いて、みずからを「大君」と呼ぶことは避けている。

その、寛永一三年に来日して家光に謁見《えっけん》した戦後四度目の朝鮮使節は、慶長一二年から寛永元年までの三回の「回答兼刷還使《かいとうけんさつかんし》」と違って、今回は「通信使《つうしんし》」（信《まこと》を通わす使者）として朝鮮が派遣し、幕府も「通信使」として迎えた。とはいえ、これまでと同様朝鮮の側に、日本へ使節を派遣したいので受け入れてほしいという自発的な意思はなく、幕府の要望にこたえて使節を派遣したことには変わりない。

ただし今回は、柳川一件の結果、対馬藩が将軍の国書を偽造するようなこともなくなり、幕府が対馬藩に使節を招聘《しょうへい》するよう命じたのを対馬藩が朝鮮にそのまま伝え、その招聘に応じて朝鮮が使節を派遣

| 年　次 | 正使 | 使命 | 総数（大坂止） | 備　考 |
|---|---|---|---|---|
| ①慶長12年(1607) | 呂祐吉 | 回答兼刷還(朝)<br>修好(日) | 467 | 国交回復・残留捕虜送還 |
| ②元和３年(1617) | 呉允謙 | 回答兼刷還(朝)<br>大坂平定賀慶(日) | 428<br>(78) | 秀忠、伏見城にて通信使謁見 |
| ③寛永１年(1624) | 鄭岦 | 回答兼刷還(朝)<br>家光襲職賀慶(日) | 300 | 『江戸図屏風』で描かれる |
| ④寛永13年(1636) | 任絖 | 泰平之賀慶 | 475 | 日光東照社へ社参(1回目) |
| ⑤寛永20年(1643) | 尹順之 | 家綱誕生 | 462 | 2回目の日光社参 |
| ⑥明暦１年(1655) | 趙珩 | 家綱襲職賀慶 | 488<br>(103) | 3回目の日光社参 |
| ⑦天和２年(1682) | 尹趾完 | 綱吉襲職賀慶 | 475<br>(113) | |
| ⑧正徳１年(1711) | 趙泰億 | 家宣襲職賀慶 | 500<br>(129) | 新井白石による儀礼改革 |
| ⑨享保４年(1719) | 洪敬中 | 吉宗襲職賀慶 | 479<br>(110) | 申維翰『海游録』 |
| ⑩寛延１年(1748) | 洪啓禧 | 家重襲職賀慶 | 475<br>(83) | 朝鮮通信使ブーム |
| ⑪明和１年(1764) | 趙曮 | 家治襲職賀慶 | 472<br>(106) | 対馬藩士、通訳を殺害(唐人殺し) |
| ⑫文化８年(1811) | 金履喬 | 家斉襲職賀慶 | 336 | 対馬止まり |

●江戸時代の朝鮮通信使一覧
総人数は記録によって多少異なるが、いずれにせよ毎回数百人の大編成だった。日朝両国にとって負担は重かった。（李元植《イウォンシク》『朝鮮通信使の研究』より作成）

したのである。つまり、日本側（家光や幕閣）の判断で、朝鮮からの通信使を迎えるという、日本の国内事情、政治的必要性を感じたから招聘したのである。

そしてまた、朝鮮側にも日本の招きに応じる必要性があった。前回の使節から一二年の歳月を経ただけでなく、その間、一六二七年に北方から、明《みん》と争っていた女真族《じょしんぞく》の後金《こうきん》が明の後援をしていた朝鮮を侵略し、漢城《ハンソン》まで討ち入り、朝鮮国王の仁祖《インジョ》に兄弟の盟を強要した。これは、「丁卯胡乱《ていぼうこらん》」と呼ばれ、朝鮮にとっては、大きな打撃となっていた。三〇年前の壬辰《じんしん》・丁酉倭乱《ていゆうわらん》の際に、援軍を派遣してもらってともに戦った明への恩義の念が強いことから、後金との盟約に対する抵抗感があったのである。しかしまた、戦災の政治的・経済的な影響も依然として残っており、北から襲ってくる「野人」（女真族）という敵に対しての警備が強《し》いられている今、南の「倭賊《わぞく》」（日本）とは、さらに平穏な善隣関係を築きあげざるをえなかったのである。回答兼刷還使から通信使へという名称の変更には、このような背景があった。そしてこれ以降の朝鮮使節は、すべて朝

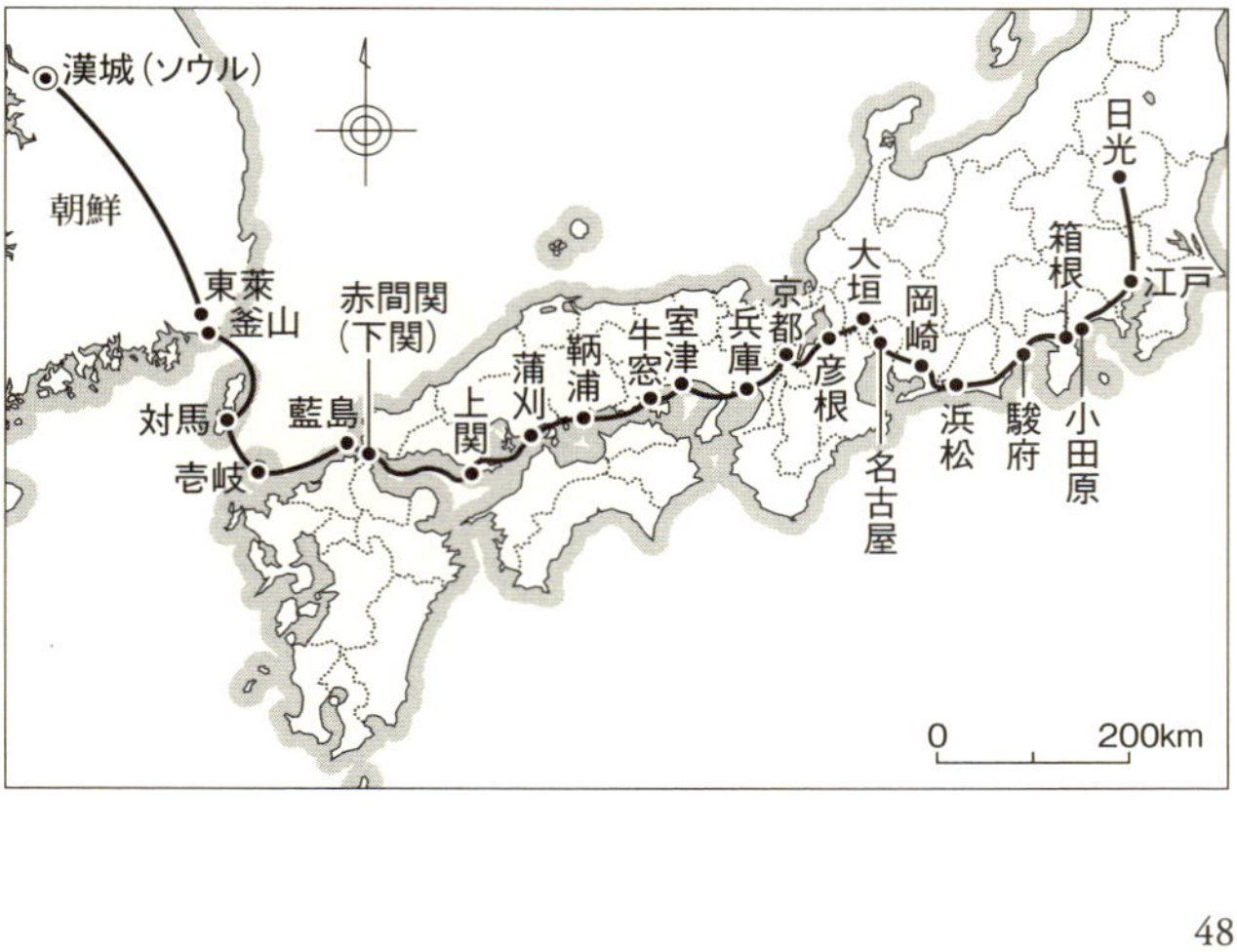


●朝鮮通信使の一般的な行程
来日ごとに、また同じ回でも往復で行程が多少異なることがあった。海路では、天候や風・潮などの影響で長期間待たされがちだった。陸路では、現在の滋賀県の野洲《やす》から彦根《ひこね》付近を通る朝鮮人街道（本来将軍しか通れない特別な道）が有名。日光社参は三回だけである。

鮮通信使と呼ばれることとなった。

なお、ここで朝鮮通信使の編成や行程について簡単にまとめておきたい。まず、通信使の編成については、一回の通信使には、少ないときでも約三〇〇人、多いときでは五〇〇人もの人数が参加した。通信使を率いるのが、正使・副使・従事官の「三使」で、正使がそのうちの総責任者である。そのほかにも、通訳などの文官や、護衛の武官、「清道旗《せいどうき》」などの旗を持つ旗持ち、道中で音楽を奏でる楽隊、さらには三使をはじめとする人々の世話をする「少童《しょうどう》」（小童）など、さまざまな役割の人々がいた。

一行は、朝鮮の首都漢城を出発すると陸路で釜山《プサン》まで向かう。釜山からは船に乗り、まずは対馬をめざす。対馬からは、対馬藩が先導して「船行列」を組み、玄界灘《げんかいなだ》から瀬戸内海に入って、大坂まで海路を進む。途中、壱岐《いき》・藍島《あいのしま》・赤間関《あかまがせき》（下関《しものせき》）・上関《かみのせき》・蒲刈《かまがり》・鞆浦《とものうら》・牛窓《うしまど》・室津《むろつ》・兵庫などに宿泊するが、そこでは各藩による接待があって、豪華な料理や土産品が提供された。

大坂からは、淀川《よどがわ》をのぼって京都に向かうが、淀川の川底が浅くてこれまでの船ではのぼれないため、ここで幕府や各藩が用意した船に乗り換える。船の水夫たちは、船と一緒に大坂止まりで一行の帰りを待つことになる。そして京都からは、行列を組んで陸路江戸へと向かうのである。

こうして漢城を出てから江戸に着くまで、その時によって異なるが、だいたい六〜九か月かかった。ただし、船旅の準備で釜山に長期滞在することが多く、釜山を出てからは早ければ二〜三か月で江戸に着いている。朝鮮通信使は、これほど大がかりなものだったのである。

# 利用された朝鮮通信使

## 日本と朝鮮、異なる思惑

これまでみてきたように、朝鮮通信使（回答兼刷還使《かいとうけんさつかんし》）は、徳川《とくがわ》将軍からの国書に対して、朝鮮国王が国書（返書）を託して派遣した使節であった。国書を見ると、朝鮮国王も徳川将軍も、お互いに相手のことを「殿下」と呼び合っており、形式としては対等の関係（抗礼《こうれい》・敵礼《てきれい》という）である。ところが実際の受け取り方は、必ずしも対等ではなかった。両国とも自分たちの立場や思惑《おもわく》によって、しばしば自国を上と見なし、相手を見下げていたのである。

日本側の例をみてみよう。寛永《かんえい》元年（一六二四）の回答兼刷還使について、仲介役・道中案内役をつとめた対馬《つしま》藩も、幕府側も、「大猶君《だいゆうくん》（徳川家光《いえみつ》）の継位を賀」するなり（『朝鮮通交大紀《ちょうせんつうこうだいき》』）、「家光公に聘《へい》し、賀祝を奉る」（『対馬守家記』）、「寛永元年、秀忠《ひでただ》公天下を、家光公へ御譲《おんゆずり》まします由《よし》、対馬より朝鮮へ申し遣しければ、鄭岦《チョンニプ》、姜弘重《カンホンジュン》、辛啓栄《シンケイヨン》を三使として来朝せしめ、御祝儀を申す」（『朝鮮物語《ちょうせんものがたり》』）と、天子のような将軍に、この使節が臣下の礼をとっているという、「虚構」といってもいい強引な受け止め方をしている。

これは、幕府が江戸時代を通じて、来聘《らいへい》する朝鮮使節を、属国から宗主国に対する朝貢使節と喧《けん》伝《でん》することで、幕府の地位を高める材料として利用したからである。たとえば、国書とともに朝鮮国王が送ってきた贈与品を、日本側は「貢物《こうもつ》」などと呼んで、あたかも属国の王が上位を占める将軍に貢物を納めているかのように見なしている。朝鮮使節が来日する回数が重なれば重なるほど、こうした、朝鮮は「属国」である、あるいは「朝貢国」であるという文脈にのっとった言説が徐々に広まり、日本全国の武士のみならず、庶民の自国意識と異国認識に刻印されていったのである。

一方、朝鮮側は、使節の派遣は自発的なものではなく、将軍（幕府）から要望があったから応じるというスタンスで、日本側のいうような「朝貢」の意識はもちろんまったくなかった。それどころか、日本を文明のレベルが低い、風俗が乱れている国と見なしていたのである。たとえば慶長《けいちょう》一二年（一六〇七）の第一回使節の慶暹《キョンソン》は、「けだし、日本、国としてもっぱら勇武を尚《とうと》び、人倫知らず」と述べている。同姓の親戚と婚姻関係をもったり、婿養子《むこようし》をとったりする日本の習慣は、朝鮮には理解できない、道徳的に認められない蔑《さげす》むべきものだった。

そのように朝鮮が見なす背景には、両国の儒教（儒学）に対する認識の違いがあった。朝鮮は儒教を国是とし、正使をはじめとする使節の重要ポストにつく文班《ムンバン》と呼ばれる文官も、儒学思想を中心とした学問を受

15

**●朝鮮国王からの贈与品（別幅）**
日本側の史料に、「虎皮」「豹《ひょう》皮」「人参《にんじん》」「紬《つむぎ》」などの「貢物」を「あらかじめ西南縁に陳列す」とあり、実際に堀端に並べていたことがわかる。（『江戸図屏風』）

け、科挙《かきょ》（国家試験）に及第した特権的な官僚階級であった。彼らは自国が儒学理念に限りなく近いと自負する人々であり、みずからが儒学の理念を体現するという自己認識さえあったといっても、過言ではないだろう。したがって、使節として日本を訪れるにあたって、自国朝鮮の威儀を日本に見せつけようという意図が、幕府のそれに劣らず強かった。

それに対して、江戸時代の日本も儒学が盛んになり、一七世紀なかばを過ぎると、幕府をはじめ、諸大名も、必ず「侍講《じこう》」と呼ばれる人を抱え、その人の知識を利用した。だが、彼らは一種の職・芸能をもつ人とされ、身分は決して高くなかった。一例をあげれば、貞享《じょうきょう》二年（一六八五）年に刊行された京都のガイドブック『京羽二重《きょうはぶたえ》』第六巻の「諸師諸芸」を見ると、伊藤仁斎《いとうじんさい》や木下順庵《きのしたじゅんあん》などの名「儒」は、「医師」「小児医師」などの医師のつぎに、「茶湯《ちゃのゆ》」「耳垢取」「料理」「庭作《にわつくり》」などと同列に置かれている。

徳川家康《いえやす》が定めた「武家諸法度《ぶけしょはっと》」の、第一条「文武・弓馬の道、もっぱら相嗜《たしな》むべきこと、文を左、武を右にするは、古《いにしえ》の法なり。兼ね備えざるべからざる」は、一見、文班と武班《ムバン》（武官）という朝鮮の両班《ヤンバン》の理念と同じようにみえるが、じつは似て非なるものである。日本の武士身分は世襲制であり、おおかた家格で官途が決まり、学問を試す国家試験はなかった。したがって儒学や漢学を家業とし、「学問」で仕官を求める人々には、還俗《げんぞく》した僧侶（林羅山《はやしらざん》・山崎闇斎《やまざきあんさい》）、医師（貝原益軒《かいばらえきけん》）や浪人（新井白石《あらいはくせき》）など、専門知識によって権力者に使われる身分的周縁に位置する存在が多かった。

こうした、家業として儒学を営む日本の儒者たちは、朝鮮の儒学とはかなり異質な存在であり、日本における儒学は国家に利用価値が認められる一種の専門知識にすぎなかった。儒学を唯一の国家理念（イデオロギー）とする朝鮮にとって、そのような状況は認められるものではなく、日本に対する評価が必然的に厳しくなったものと思われる。

## 見物人——見える王権・見せる王権

みずからの地位を高めるために、朝鮮通信使を「朝貢」と演出した幕府は、通信使の来日に際して、将軍の「御威光《ごいこう》」を内外に放つためのデモンストレーションとして、通信使を利用した。

幕藩制国家は、人類学者のクリッフォード・ギアーツが述べるところの「劇場国家」であり、「御威光」と名付けたみずからの権威・権力を、かいま見せるように演出することにこだわる政権であった。諸大名の参勤交代《さんきんこうたい》も、江戸市中の武家行列も、さらに江戸城そのものも、将軍の御威光が日本国の隅々まで輝き届いていることを示すために利用されたのである。

朝鮮通信使の参向・下向ルート、府内の登城・下城ルートも、ひとりでも多くの人に通信使の行列を「見せる」ことを目的とした、一種の政治演出であった。そこでは当然、「見る」人たちの存在が前提となる。行列の意味については第五章で詳しく触れるが、ここではふたたび『江戸図屏風《えどずびょうぶ》』に戻って、そこに描かれる通信使の登城行列を見る人たちに注目してみよう。

朝鮮通信使の行列は、「三使、家光《いえみつ》公に奉聘《ほうへい》賀祝、東武城において拝せしめ」、「大将は曲彔《きょくろく》に乗り、天蓋《てんがい》をさゝせ、青地に龍虎の紋をつきたる旗をもたせ、御門にて管弦をいたし登城す、諸大名も装束にて登城、唐人、本誓寺《ほんせいじ》より神田橋御門《かんだばしごもん》に入」るとあるように(『通航一覧《つうこういちらん》』)、「路次楽《ろじがく》」を奏でながら、市中を練り歩いて登城した。見慣れない、めずらしい異国人をひと目見ようと駆け付ける人々の姿も見えており、彼らが行列の邪魔にならない(というより、日本の恥とならない)ように、見物人その他の往来を規制する下級武士がおり、道路の両脇《わき》からしか見物できないありさまである。駆け足で見に急ぐ武家数人の姿もあり、被衣《かずき》姿の貴婦人まで見物に集まった様子である。

じつは、『江戸図屏風』全体に描かれている五〇〇〇人近くのうち、明らかに走っていると見なせる姿の人は、三の丸広場の七人と、この場面を遠く離れた右隻《うせき》右端の「洲渡谷御猪狩《すどのやおししがり》」に描かれているひとりだけなのである。それだけ、この朝鮮通信使来聘《らいへい》を、注文主が描かせたイベントのなかでももっとも強調したかったこと、ひいては、家光がみずからの治世のうえで、もっとも重要視していたことを物語る証拠だといっていいだろう。

時の副使、姜弘重《カンホンジュン》は、通信使を取り巻く周囲の様子が、朝鮮側にとってはどうみえたかを、つぎのように記している(『東槎録《とうさろく》』)。

16

◉走る武士
三の丸広場を走る武士たち。今回新たに「もうひとりの朝鮮人」に気づいたように、細かな描写を見ていくとさまざまな発見がある。(『江戸図屏風』)

早食後、正使以下、国書を奉じて将軍の処へ往《ゆ》く…倭人《わじん》、あるいは槍戟《そうげき》を持ち、あるいは剣銃を持つ、数十の群《むれ》をなし、処ところに羅立《らりつ》す。丈杖《じょうじょう》を持って跪《ひざまず》くものは、諸門に列す。雑人《ぞうにん》を呵禁《かきん》す。灑水《れいすい》にて塵《ちり》を浥《うるお》し、除いて道路を治す。将軍宅第三門の内に、轎《こし》を下りる。前導は喇叭《らっぱ》・太平簫《しょう》の声、ここに至って、すなわち止む。蓋《けだ》し将軍之《これ》を聞くことを欲す。

朝食をすませてから、宿所の芝《しば》本誓寺を出て、国王の親書である国書が収納された屋轎《やこし》を担いで、江戸城へ赴いた。ルートの両脇に、鑓《やり》・刀などを持ち、一行を警固する武士と、竹の杖《つえ》で「雑人」（見物人）による割り込みなどを押しとどめる町人が数十組、すき間のない人垣をなす、厳格のさまであったことがわかる。

芝の本誓寺から江戸城三の丸まで楽隊が路次楽を奏するさまを、家光も楽しみたかったと、朝鮮人は理解していた。城内に至った行列は、轎を下りて、威儀を整えなおすと同時に、路次楽を終えたのである。

### 通信使の日光社参と『東照社縁起絵巻』

続いて、徳川家光《とくがわいえみつ》と朝鮮通信使との関係においてもうひとつ重要な出来事である、通信使の日光《にっこう》東照宮《とうしょうぐう》（栃木県日光市）社参《しゃさん》を取り上げたい。

『東照社縁起絵巻《とうしょうしゃえんぎえまき》』の第四巻第四段を見ると、風に漂う白地に青い昇龍《しょうりゅう》の旗を先頭にした、異形《いぎょう》の五〇名ほどの行列が、「東照大権現」の扁額《へんがく》を掲げた鳥居をくぐる場面が、鮮やかな色と奇妙な筆致で描かれている。これは、歩行する文官や鑓《やり》持ち・楽隊、馬上の武官や少童（小童）、平輿《へいよ》に乗る三使からなる寛永《かんえい》一三年（一六三六）の朝鮮通信使が、日光東照宮社参をした光景を、人数などをかなり省略して描いたものである。

朝鮮人の異風を浮き彫りにすべく、道端に座る老若男女・僧俗の見物衆が、不思議がって見るさまを、細かに描写している。鳥居をすでに過ぎた前衛は、昇龍の形名旗《けいめいき》その他の旗を翻し、鑓持ち、楽隊が続く。正使・副使・従事官の三使はそれぞれの平輿に座り、四人ずつの朝鮮人に担がれていく。このシーンは『東照社縁起絵巻』の第四巻を締めくくる場面であり、前後する詞書《ことばがき》によると、神君家康《いえやす》の霊力が朝鮮をはじめ、海外の国々にまで慕われていて、神となった家康の廟社《びょうしゃ》への朝鮮の「信仰の色」が濃厚なため、「日光山に（参）詣して、社壇を拝んだ」かのように、説明が施されている。

徳川家康は元和《げんな》二年（一六一六）四月一七日に、隠居所の駿府《すんぷ》城において、七五年の生涯を閉じた。遺命によって、遺体はその日の夜のうちに、家康の側近や秀忠《ひでただ》の名代たちによって、久能山《くのうざん》（静岡市）の頂にあ

17

らかじめ建てられていた仮殿に安置された。葬儀には、家康に長く仕えた三名の僧侶、すなわち臨済宗僧録《りんざいしゅうそうろく》の以心《いしん》（金地院《こんちいん》）崇伝《すうでん》、天台《てんだい》宗の大《だい》僧正南光坊天海《そうじょうなんこうぼうてんかい》、そして吉田《よしだ》神道《しんとう》の神龍院梵舜《しんりゅういんぼんしゅん》など、家康昵懇《じっこん》の者に限って参列が許された。

さらに翌三年、家康の遺言に従い、下野国二荒山《しもつけのくにふたらさん》（日光山）の中腹に建てられた神社に遷葬《せんそう》された。家康の神号をめぐっては、崇伝・梵舜と、天海との間に、激しい対立が起こった。家康は「東照」と号づけられる神として、関八州《かんはっしゅう》を鎮護する神であることには、異論はなかったが、崇伝・梵舜の「東照大明神」として祀《まつ》られるべきだという主張に対し、天海は、「大権現」を勧めたのである。最終的に天海説が採用されて、「東照大権現」の神号を授けられた家康を祀ったその神社が、いうまでもなく日光東照宮である。大権現を祀る神社は、江戸は、江戸城

◉東照社と朝鮮通信使
鳥居をくぐる通信使一行。朝鮮にはない鳥居が彼らにはめずらしかったのか、日光を訪れた通信使の日記類には、必ず鳥居についての言及がある。（『東照社縁起絵巻』）

18

◉東照大権現神号
天海が主張した家康の神号「東照大権現」を、天海がみずから記したものと伝わる。崇伝らと天海の論争に決着をつけたのは、二代将軍秀忠であった。

内の紅葉山《もみじやま》（明治維新後廃絶）、寛永寺《かんえいじ》・増上寺《ぞうじょうじ》両境内、そして御三家《ごさんけ》の和歌山・名古屋・水戸をはじめ、全国各地に鎮座し、その数は現在でも三〇〇を超えるという。

家光が幼少のころより、生前の祖父家康にとても大事にされていたことは、よく知られるところである。家康の死後も、疱《ほう》瘡《そう》（天然痘《てんねんとう》）などを患った際に、家光の霊夢に大権現が現われて病から救ったりしたことがたびたびあったようで、祖父大権現に対する家光の崇敬の念は厚かった。とくに寛永後期から正《しょう》保《ほう》期（一六三九〜四八）にかけて、大権現の霊夢が多かったようである。家光が描かせた家康の肖像画のうち、霊夢に見えた姿が多く残っている所以《ゆえん》であろう。

『東照社縁起絵巻』は、神君である祖父大権現を熱心に崇拝する家光が、家康の二一回忌にあたる寛永一三年を期して、その前年に南光坊天海に東照大権現鎮座の縁起を撰述《せんじゅつ》させた『東照社縁起』（真名《まな》本）に、幕府の御用絵師《ごようえし》である狩野探幽《かのうたんゆう》が全身全霊を込めて絵を添えた秀作である。「縁起」というジャンルは、寺社の由来にまつわる伝承を語るもので、人物を神として祀る神社の場合は、その人の前世か

●久能山東照宮
家康の遺体が、久能山から日光に改葬されたあと、久能山にも「東照社」が建てられた。各地の「東照社」は、正保二年（一六四五）に朝廷から宮号を許されて、「東照宮」となった。

ら、誕生・生涯、そして神と化して祭られるまで、三世にわたる一種の伝記ともいえよう。『東照社縁起絵巻』は、家光が「神君」たる「東照大権現」信仰を高揚し、幕府を支える礎《いしずえ》に利用する試みの一産物なのである。

そして、家康の二一回忌にあたる寛永一三年に来日した朝鮮通信使が、大権現への信仰心から日光東照宮を参拝した、というのが『東照社縁起絵巻』の語るところである。

### 強制された日光社参

この『東照社縁起絵巻《とうしょうしゃえんぎえまき》』に描かれた朝鮮通信使は、徳川家光《とくがわいえみつ》が将軍となって二度目、大御所《おおごしょ》秀忠《ひでただ》という後ろ盾を失ってからははじめての使節であった。秀忠は寛永《かんえい》九年（一六三二）一月に逝去し、あとを追うように翌一〇年一月に、家康《いえやす》以来三代にわたって幕府の外交・立法ブレーンをつとめてきた以心崇伝《いしんすうでん》も、世を去った。家光にとって、将軍としての器量が試される時期であった。

そこで、大権現への崇拝の念が厚い家光が、大造営を終えたばかりの日光東照社に異国の使節を「参詣《さんけい》」させることで、大権現の御威光《ごいこう》をさらに輝かしいものにするとともに、みずから

19

◉東照宮唐門《からもん》
日光東照宮を代表する建築物のひとつ。寛永一三年完成。全体に白を基調として要所の金箔《きんぱく》がアクセントとなり、さらに細かな彫刻など、さまざまな意匠が凝らされている。

の権威をも高めようと欲したことは、容易にわかるであろう。

対馬《つしま》藩を介しての幕府からの招聘《しょうへい》に応じて、朝鮮の仁祖《インジョ》太王は、四度目の朝鮮使節を「日本国大君《たいくん》」徳川家光へ派遣することになった。寛永一三年一〇月六日の早朝、正使任絖《イムグワン》、副使の金世濂《キムセリョム》、従事官の黄㦿《ホワンホ》ら三使が率いる四七五名からなる大使節団は、六艘の大船に乗り、晴天の釜山浦《プサンポ》を出航し、日本への途についた。二か月後の一二月七日に江戸に着いた一行は、前例のとおり、江戸での宿泊地である本《ほん》誓寺《せいじ》に入った。

その翌朝、老中の土井《どい》大炊頭《おおいのかみ》利勝《としかつ》、酒井《さかい》讃岐守《さぬきのかみ》忠《ただ》勝《かつ》が、家光の名代として本誓寺を訪れ、慰労の意を伝えたが、三使が慰労使の二人を見送ってから、対馬藩主の宗義成《そうよしなり》が突然、「関白（家光）は、使臣の江戸到着を俟《ま》っており、（一行と）偕《みな》して日光へ往《ゆ》くを欲する説を頗《かたよ》り聞く。日光といわれるところ、即ち家康願堂所在の寺なり」と、家光が一行を日光へ連れていきたがっているのであ

| 年 | 家光社参 | 異国使節の社参・献上 |
|---|---|---|
| 元和９年(1623) | 1回目 | — |
| 寛永１年(1624) | 2回目 | — |
| ５年(1628) | 3回目 | — |
| ６年(1629) | 4回目 | — |
| ９年(1632) | 5回目 | — |
| 11年(1634) | 6回目 | — |
| 13年(1636) | 7回目 | オランダ人、はじめて灯籠一基を献上<br>朝鮮通信使社参（1回目） |
| 17年(1640) | 8回目 | — |
| 19年(1642) | 9回目 | — |
| 20年(1643) | | オランダ人、灯籠を献上<br>朝鮮通信使社参（2回目）、釣り鐘を献上 |
| 21年(1644) | | 琉球使節社参（１回目）、香炉・花瓶など、三種の銅具を献上 |
| 慶安１年(1648) | 10回目 | — |
| ２年(1649) | | 琉球使節社参（2回目） |
| ４年(1651) | (家光逝去) | — |
| 承応２年(1653) | | 琉球使節社参（3回目） |
| 明暦１年(1655) | | 朝鮮通信使社参(3回目)、大猶院廟に銅燈籠一対を献上 |

**◉異国人の日光社参**

東照社（東照宮）には、オランダ・朝鮮・琉球からの献上品が何度か贈られた。寛永二〇年には、日本からの強い要請に応じて、朝鮮から青銅の釣《つ》り鐘《がね》が奉呈されている。

る。二か月もの「行中」一度も出なかったこの話に、使臣は当然驚き、「恠《あや》しむべけんや、悪《にく》むべけんや」と、迷ったという。

一日おいた一〇日、ふたたび義成が本誓寺を訪れ、「大君、使臣遊覧するを得んと欲す。一国光華とす」という家光の意向を三使に伝えた。「使臣遊覧」を「一国光華」（日本としての栄誉）といいながら、実際には、将軍家を鎮護する大権現の霊験が、海を隔てた異国に及んでいるという「フィクション」を、朝廷以下・諸大名にまで喧伝《けんでん》する目的から、日光への「遊覧」を猛烈に迫ったのである。それでも、使命にないことと、帰国の日程が乱れることを理由に、三使はなかなか折れない。

一二月一四日、三使以下の行列は、本誓寺から江戸城へ登城して、家光に謁見《えつけん》した。その場でもまた、「執政四人、西の夾楹《きょうえい》外より、匍匐《ほふく》して、以《もっ》て入り、関白の言を聴き、臣らに伝え」た慰労の挨拶《あいさつ》と、使臣の返答に続き、家光が「日光、新刹の寺刹《じさつ》であり、三官使の遊覧を得んと欲す。一国の光華に以為う。許諾を蒙《こうむ》り得れば、喜幸《きこう》に勝《た》えぬ。但《ただ》し、冒寒《ぼうかん》の往来をもって、不安とす」る意向に対し、使臣たちは、「これに至れば、謝《しゃ》と称す。始めて盛意《せいい》を識《し》」った、という。

謁見の四日後の一八日、三使や「若干員役」は、日光へ向かって本誓寺を出発した。その他の武官・楽隊・馬上才《ばじょうさい》（曲馬乗《きょくばの》り）たちは、家光が彼らの芸を「観光」したいと欲したので江戸に残したと、正使の任絖の日記にある。日光社参の要請は、通信使が江戸に着いた翌日、はじめて宗義成から申し出られたが、「使臣、いまだ江戸に到らざる七日前、すでに民を発して道を治せしめ」たとも、任絖は記している。それのみならず、広島藩に儒医として仕えた黒川道祐《くろかわどうゆう》の『遠碧軒随筆《えんぺきけんずいひつ》』によると、真冬の日光街道は吹雪に見舞われたので、沿道の村々から人足を徴して除雪をさせたらしい。さぞ「冒寒」の旅だったであろう。

こうしてみると、任絖をはじめとする三使は家光の日光「遊覧」要請を固辞しつづけたが、ついに断わりきれず、無理して往復した、ということが瞭然であろう。しかし、幕府側の日記には、「韓使、日光山御宮参拝の事、請《こ》ふま丶にゆるされ」たとある。家光・幕府は、最初から三使が提案した日光参詣であったかのように仕立て、国内にも同じような筋立てのプロパガンダをいいふらしたらしい。広島藩は、つぎのような記録をつけている。

三使日光山へ参詣ノ望アルニ依テ、同十四年ニ南光坊《なんこうぼう》大僧正江府《こうふ》ヲ立テ《(チ)》登山也。同十七日ニ三使江戸ヲ発足ス、路次ノ警固ハ那須《なす》美濃《みのの》守《かみ》・真田隼人正《さなだはやとのかみ》奉《ほうず》ス。

幕府によるこうしたプロパガンダは、一九年前の元和《げんな》三年（一六一七）の朝鮮使節来日の折にも喧伝されたことが、平戸《ひらど》の初代イギリス商館長のリチャード・コックスの日記によってわかる。「ある人々は（それは庶

20

●東照社へ向かう三使
『東照社縁起絵巻』に描かれた正使・副使・従事官。正使の任絖は『丙子日本日記《へいしにほんにっき》』のなかで、東照社の印象を冷淡に記している。

民だが）、通信使が来たのは、臣従の礼を表し、かつ貢物《こうもつ》を献上するためだ。もしそうしないと、皇帝はふたたび彼らに対して戦争を仕掛けただろう、とうわさしている」。寛永一三年の日光は、コックスのいう「臣従の礼を表」す筋書きの延長上にあった、と考えてよいだろう。

一方、朝鮮の側に家康に対する崇敬の念などなかったことはいうまでもない。「大権現の御威光が異国までも及び、それを崇敬して来日する」というイメージは、日本側が勝手に構築したフィクションにしかすぎない。とはいえ、そのフィクションは、幕府が意図的に喧伝したことによって市井《しせい》の巷談《こうだん》として広く流布し、庶民の常識と化していった。幕府の御威光を誇示するのに朝鮮使節を利用するのは、家光の代に限らず、初期の徳川将軍に共通してみられることである。その例をさらにいくつか紹介しよう。

### 耳塚と朝鮮通信使

文禄《ぶんろく》・慶長《けいちょう》の役《えき》（壬辰《じんしん》・丁酉倭乱《ていゆうわらん》）において豊臣秀吉《とよとみひでよし》の軍が、朝鮮の人々の耳や鼻を大量に切り取って日本へ送ったことは前にも述べた。その耳や鼻を、「供養」と称して秀吉が建立した京都東山の方広寺《ほうこうじ》の前に築きあげた塚に埋め、塚の上に宝塔を建てたものが、今も残る「耳塚《みみづか》」である。

「刵《みみき》り」や「劓《はなそ》ぎ」という悲惨《ひさん》な行為自体は、日本では秀吉によって始

◉耳塚
現在では観光地として紹介されることは少なくなっている。

められたのではなく、古くから戦闘行為として、また刑罰として行なわれてきた習わしであったことは、多くの研究によって知られている。したがって、異国征服という侵略戦争において、異国の人々にのみ加えられた行為ではなかったといえるのだが、だからといって悲惨な慣行であることには変わりなく、朝鮮の人々の心と体に残した傷は深かったのである。

それはそうと、江戸幕府は、秀吉と縁の深い方広寺・耳塚を、朝鮮使節（回答兼刷還使《かいとうけんさつかんし》および朝鮮通信使）とセットにして、みずからの「武威」を示すために利用した。それは、慶長一二年（一六〇七）、文禄・慶長の役のあと最初の朝鮮使節のときからみられた。幕府とその意向を受けた対馬藩《つしま》は、使節が方広寺・耳塚の前を通るよう、緻密《ちみつ》な演出を加えたと思われるのである。

その慶長度の副使として来日した慶暹《キョンソン》（慶七松《チルソン》）の日本見聞記『海槎録《かいさろく》』によると、使節一行は同年四月一二日に京都に入り、洛北の大徳寺《だいとくじ》に泊まり、これまで三か月あまりの陸路・海路の疲れを癒《いや》すため一〇日あまりの休息をとってから、京都見物に出かけた。コースとしては、北西から都をジグザグと南下して洛外南東の東福寺《とうふくじ》までが往路である。東

21

◉方広寺
大仏殿とも呼ばれる。豊臣秀吉が創建し、文禄四年（一五九五）に大仏殿が完成した。秀吉の死後に方広寺の鎮守のため建てられたのが、豊国神社である。（『洛中洛外図屏風』舟木本）

福寺から今度は三十三間堂《さんじゅうさんげんどう》（蓮華王院《れんげおういん》）へ北上し、そのつぎは清水寺《きよみずでら》を訪れているので、三十三間堂のすぐ北にそびえたつ方広寺や豊国《とよくに》神社、その西側にある耳塚の前も通ったに違いない。にもかかわらず、不思議なことに『海槎録』になんの記述もないのは、案内・警固役をつとめたはずの対馬藩主や藩士たちが、意図的に案内しなかったとしか思えないのである。

壬辰・丁酉倭乱を生き抜き、秀吉のことを敵として認識する国賓《こくひん》に対し、秀吉建立の方広寺や耳塚・秀吉を祀《まつ》る豊国神社が、案内からはずされたことは、容易に理解しうることである。しかし、洛北の宿所にもっと近くて案内しやすい名所が多数あるにもかかわらず、京の正反対の遠い東福寺から東山に沿って北上するコースを選んだのは、幕府や対馬藩が、使節に方広寺・耳塚を見せることを目的としたものではなく、逆に方広寺・耳塚界隈《かいわい》で日本の人々に朝鮮人を見せるため、努めて演出したものと考えたほうが妥当であろう。

幕府の意図は、林羅山《はやしらざん》がのちに『豊臣秀吉譜』（寛永《かんえい》一九年（一六四二）自跋）で述べているように、朝鮮使節を耳塚へ案内することで彼らに供養・慰霊の機会を与えるというものであった。だがそれは「立て前」であり、将軍を情けのある「仁君」に仕立てるとともに、朝鮮を「来貢」の国として演出するのが「本音」であったと思われる。

さらに、次回の朝鮮使節の来日時に、幕府の演出姿勢はもっと露骨になってきたといわざるをえない。二回目の使節が来訪した元和《げんな》三年（一六一七）は、徳川権力の存続にもかかわる大事な時期であった。前年に大御所《おおごしょ》家康《いえやす》が世を去り、強力な後ろ盾を失った秀忠《ひでただ》にとって、みずからの力量がいまだ試されていない時期でもあった。この懸念を一気に払拭《ふっしょく》する手段として、幕閣が決めた演出が、秀忠が大軍を率いて上洛し、朝廷や諸大名が集まった京都を舞台に、朝鮮の使節を迎えることであった。

使節は今回の滞在も、大徳寺に宿泊したのだが、まず秀忠が使節を迎える舞台として、伏見城《ふしみじょう》が定められた。そうすることによって、前回の使節がたどった「往見」コースを通って、謁見《えつけん》に列席する諸大名や公家衆の前に朝鮮使節を見せることを演出したのである。さらに伏見城からの帰路、方広寺に昼食の用意をして、使節一行を方広寺に立ち寄らせたのである。前回は見物コースに組み込まれていなかった方広寺が、慰労の「場」として、幕府演出の舞台と化したのである。小一時間という束《つか》の間《ま》とはいえ、朝鮮人一行にとってはさぞ喉《のど》に詰まる、苦い昼食であったろう。同行した従事官の李景稷《イギヨンジク》は、怨念《おんねん》の気持ちを抑えられず、つぎのように記した（『扶桑録《ふそうろく》』）。

寺の前に高丘あり、墳状の如し。石塔を設《もう》く。秀吉、我国人耳鼻をここに聚《あつめ》て埋《うず》む。秀吉死後、秀頼《ひでより》封《ほう》に還《かえ》り、碑《いしぶみ》を建つると云。聞き来って、痛骨に勝られず也。

**幕府の演出が与えた影響**

朝鮮人の怨念《おんねん》の気持ちとは別に、方広寺《ほうこうじ》内外に数百人の朝鮮人が集う光景は、方広寺・耳塚《みみづか》をめぐる言説や描写にたちまちに影響を与えた。方広寺・耳塚は当初から人々の注目を集め、新興名所となってはいた。だが、たとえば慶長《けいちょう》期以降に描かれた「洛中洛外図屏風《らくちゅうらくがいずびょうぶ》」を通覧すると、元和《げんな》以降になって、方広寺・耳塚セットが、下京《しもぎょう》から鴨川《かもがわ》を挟んだ三十三間堂《さんじゅうさんげんどう》の北隣に描かれる作品が多く出てくるのである。

華美を極めてつくられた多くの「洛中洛外図屏風」は、武家や豊かな町人が競ってつくらせた奢侈品《しゃしひん》であったと考えられるので、限られた機会を除き一般庶民、見物人の目に触れることはなかったであろう。しかし、江戸時代前期の慶安《けいあん》・寛文《かんぶん》期（一六四八～七三）ごろから活発に展開する出版文化が生み出した京都の紀行文や名所記・案内記などを見てみると、庶民レベルでも方広寺・耳塚は早くからその存在を知られ、名所のひとつとしての地位を確保し、近世を通じて定着していったことがわかる。

これ以降の朝鮮通信使も、帰路に京都に立ち寄る際には必ず、幕府・対馬《つしま》藩の強引な要請によって、方広寺・耳塚を「見物」するよう演出されてしまうこととなった。方広寺や耳塚の由来・意味を重々理・

22

◉セットで描かれた方広寺と耳塚
手前の川は鴨川、図の中央が方広寺（大仏殿）、その手前の小山が耳塚である。耳塚のまわりでは、鑓《やり》や刀を持っての喧嘩《けんか》が繰り広げられている。（『洛中洛外図屏風』歴博D本）

解している朝鮮人にとって、耐えがたい筋書きであり、彼らが快く訪れたはずがない。実際、享保《きょうほう》四年（一七一九）に八代将軍吉宗《よしむね》の襲職《しゅうしょく》に際して来日した通信使は、それを理由に強く抗議したが、対馬と京都所司代の工作があってやむなく承諾したことが、製述官（作文官）の申維翰《シンユハン》の『海游録《かいゆうろく》』から明らかである。

すなわち、一一月一日、京都の手前の大津《おおつ》（滋賀県）で、通信使は必ず帰路に方広寺に立ち寄ることになっていて、吉宗もその準備をしているので立ち寄るようにと、対馬藩主の宗義誠《そうよしのぶ》が突然申し出たのである。それに対し、通信使側は、方広寺は秀吉の「願堂」であると聞いており、「この賊はすなわち吾邦の百年の讐《あだ》である」からと、強く辞退する気持ちを伝えた。

たび重なる説得にも辞退の姿勢を変えない朝鮮側に対し、幕府側は最後には、「方広寺は徳川家光《いえみつ》が建てた」と内容を改竄《かいざん》した『日本年代記《にほんねんだいき》』の偽書を急遽《きゅうきょ》刷って渡すことまでして、参拝を強制した。朝鮮側もついには折れて、方広寺を見物することを受け入れることとなったのである。

こうしてみると、幕府にとって、朝鮮通信使を方広寺の舞台に演出することが、どれだけ重要な意味をもつことであったかが、浮き彫りとなってくるであろう。

こうした演出は、幕府が望むとおりの印象を、日本の庶民に焼きつけたようである。たとえば延《えん》享《きょう》五年（一七四八）度の通信使が来日した際、小薗豊福《こぞのほうふく》なる者が描いた『鮮聘聞珍《せんぺいぶんちん》』の序には「聘《へい》使《し》来朝ノ度毎《たびごと》ニ耳塚ニ詣テ拝セズト云事無《なき》ハ、我国武威ノ勢ヲ示セリ」とある。耳塚は、内外に対して日本の「武威」を誇示するものとなったのである。

このように、本来豊臣氏ゆかりの方広寺・耳塚を徳川氏の政治色に塗り替えるとともに、みずからの「武威」スタンスを強めようとする幕府の演出によって、それ以降の「洛中洛外図屏風」「京都地図」「案内記」などの表現に「方広寺・耳塚・日本の武威が海外まで輝き、恐れられている」という文脈の言説が定着していくのである。朝鮮使節の訪問という幕府の演出は、名所としての方広寺・耳塚のストーリーに、新たなエピソードを書き刻んだといってよいであろう。

**江戸を練り歩く『朝鮮通信使歓待図屏風』**

天明《てんめい》四年（一七八四）冬一〇月のある日、名古屋藩士の高力種信《こうりきたねのぶ》は、名古屋城下の新《しん》出来《でき》町の大龍寺《だいりゅうじ》が京都洛外の泉涌寺《せんにゅうじ》から借りた「霊宝開帳《れいほうかいちょう》」を見るために、大龍寺へと出かけた。それは禁裏の菩提寺《ぼだいじ》である泉涌寺の「御代々の御勅物《ごちょくもつ》」を公開したもので、多くの参詣者《さんけいしゃ》が集まって日々にぎわったという。

種信は「猿猴庵《えんこうあん》」という号で、見るも

23

◉「霊宝開帳」
猿猴庵が描いた、『朝鮮通信使歓待図屏風』の開帳風景。次ページに、ここに描かれている屏風の左隻を掲載しているので、ぜひ見比べてほしい。（『猿猴庵合集　泉涌寺開帳・嵯峨開帳』）

の・聞くものの多くを絵本にまとめ名古屋城下の貸本屋大惣《だいそう》を介して発表する、筆まめな男であった。彼は、「実《げに》や、名にのミ聞て、絵ならでは見侍《みはべ》らざりしやんごとなき品々を、目下《まのあたり》に拝《おがみ》奉るハ、珎《めずら》しき事なれば、恐《おそれ》ミ〳〵そのあらましを写《うつし》て噺《はなし》の種とハなしぬ」と、この日の開帳を『猿猴庵合集五編』という絵冊子にまとめ、そのなかに開帳の珍奇な品々を詳しく描き、部屋ごとの解説員の口上を、各項に書き入れておいた。

　そのなかで、何かの行列と、座敷内・庭内の様子を描いた、八曲一双の屛風を、猿猴庵の独特な略図で示し、屛風の脇《わき》に立つ男の口上を、つぎのように記している。「此御屛風ハ忝《かたじけ》なくも東福門院《とうふくもんいん》様御好《おこのみ》に付《つき》、公方様《くぼうさま》より御献上被遊《あそばされ》たる朝鮮人来朝の図、狩野《かのう》の益信《ますのぶ》の筆でござる」。描かれている内容が朝鮮通信使の「来朝」であること、「公方様」（将軍）が、元和《げんな》六年（一六二〇）入内して後水尾《ごみずのお》天皇に輿入《こしい》れをした東福門院（秀忠《ひでただ》の娘和子《まさこ》）へ贈った、朝鮮通信使を画題とした屛風であることが説明されている。

　筆者は、一九九三年にはじめてこの絵冊子を見たとき、思わ

24

●三使による国書奉呈

『朝鮮通信使歓待図屛風』左隻の、三使が将軍に国書を奉呈する場面。将軍は図の左上にいるが、金雲と御簾《みす》で隠されている。

ず「まさか！」と吐露した覚えがある。それは、そこに描かれている屏風が、展覧会や図録で何度も見たことのある泉涌寺蔵の『朝鮮通信使歓待図屏風《ちょうせんつうしんしかんたいずびょうぶ》』であることが、ひと目でわかったからである。通信使行列が江戸市中を練り歩き、江戸城郭の堀を渡って登城する光景から、座敷で日本人三人と対面する三使の様子など江戸城内でのありさま、そして下城していくまでを描いた屏風である。

　ところが、何代将軍に謁見《えっけん》したいつの通信使を描いたものなのか、また発注者は誰なのかなど、この屏風については詳しいことはわかっていない。屏風を見ても、絵師の落款《らっかん》「益信筆」と印章が両隻に施されているほかに文字がなく（橋を渡る騎馬武官が持つ旗に、文字に擬した書き込みはあるが）、描かれている内容にも、手がかりになるものは何ひとつとしてない。屏風を所蔵する泉涌寺にも「東福門院什物《じゅうもつ》」という以外に情報はないようで、いつ、そしてなにゆえ東福門院の手に渡ったかなど、詳細はわからない状況である。

　したがって、東福門院と益信に手がかりを求めるしかないであろう。狩野益信は、寛永《かんえい》二年（一六二五）に江戸職人の家に生まれ、狩野探幽《たんゆう》に師事して婿養子《むこようし》となったが、探幽の実子が生まれると、師匠の許しを得て、分家の駿河《するが》台《だい》狩野家を興《おこ》して独立した。益信の年齢やキャリアを考えると、寛

25

◉狩野益信の山水図
中国の寧波《ニンポー》にある育王山《いくおうざん》（阿育王山）を描いたもの。禅宗五山のひとつとして、日本でも信仰された。京都山科《やましな》の毘沙門堂宸殿《びしゃもんどうしんでん》の障壁の山水画も、益信の筆である。

永一三年あるいは二〇年の通信使の屏風をひとりで仰せ付けられるには、やや若すぎると思われるので、明暦《めいれき》元年（一六五五）以降の通信使を候補と考えて差し支えはないだろう。

一方、東福門院は延宝《えんぽう》六年（一六七八）に没しており、その間の通信使といえば明暦元年だけである。したがってこの屏風が描いた通信使は、四代徳川家綱《とくがわいえつな》に謁見した明暦元年のものに絞られてくる。また依頼主は、四代将軍家綱か家綱側近の有力大名としか考えられない。

### 『朝鮮通信使歓待図屏風』制作の背景

四代将軍家綱《いえつな》の襲職時、幕府は大きな危機を迎えていた。二代将軍秀忠《ひでただ》は、「老狸」と呼ばれた大御所《おおごしょ》家康《いえやす》が駿府《すんぷ》城から見守っていたし、三代家光《いえみつ》も同様に、江戸城西《にし》の丸《まる》に移住した大御所秀忠に一〇年近く見守られて、器量と威光を積み上げてから、「一人将軍」になっている。

ところが四代家綱は、病弱の身体であり、慶安《けいあん》四年（一六五一）、弱冠一一歳にして父家光に死に別れ、将軍の座についた。徳川の「天下泰平」になってはじめての、大御所抜きの新将軍であった。また、家綱には有力な後ろ盾もいなかった。将軍に襲職してわずか三月《みつき》にして由井正雪《ゆいしょうせつ》の倒幕陰謀（慶安事件《けいあんじけん》）が

26

●徳川家綱
老臣たちの補佐によって襲職直後の政情不安を乗りきり、安定期を迎えた。それまでの将軍が必ず上洛し将軍宣下を受けていたのに対し、家綱以降幕末まで将軍上洛はなかった。

露見したことからもわかるように、家綱の器量と幕府の威厳を、今一度示さなければ、将来が懸念される時期であった。

そんなときだけに、家綱側近の誰かが、家綱の叔母《おば》にあたる東福門院《とうふくもんいん》に、江戸で将軍に謁見《えっけん》する朝鮮通信使をきらびやかに描いた絢爛《けんらん》豪華な屏風を「献上」して、幕府・新将軍は、異国の王が江戸へ来貢するほど慕われていることを喧伝《けんでん》し、幕府に対する動きを未然に止めようとしたのではないかと、推測することができる。

今までの朝鮮通信使は、元和《げんな》三年（一六一七）の使節が、将軍秀忠上洛中の京都で接待され、朝廷・公家衆に印象づけられたが、それ以外は、いずれも江戸で謁見・接待されており、京都は休憩地にすぎなかった。幕府の「御威光《ごいこう》」が異国にまで及んでいると朝廷にアピールするには、こうした屏風を描かせるしかなかったのであろう。

依頼主が誰であるかはわかっていないが、おそらくは幕府の中枢にあって政治力のある人物であろう。だとすれば、ともに家光の遺命によって家綱を補佐した大老《たいろう》の酒井忠勝《さかいただかつ》か、家光の異母弟で、会津《あいづ》藩主《はんしゅ》の保科正之《ほしなまさゆき》の二人に候補は限られてくる。根拠はないが、保科は東福門院の異母弟でもあることから、筆

27

◉保科正之
二代将軍秀忠の第九子だったが、七歳のとき信州高遠《たかとお》の保科氏の養子となり、山形藩主を経て会津《あいづ》藩主に。学問を奨励し、みずからも山崎闇斎《やまざきあんさい》に朱子学、吉川惟足《よしかわこれたる》に神道を学んだ。

者は保科をより有力な候補と考えている。

明暦《めいれき》の通信使が来日した折に、榎本弥左衛門《えのもとやざえもん》という武蔵川越《むさしかわごえ》の塩商人が、江戸で通信使見物を楽しんでいる。『朝鮮通信使歓待図屏風《ちょうせんつうしんしかんたいずびょうぶ》』に描かれている見物人のひとりと考えてもよいであろう。弥左衛門は、通信使の江戸入り、登城行列などのスペクタクルを、その回想録『万之覚《よろずのおぼえ》』に、つまびらかに書き残している。たとえば、江戸に入った通信使の一行についての記述を見てみよう。

大将は三人也。是はちやうせん大納言之位と申候。道具、やり卅、てつほう十町、ゆみ十丁計《ばかり》也《なり》。此外《このほか》、はた・ふへ・たいこ・かねなど馬ニのり候ても吹候、うち候。但能《ただしよき》きら百五十人程、九十人程悪敷《あしき》きら、四十人程きらもなし。

弥左衛門にとって朝鮮通信使行列は、一生に一度のイベント、明暦元年（一六五五）の大出来事としてのちのちまで記憶に残っていたことがわかる。『万之覚』がどこまで一般庶民の認識を代表しているかは、確かめがたいところもあるが、同様に多くの人々に強烈な印象を与えたことは間違いないだろう。幕府は、このように人々の注目を集めた朝鮮通信使というイベントを『朝鮮通信使歓待図屏風』に描くことで、朝廷に対して幕府の威厳を示すのに利用したのである。

# 第二章

# 「鎖国」という外交

## ——創造された「祖法」

## 「鎖国」の発見

### 「鎖国」ではなかった近世日本

二〇〇八年三月一二日付の『朝日新聞』朝刊に、「江戸時代は本当に鎖国か」という興味深い記事が掲載された。同年三月一八日にオープンを控えた、「はじめに」でも触れた国立歴史民俗博物館の近世の常設展示のリニューアルに関連した記事なのだが、その文中に「『江戸時代は必ずしも鎖国の時代といえない』という見解が近年、歴史研究者の間で主流になっている」とある。筆者も近世の日本は鎖国ではない、ということを三〇年以上前から主張してきたが、記事は歴史研究者の間ではその見解が主流となっていることを述べると同時に、「江戸時代は本当に鎖国か」というタイトルが示すように、一般的にはその見解がまだまだ浸透していないことを認めている。

寛永《かんえい》中期の一六三〇年代に実施された、一連のいわゆる「鎖国政策」は、かつては日本を諸外国との外交貿易、または文化面での国際交流から切り離したとされてきた。いわゆる「鎖国政策」とは、キリスト教を弾圧し、ポルトガル人を国外追放し、オランダ人を長崎の出島《でじま》に閉じ込め、日本人の海外渡航を禁じる、などといった、一連の対外関係の制限のことを指している。

順調に発展していく余裕さえあったならば、日本は長崎からシャム（タイ）までの海外貿易拠点を背景に、オランダ・イギリス・スペイン・ポルトガルなどに匹敵する海上貿易活動圏を築いていった可能性もあったが、「鎖国政策」の導入が、成長しつつあった日本の海外発展を絶ち切ったようにみられてきた。この「海外発展」、そして西洋との交流がそのまま続いていれば、日本は近代科学革命、産業革命を招来した可能性すらあった、という「鎖国得失論」も展開された。ほとんど西洋に

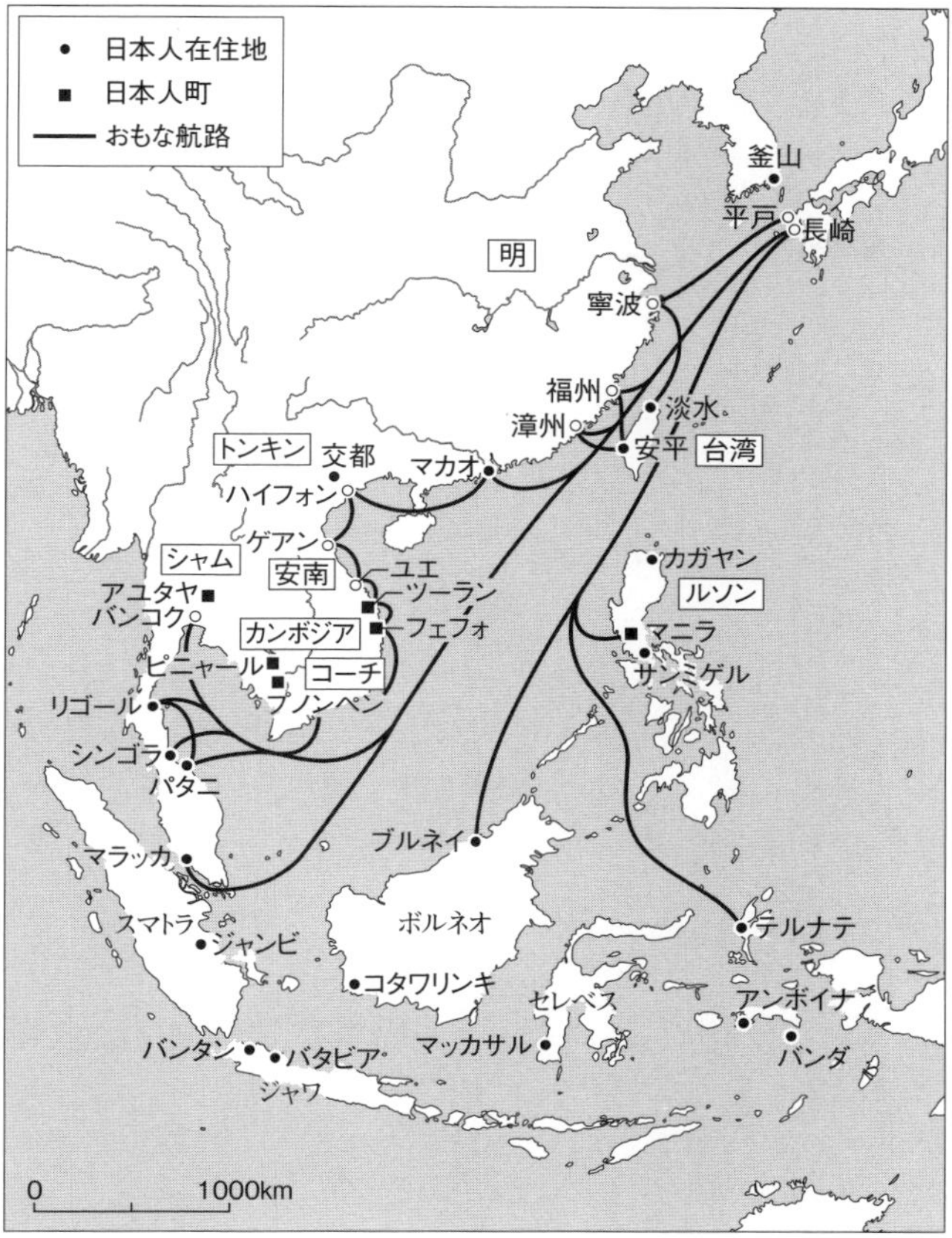


◉日本と東南アジアの交わり
一七世紀前半のいわゆる「鎖国」以前には、幕府から貿易を許可された朱印船が東南アジアへと向かい、各地に「日本人町」が形成された。元和《げんな》年間（一六一五～二四）のマニラには、約三〇〇〇人の日本人が住んでいたといわれる。

劣らぬ技術水準に達していた一六世紀から一七世紀の日本は、みずからの手により、国を閉ざしさえしなかったら、ヨーロッパに遅れをとらなかっただろう、と考える人が多かったのである。

しかし、それに対して、近世の日本は「鎖国」という言葉が呼び起こすような閉鎖状態ではなく、近世を通じて、日本の外交や政治経済は、東アジア諸国と密接につながり、日本の外交政策は東アジアの域内経済や、日本の国内政治経済にとって、きわめて重要な役割を果たしつづけた、とする見解がしだいに支配的になってきたのである。いわゆる「鎖国」という概念は、寛永年間の国家方針のレッテルとしても、対外関係のあり方のレッテルとしても、基本的に的をはずれたイメージであることは、今や否定できなくなってきている。

たとえば、「鎖国」においては日本人の海外渡航はいっさい禁じられたともいわれていたが、それは正確ではなくて、実際には対馬《つしま》藩は朝鮮、鹿児島（薩摩《さつま》）藩は琉球《りゅうきゅう》へ、それぞれ近世を通じて渡航が認められていた。こうした政治政策・貿易・文化・技術・情報の国際交流などの実態が明らかになればなるほど、近世の実像は従来の「鎖国史観」というべきとらえ方と調和しない、矛盾する要素に満ちているということがわかってきている。

しかし、それでは日本の近世を「鎖国」と見なす考え方は、いつごろから、どのようにして生まれてきたのだろうか。それを考えるうえで重要なのは、いわゆる「鎖国」が完成したといわれる寛永年間において、江戸幕府にはみずからの政策を「鎖国」と見なす認識もなく、また「鎖国」という言葉もなかったということである。

寛永年間の幕府の政策を「鎖国」と見なす考え方は、一八世紀後半にその萌芽があり、それを「鎖国」という言葉を用いて論じるようになるのはさらに下って幕末のことなのである。そこでここでは、一八世紀後半になって幕府が、寛永年間の政策を「鎖国」と見なすようになった経緯から考えていきたいが、その前に「鎖国」という言葉が生まれた経緯に触れておきたい。

### 「鎖国」という言葉の誕生

「鎖国」という言葉は、日本の近世を語るときにつきものの言葉であり、「鎖国令」などという用語も広く使われている。だがじつは、「鎖国」という言葉は、一七世紀の段階では存在しなかったのである。寛永《かんえい》中期（一六三〇年代）に出された一連の対外政策は、一般に「鎖国令」と呼ばれているが、実際にはそこにも「鎖国」という文字はみられない。

その点はまたのちほど説明するが、それでは「鎖国」という用語がはじめて用いられたのは、いつなのだろうか。それは、享和《きょうわ》元年（一八〇一）に、もと長崎オランダ通詞《つうじ》だった志筑忠雄《しづきただお》が外国の文章を翻訳した際に、その表題に用いたのが最初なのである。その表題は、全訳すると「今の日本人が全国を鎖《とざ》して国民をして国中国外に限らず敢《あえ》て異域の人と通商せざらしむる事は、実に所益あるによれりや否《いなや》の論」というものだったが、さすがに長すぎたので、志筑は「国を鎖す」という語句を逆にして「鎖国」という新語をつくり、そのタイトルを「鎖国論」としたのである。

志筑が翻訳したのは、一六九〇年（元禄《げんろく》三年）から九二年に長崎オランダ商館の医師をつとめていたドイツ人医師のエンゲルベルト・ケンペルが、その体験をもとに記した『日本誌《にほんし》』（一七二七年〔享保《きょうほう》一二年〕英語版刊）の付録の文章だった。当時、日本国内では、ロシアの接近に伴って対外関係をめぐる議論があり、日本はロシアとの交易を認めるべきだという論もあったのに対し、これに反対の立場の志筑は、この文章が自分の意見を補強するものと考えて、翻訳したのだった。

志筑は、ドイツ語で書かれたケンペルの原書からではなく、そのオランダ語版から翻訳した。そのオランダ語版は、ドイツ語版を直接翻訳したのではなく、英語版をもとにしていた。志筑が「国を鎖す」と訳した箇所は、もとになった英語版では"keep it shut"となっているのをオランダ語版が英語版どおりに訳して、それを志筑が忠実に翻訳したものである。

だが、「国を鎖す」に相当する語句は、最初のドイツ語版にはない。ドイツ語の表題の該当部分は、「日本国において自国民の出国、外国人の入国を禁じ」といった意味で、英語版とは微妙にニュ

1
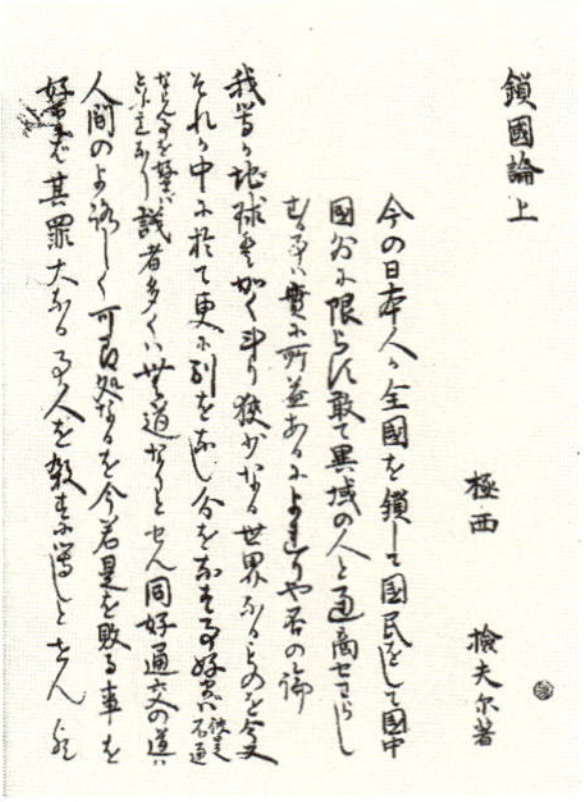


2
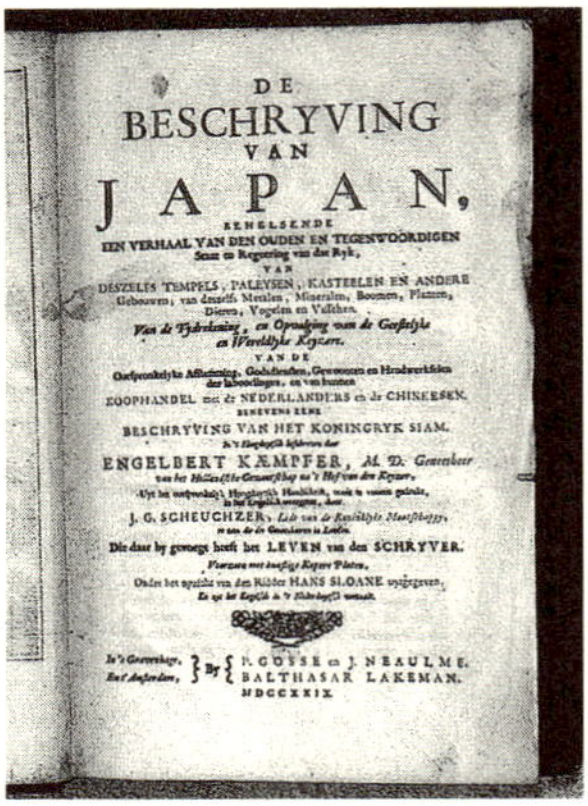


◉『鎖国論』と『日本誌』
志筑忠雄の『鎖国論』は、写本によって読み継がれ、幕末の攘夷論に影響を与えたとされる。ケンペルの『日本誌』は、ケンペル死後の一七二七年にまず英語版が出版された。オランダ語版は、安永年間（一七七二〜八一）ごろから輸入された。写真上が『鎖国論』の写本で、下が『日本誌』のオランダ語版。

アンスが異なる。「鎖国」という言葉は、ケンペルの『日本誌』の一付録の表題を英語に翻訳する際の、誤訳とまではいえないかもしれないが、微妙なズレから誕生したものだったのである。

なお、志筑が翻訳した『鎖国論』は、当初は刊行されることなく、筆写によって私的に流布した。刊行されたのは翻訳してから五〇年後の嘉永《かえい》三年（一八五〇）のことで、そのときの表題は『異人恐怖伝《いじんきょうふでん》』であった。

以上述べてきたように、「鎖国」という言葉は一九世紀初頭に生まれたものである。したがって一八世紀以前には「鎖国」という言葉は存在しなかった。となると、寛永年間に出された、いわゆる「鎖国令」も、当初からの名称ではないということになる。

いわゆる「鎖国令」とは、寛永一〇年（一六三三）から一六年にかけて出された、計五回の禁令の総称である。内容的には、日本人の海外渡航の禁止、キリスト教弾圧、対外貿易の制限などいわゆる「鎖国政策」を打ち出したもので、寛永一六年の禁令によるポルトガル人の国外追放をもって一連の「鎖国政策」が出そろった、と一般にいわれている。しかし、それらは最初から「鎖国令」だったわけではない。当時は「海禁」「御禁制」「御禁」などと題されていたのが、「鎖国」史観とともに、「鎖国令」と呼ばれるようになっていったのである。

| 年 | 特　徴 |
|---|---|
| ①寛永10年(1633) | 海外在住日本人の帰国を制限 |
| ②寛永11年(1634) | ①とほぼ同内容 |
| ③寛永12年(1635) | 日本船の海外渡航と海外在住日本人の帰国禁止 |
| ④寛永13年(1636) | キリシタン訴人に対する懸賞金を増額 |
| ⑤寛永16年(1639) | ポルトガル船の日本来航禁止 |

◉五つの「鎖国令」
いわゆる五つの「鎖国令」のうち、寛永一三年までの四つは、日本人の海外往来をめぐる規制とキリシタン取り締まりを除いては、内容的に大きな違いはなかった。

## ロシアの接近

元文《げんぶん》四年(一七三九)五月、陸奥《むつ》・安房《あわ》などの諸国の沿岸に、ロシアの船が出現した。日本の元禄《げんろく》期(一六八八〜一七〇四)ごろからシベリア海岸まで東漸《とうぜん》してきたロシアが、ついに日本の本土にその姿を現わしたのである。ロシア人は日本人とも直接に接触した。これまで、南蛮紅毛《なんばんこうもう》がもたらした地理情報によって、「もすかうびや」としてかすかに認識されてはいたものの、幕府の記録のうえで、ロシア人と実際に接するのは、これがはじめてであったようだ。

そのはるか以前の一七世紀初めからロシアは東漸を開始しており、やがて清《しん》国の北部辺境に迫るなか、ロシアと清両国の勢力の間に、たび重なる軍事衝突が生じた。一六八九年に締結されたネルチンスク条約によって、ロシアと清との国境線が一応決まり、清に対するロシアの貿易権が認められた。これによって、ロシアはさらにシベリア東端まで探検して、アムール川下流域、オホーツク海沿岸に砦《とりで》の拠点を設置し、あと一歩でアイヌに接する寸前まで進むことができた。

この接近に伴って、蝦夷《えぞ》地にはロシアの脅威が迫っていた。こうした動きのなか、ベニョフスキー事件が起こった。ベニョフスキーというのは、ハンガリー生まれでポーランド軍に加わってロシア軍と戦い、一七六九年にロシア軍の捕虜となった人物である。彼は流刑と逃亡を繰り返したのち、一七七一年(明和《めいわ》八年)に、仲間たちとともにカムチャツカ半島の流刑地先で反乱を起こして船を強奪し、太平洋に船出したのである。この航海の途中、彼らは、四国の日和佐《ひわさ》(徳島県美波《みなみ》町)と奄美《あまみ》大島《おおしま》に投錨《とうびょう》し、薪水《しんすい》を補給している。そして彼らは、琉球《りゅうきゅう》から台湾を経てマカオでいったん船を乗り換えてから、一七七二年にフランス船に乗り、当時はまだフランス領であったフランス島（モーリシャス）を経由して、同年パリに向かっている。

そのベニョフスキーが日本に寄港した際に、長崎のオランダ商館長あてにロシア人の日本接近計画を伝えたことから、彼の「警告」は幕府や知識人の知るところとなったのである。

それまでは、福山《ふくやま》（松前《まつまえ》）藩がこのような脅威があるという事実をできるかぎり幕府の耳に届かな

| 年 | 出来事 |
|---|---|
| 元文４年（1739） | ロシア船、陸奥・安房などの沿岸に出現 |
| 明和８年（1771） | ベニョフスキー事件 |
| 安永７年（1778） | ロシア船、厚岸に来航し、通商を要求(翌年、拒否) |
| 寛政４年（1792） | ラクスマン、根室に来航し、通商を要求 |
| 寛政５年（1793） | 幕府、ラクスマンの通商要求を拒否し、長崎貿易の信牌を与える |
| 寛政７年（1795） | ロシア船、蝦夷地で日本船の銭貨を収奪 |
| 寛政11年（1799） | 幕府、東蝦夷地を7年間借直轄地とする |
| 享和２年（1802） | 幕府、蝦夷地奉行設置。東蝦夷地を永久直轄地とする |
| 文化１年（1804） | レザノフ、長崎に来航し、通商を要求 |
| 文化２年（1805） | 幕府、レザノフの通商要求を拒否 |
| 文化４年（1807） | ロシア船、樺太・択捉島を襲撃。幕府、西蝦夷地も直轄地とする |

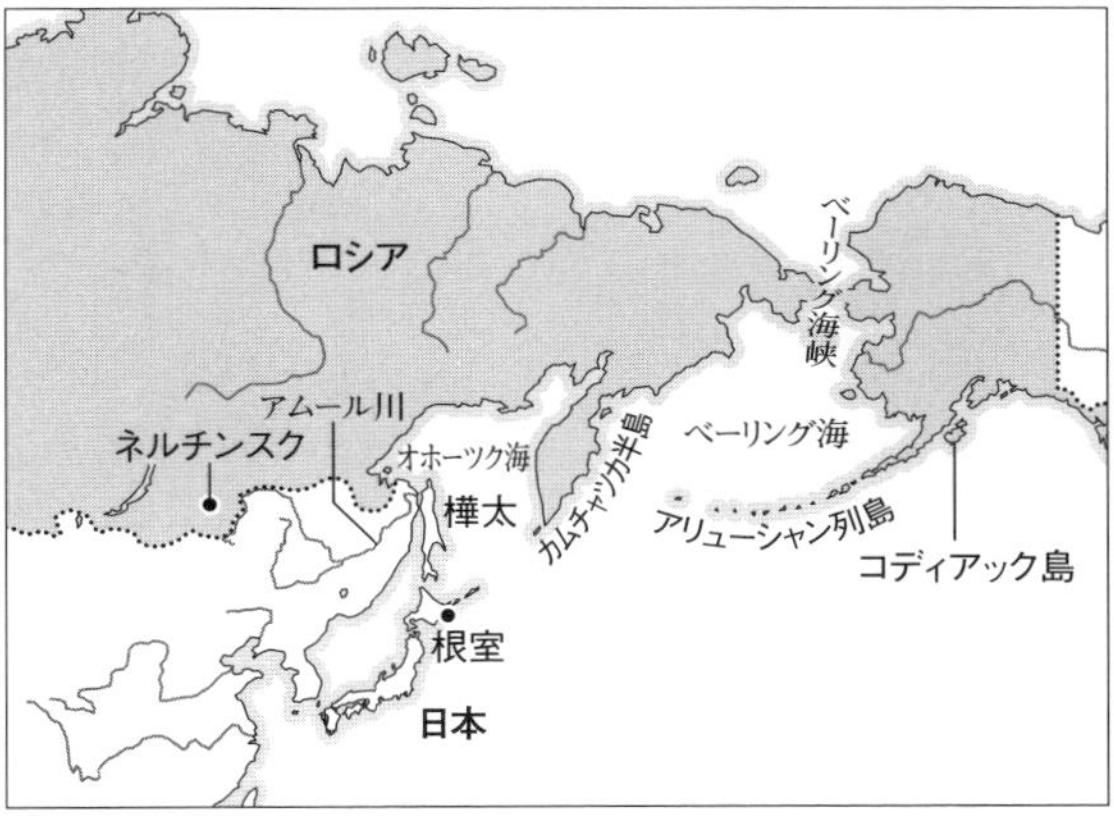


◉ロシアと日本の接触
元文四年のロシア船は、ベーリング海峡の発見者であるロシアの探検家ベーリングの指示で日本へ向かった、第二次北太平洋大探検隊であった。彼らは網地島《あじしま》（宮城県石巻《いしのまき》市）付近ではじめて日本人と接触し、食料や飲料水の提供を受けた。

いようにしていたこともあって、幕府はロシアの接近に目を向けていなかった。だがこの事件以降、幕府の北に対する警戒心は徐々に高まっていった。一〇代将軍徳川家治《とくがわいえはる》の側用人《そばようにん》兼老中職の田沼意次《たぬまおきつぐ》は、幕府の指導権をほとんど独り占めしていた明和から安永《あんえい》・天明《てんめい》期（一七六〇年代後半〜八〇年代）にかけて、蝦夷地調査を進めた。たとえば、意次は天明五年（一七八五）に最上徳内《もがみとくない》ら北方探検隊を派遣した。このときの記録は『蝦夷《えぞ》草紙《ぞうし》』や『渡島筆記《おしまひつき》』として現存している。また、それ以前に工藤平助《くどうへいすけ》の『赤蝦夷風説考《あかえぞふうせつこう》』（天明三年成立）も意次に献上され、幕府内においては日露交易計画も構想されていた。

ロシアは、一七七三年にアラスカにはじめての開拓村を開き、一七九二年にはアラスカ沖のコディアック島にロシア領アメリカの首都を置いた。アラスカ—樺太《からふと》（サハリン）を拠点にして日本との交易を計画したのが、一七九九年に設立された露米会社であった。その重役であったレザノフも、のちに日本にやってきたひとりである。

ロシアが中央アジア、シベリアへ勢力を開拓する動機はなん

3

◉レザノフの長崎上陸

文化元年（一八〇五）に通商を求めて長崎に来航したレザノフが、幕府の返答を聞くために、滞在地の梅ヶ崎《うめがさき》から船に乗り大波止《おおはと》に上陸した場面を描く。駕籠《かご》に乗っているのがレザノフ。（『ロシア使節レザノフ来航絵巻』）

だったのだろうか。何を求めてシベリアの地の果てまで、さらにはベーリング海を渡ってアラスカまでの広域に活躍圏を広げたのだろうか。アラスカはのちに、一八六〇年代になってアメリカが購入したが、その購入に尽力したスーワード国務長官は、「愚か者」としてののしられた。要するに当時のアメリカにとって、アラスカとは購入するに値しない、重要視するものが見いだせなかったような土地だったのである。

ここには、少なからず当時の気候の変化が関係しているように思える。当時、北半球の寒冷化が進み、小氷河期ともいうべき時期が、一八世紀なかばから後半にかけてあったのである。

### 世界規模の寒冷化

二〇〇八年現在、南北両極圏の氷床が解け、海洋の水面が年々上昇し、シロクマをはじめ多くの動物種が絶滅の危機に瀕《ひん》しているなど、地球温暖化は、人類が直面する最大の危機といわれている。産業革命以来、石炭・石油など、化石燃料の使用量が急速に増加していった結果、二酸化炭素の排出量が多くな

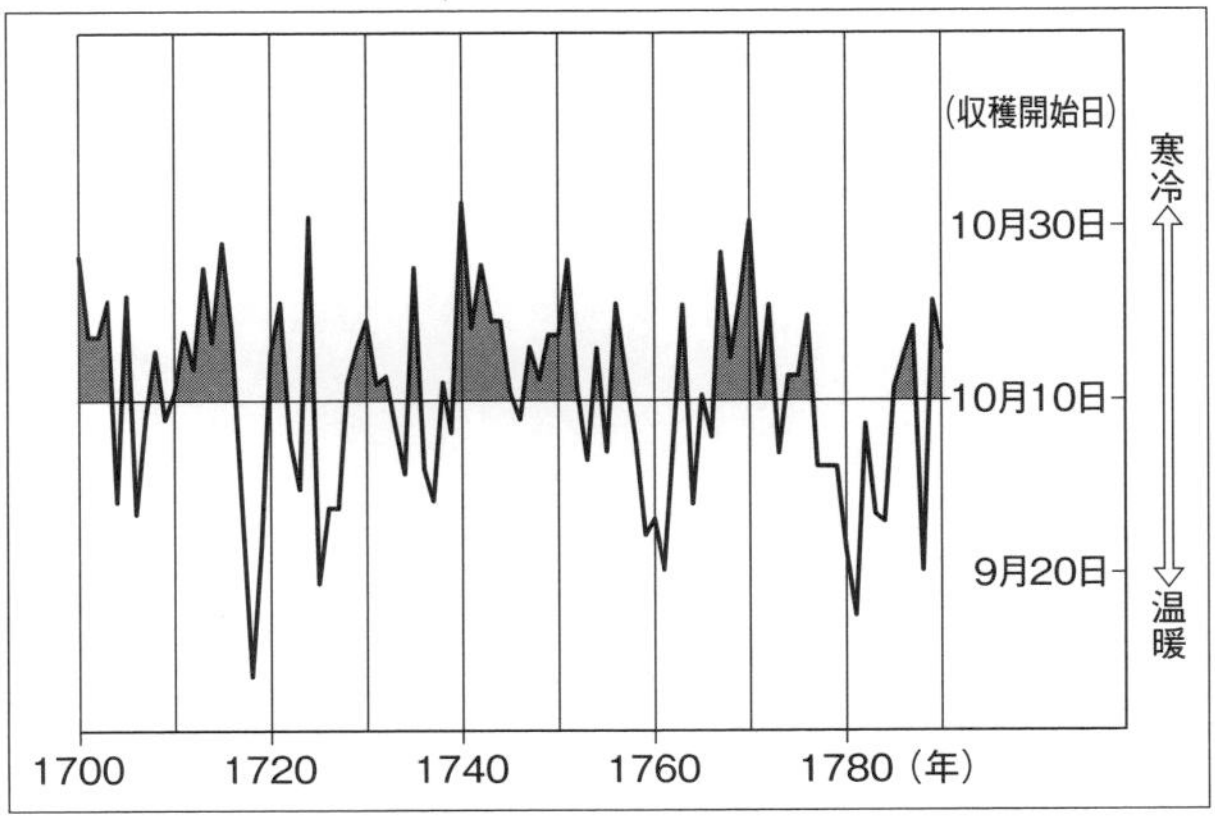


◉ブドウの収穫開始日からみた気候の寒暖
気候が寒いほどブドウの収穫は遅くなる。そこで収穫開始日の記録から、気候の寒暖が推測できる。グラフは、ヨーロッパ各地の収穫開始日を平均したもの。一〇月一〇日を基準として、収穫開始日がそれより遅い年ほど寒かったと思われる。（ラデュリ『気候の歴史』より作成）

り、温室効果によって大気にも大地にも熱がたまり、暖冬と猛暑の繰り返しとなっている。

このような温暖化に対して、一五世紀後半から一八世紀後半にかけては、北半球をすっぽりと覆う小氷河期が生じた。まさに北半球の寒冷化時代であった。なかでも、一八世紀なかばから後半の寒冷化はとくに厳しく、ヨーロッパ・北アメリカにおける社会変動を激化させ、アメリカ独立戦争（一七七五～八三年）、フランス革命（一七八九～九九年）の隠れた火種のひとつともなった、という仮説を、フランスの著名な歴史家エマニュエル・ル＝ロワ＝ラデュリが近年提唱している。

ラデュリの指摘は、とても興味深く思われる。地球温暖化という、人類最大の危機に直面している現在から、その反対の現象、すなわち寒冷化が進むなかを生き抜こうとする一八世紀の人々が直面した危機感を振り返ってみることは、学ぶべきところが多いのではないだろうか。

近世の日本も同じように、元文《げんぶん》五年から安永《あんえい》九年（一七四〇～八〇）頃までの約四〇年間も続いた小氷河期により、連年の寒冷化に見舞われ、経済的・社会的に大きな打撃を受けた。広範囲にわたる凶作が連続して起こり、一七八〇年代に全国的な飢饉《ききん》（天明《てんめい》の飢饉）が起こったのも、この小氷河期が大きな原因ではなかったかという説も、速水融《はやみあきら》によって提唱されている。なかでも東北地方は、広域にわたって凶作がとくにひどく、飢え死にする人々の数は計り知れず、食料を求める浮浪者も増え、百姓一揆《ひゃくしょういっき》が、未曾有《みぞう》のピークを迎えた時期であった。その一例をみてみよう。

八戸藩《はちのへ》は、ほかの東北諸藩同様一八世紀になると、経済が衰

◉近世の日本の人口
一八世紀後半に著しく人口が減少していることがわかる。（関山直太郎《せきやまなおたろう》『近世日本の人口構造』、南和男《みなみかずお》『幕末江戸社会の研究』より作成）

退していくなか藩の財政がしだいに苦しくなり、農民は領主が勧めた、味噌・醤油の材料となる大豆《だいず》栽培を強《し》いられるようになった。大豆は焼畑栽培のため、森林を伐採して畑を開墾しなければならないが、焼畑栽培は土がすぐに痩《や》せてしまうので、数年ごとに痩せきった畑を残して、新しい畑の開墾が必要となった。ただ、放置された畑には、やがて蕨《わらび》・山芋《やまいも》・葛《くず》など、澱《でん》粉《ぷん》度が高い塊茎《かいけい》類や蔦《つた》類が、繁茂するようになった。

そんななか、寛延《かんえん》二年（一七四九）は、冬の積雪量が例年の三分の一にしか及ばず、例年の雪解け水は期待できず、さらに春になっても寒さが続いたため、雪解けが遅かったようである。この水不足とヤマセ（山背風）の影響により、この年はひどい凶作となった。そこで起きたのが、猪《いのしし》と人間による、放置された畑に実った塊茎類の奪い合いという事態であった。

すなわち、塊茎類は栄養価が高く、農民にとっても飢えをしのぐ貴重な食べ物なのであったが、猪たちも、寒冷化のため山林で得られる餌《えさ》が不足したため、餌を求めて山を下りてきたのである。その結果、人間と猪が、同じ塊茎類を奪い合って衝突

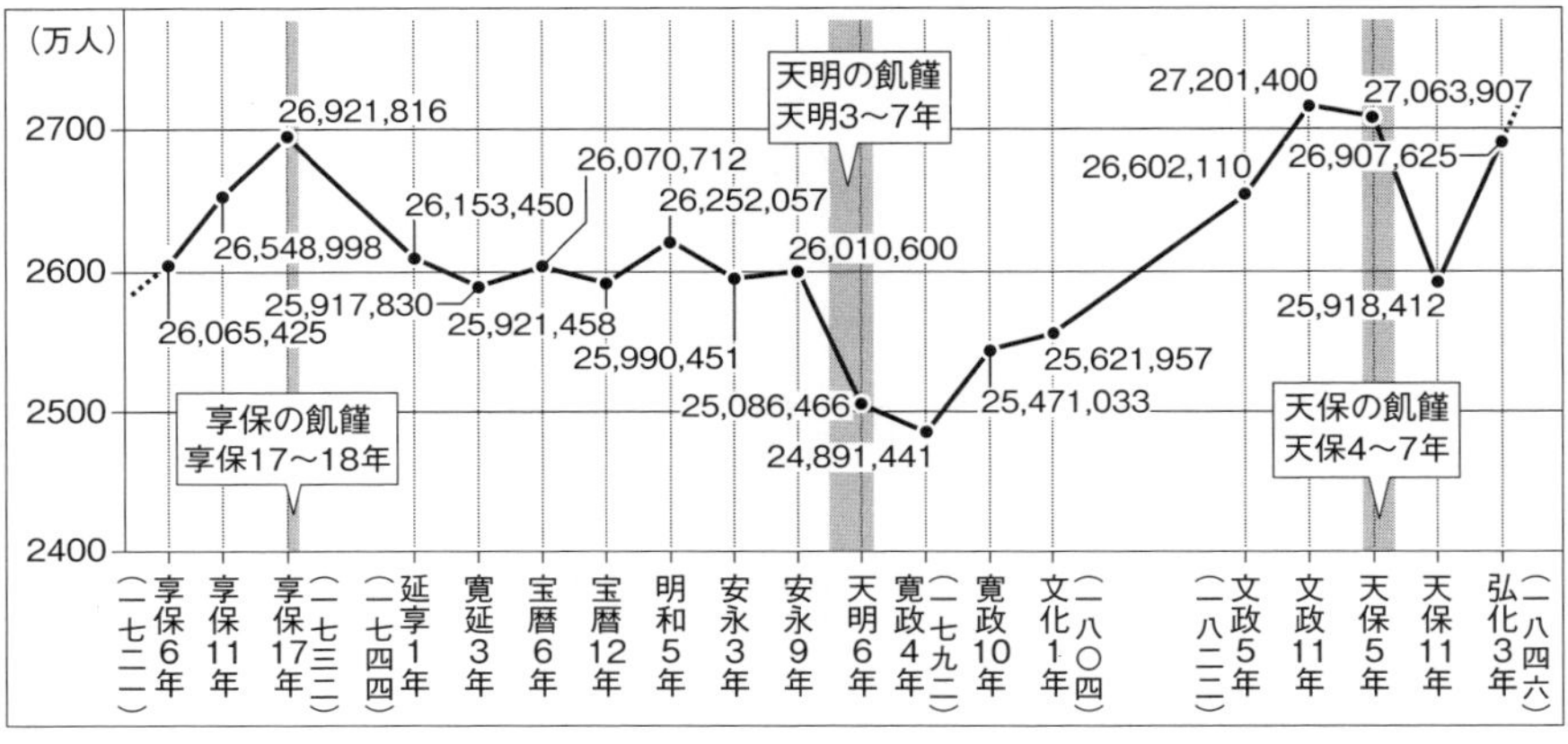

し、三〇〇〇人ともいわれる多くの人間が飢え死にへと追いやられたという。

### 毛皮の需要増加とラクスマンの出現

一方、一八世紀後半から、ヨーロッパにおいて毛皮の需要が高まるという現象が起こる。これには別の要因もあるかもしれないが、年々冬の寒さが厳しさを増していくなかで、寒さをしのぐために毛皮のコートや帽子が必要になるのは当然のことであり、毛皮の需要増はやはり北半球全体の寒冷化に由来する可能性もあると、筆者は考えている。

話は変わるが、世界でも類のない大規模な図書館である、ニューヨーク市立図書館の正式名称は、The New York Public Library, Astor, Lenox and Tilden Foundationsという。「アスター」「レノックス」「ティルデン」というのは、基金や蔵書を寄付して図書館創設に尽力した人たちなのだが、そのうちのアスターは、毛皮貿易で蓄財したジョン・ジェコブ・アスターを祖とする一族である。

ジョン・ジェコブ・アスターは、ニューヨークを拠点に、一八世紀末から一九世紀前半にかけて、北米大陸の五大湖付近から北太平洋沿岸の広い範囲で買い付けたミンクやアーミン（おこじょ）、狐、熊、ビーバーなどの毛皮を、おもにヨーロッパへ出荷して財をなした。彼はアメリカ初のミリオネア（百万長者）といわれており、毛皮商売の繁栄ぶりを如実に表わしているといえよう。

北米大陸と同様に、ユーラシア大陸でもこの時期に毛皮の捕獲がさかんに行なわれた。スカンジナビア諸国から、ロシア、シベリア、そしてアラスカまでの広域にわたる帯状の地帯も、北米と同様かそれをしのぐほどに、多種の毛皮動物が生息していた。地域によっては、ミンク、熊、狐や、ヨーロッパでとくに珍重されたアーミンの生息地が、限りなく広がっていた。

毛皮の獲得こそが、ロシア帝国がシベリアやアラスカをめざした大きな動機のひとつであったことは間違いないだろう。すでに一七世紀後半からロシアは、広大な中央アジアやシベリアを探検・開拓し、ユーラシア大陸の東端シベリアまで勢力をのばし、ギリヤーク族などの住民と毛皮の交易を行ない、膨大な富を得ていた。さらにオホーツク海・ベーリング海まで活動圏を広げ、アリューシャン列島をたどり、アラスカまで手をのばしていたことは、先にも触れたとおりである。そしてロシアは、いよいよ日本へも接触を図るのであった。

寛政《かんせい》四年（一七九二）九月、ロシア船エカテリーナ号が、蝦夷地《えぞち》北東端の現在の根室《ねむろ》の沖合いに突如現われた。来航の表向きの目的は、一〇年ほど前にロシアに漂着した日本からの漂流民、伊勢国《いせのくに》白子村《しらこ》（三重県鈴鹿市《すずか》）の船頭大黒屋光太夫《だいこくやこうだゆう》（幸太夫）以下三名を、日本に送還させることであった。のちに有名になった光太夫は、天明《てんめい》二年（一七八二）、船で江戸へ向かう途中で大しけにあい、アリューシャン列島に難破し、それから長い歳月を経て、ようやく一七九一年、ロシアの首都ペテルブルクに到着し、女帝エカテリーナ二世に謁見《えつけん》している。

光太夫からヤパンスク（日本）のことを詳しく聞いたエカテリーナ皇帝は、日本と交易する機会を求めようとした。ギリヤーク族・エスキモー諸族などとの交易で潤っていたことから、皇帝はその交易圏をさらに拡大し、帝国の利益の増大をねらっていたという。そして軍人のアダム・ラクスマンを特使として日本へ派遣することとし、その際に光太夫を一種の手土産として、同道させたのである。すなわち、ロシアの本音は、日本と通商を開くことにあったのである。

通商を求めるラクスマンに対して、当時の老中首座松平定信《まつだいらさだのぶ》は、どのように対処したのだろうか。日本が「鎖国」であるという認識があれば、当然それを理由に断わったはずである。だが、定信はすぐに拒否しなかった。ということは、この段階では、日本の対外関係を「鎖国」と認識して対外問題にあたる姿勢がまだなかったことを示している。

定信は、海防強化を命ずる一方で、ロシアとの通商について検討を重ねた。そして定信が出した結論は、一時的には拒絶したものの、基本的に問題を先送りすることであった。定信の考えは、翌

4

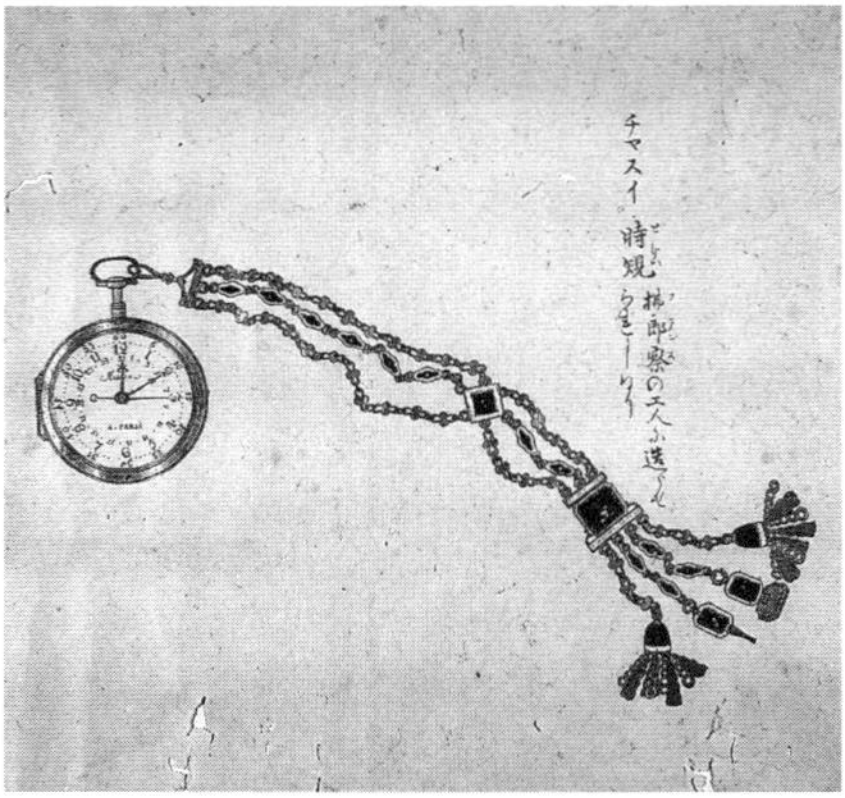

5

◉大黒屋光太夫
帰国時、乗組員一七名は五名まで減っており、そのうち二名はロシアに残った。帰国した三名のうち一名は、根室で病死している。図上は生還した二名、光太夫と磯吉《いそきち》（『吹上秘書漂民御覧之記《ふきあげひしょひょうみんごらんのき》』）。図下は、光太夫がロシアから持ち帰った時計のスケッチ（『北槎聞略《ほくさぶんりゃく》』）。

寛政五年六月二一日付の「異国人に、御国法を諭される書」にまとめられ、ラクスマンたちに渡された。そのなかで定信は、日本の対外関係は「古《いにしえ》より、通信（国家間の外交関係）・通商（商業貿易のみの関係）」の二種類に限定されているとし、「通信通商のことが定めおかれた外（の国は）、みだりに許し難い」と、新しい関係は容易に許すことができないと説明する。そしてエカテリーナからの国書は、「通信なき国」を理由に、受理することを拒否した。

同時に定信は、諸外国との交易は、長崎一港に限定していることを知らせるとともに、ラクスマンに対し、長崎入港を許可する「信牌《しんぱい》」（通交証）を発給して、これ以上のことを望むなら、「長崎に至って、そこの沙汰に任せよ」と指示して、ラクスマンを退去させた。

定信の構想は、「通信・通商」という対外関係は、「国初より」、つまり徳川家康《とくがわいえやす》・秀忠《ひでただ》・家光《いえみつ》の始祖三代からの「祖法」（「御国法」）であるからだ、というものだった。この整然とした構想は、それ以前にはなく、定信独自の新しい発想であった。すなわち、「通信」「通商」という枠組みを設け、関係をもつ国をその枠組みのなかに限定し、これを「祖法」と見なすことで、「鎖国」を見いだしたのが、松平定信だったのである。

6

◉根室に滞在するラクスマン
ラクスマンと光太夫たち一行は、日本との交渉が始まるまで、八か月間根室に滞在した。（『幸太夫《こうだゆう》と露人蝦夷《ろじんえぞ》ネモロ滞居之図《たいきょのず》』）

# 松平定信が定めた過去

**「現在を制する者は過去を制す」**

文化《ぶんか》元年（一八〇四）年になると、ロシアのレザノフが、ラクスマンに渡された信牌《しんぱい》を持って、長崎に入港して通商を求めた。それに対し幕府は、翌年三月七日の「申し渡し」で、通信・通商の国は、唐山《とうざん》（清《しん》）・朝鮮・琉球《りゅうきゅう》・オランダの四か国に限られていることを明記して、「我歴世封疆《ほうきょう》を守るの常法なり」と伝えた。「疆《さかい》を封す」とは、いいかえれば「国を鎖《とざ》す」という意味であり、幕府の考えはいっそう固まってきたことを意味するといえよう。

ちなみに、このときに「通信・通商」に該当する四か国名をあげたものの、その四か国のうち、どの国が「通信」でどの国が「通商」なのかは、明確にしなかった。それがはじめて明示されたのが、レザノフが追い返されてから四〇年後の弘化《こうか》二年（一八四五）であった。その前年、オランダ国王のウィレム二世がオランダ商館を介して、日本がレザノフに示した「封疆」の姿勢は、もはや通用しなくなっていることを訴える「御為筋《おためすじ》の書簡」がもたらされ、幕府は返答を迫られた。

国王に返答することは、新規の「通信国」を認めることになるため、幕府は「オランダ摂政大臣」へ返書を出した。そのなかで、「通信は朝鮮・琉球に限り、通商は貴国と中国に限る。このほかは即ち一切新たに通交を許さない」といって、新規の通信国・通商国を許容する用意はないことを示したのである。

ところで、松平定信《まつだいらさだのぶ》が構想した「祖法」とは、定信が創造した「過去」にしか存在しないものであった。いいかえれば、定信によるこの新しい発想は、一種の「書き換えられた」過去と考えるべきものである。定信は、ラクスマンが来訪したときは将軍を補佐する老中首座であった。イギリスの評論家ジョージ・オーウェルの『一九八四年』にある、「現在を制する者は過去を制す。過去を制する者は未来を制す」という名言どおり、「現在を制する者」であり、その政治力によって「過去を制」し、新しく創出した過去を利用して、未来を決定しようとしたに違いない。

ところで、定信の「過去を制す」る試みは、対外政策にとどまらなかった。あらゆる分野にわたって、その未来を決定するため、新しい過去を構築するさまざまな政治政策と文化事業が推進され

7

●瓦版に描かれたレザノフ　レザノフは、ラクスマンに渡された信牌を持って来日した。通商が許可されるものと思っていたロシア側は、拒否された報復として樺太・択捉島を襲撃した。（『魯西亜《ヲロシア》国使節人物図』）

たのである。

松平定信が補佐した一一代将軍徳川家斉《とくがわいえなり》は、八代将軍徳川吉宗《よしむね》に由来する御三卿《ごさんきょう》のひとつ一橋《ひとつばし》家に生まれて、九歳で一〇代将軍家治《いえはる》の養子となり、天明《てんめい》七年(一七八七)、弱冠一五歳にして将軍に就任した。将軍として君臨した延べ五一年間は、天明の飢饉《ききん》の最中に始まり、一八三〇年代の天保《てんぽう》の飢饉や大塩平八郎《おおしおへいはちろう》の乱(天保八年(一八三七))に終わった、波瀾《はらん》の治世であった。

定信も、家斉同様に徳川氏の別家である御三卿の田安《たやす》家に生まれ、生家から親藩の養子として他家に出されたという、共通した境遇にあった。

伝統・前例を無視したと批判された田沼《たぬま》政権の跡を継いだ家斉・定信政権は、発足当初から伝統に戻ることを宣言した。将軍の座についてまもなく、家斉は幕閣中枢の人間を集め所信表明を行なった。それは、祖父吉宗の施政にのっとって、田沼の腐敗政治によって乱れてきた世の中を立て直す意欲を示したものであった。

しかし、寛政《かんせい》の改革《かいかく》と呼ばれる一連の新政策の実施にあたった定信のねらいは、オーウェルの言葉どおり、現在の権力によって過去を再構築し、その新しい過去に基づいて未来を決定づけることにあったといえよう。すなわち、寛政の改革の再評価として、定信の幕府構想として過去の論理に依拠した「通信の国」「通商の国」というカテゴリーを設け、それを「祖法」としたところに意義があったということができる。

定信のこうした未来を決定するために「過去を制す」る試みは、ラクスマンの通商の要求を却下することに限られてはいなかった。むしろ、さらに多方面にわたる、大胆な構想に基づく政策の一環として打ち出されたものと考えたほうがよいだろうと、筆者は考える。さまざまな方面において、定信は過去をつくりなおすよう尽力したのである。そのなかでも代表的なものとしてあげられるのが、いわゆる「寛政異学の禁」である。

### 「正学」となった林家の学問

寛政《かんせい》二年（一七九〇）五月、松平定信《まつだいらさだのぶ》は大学頭《だいがくのかみ》の林述斎《はやしじゆつさい》に対して、朱子《しゆし》学《がく》（宋学《そうがく》）が「慶長《けいちょう》以来」、林家のみならず、幕府の正学《せいがく》であること、そのために始祖林羅山《らざん》以来、林家を歴代大学頭に登用してきたことを指摘したうえで、最近さまざまな「異学」が世に流行していることを問題とした。その異学を抑制するために、まず林家の学問所である湯島《ゆしま》の昌平黌《しょうへいこう》（昌平坂学問所）の学問・教育を純化するべく、門弟の学問を「純正」し、朱子学以外の「異学」を禁じるよう、指示した。述斎は、ただちにこの論達の趣旨を実施に移して、羅山以来守りつづけ

8

◉昌平黌の講釈風景
昌平黌は、もともとは林家の私塾で、元禄《げんろく》三年（一六九〇）に忍岡にあった孔子廟《こうしびょう》を湯島に移転して講堂や学寮を整備し、寛政九年に幕府直轄となった。毎月四・七・九の日には幕臣を対象にした講釈が行なわれた。（『聖堂講釈図《せいどうこうしやくず》』）

られてきたとされる「正学」朱子学一筋に絞って、学問を営むように励んだ。だが、この「正学」朱子学一筋という伝統も、ラクスマンに宣言された「祖法」同様、過去をつくりなおす試みだったのである。

江戸幕府の特徴としてこれまでにも指摘されてきたのが、徳川家康《とくがわいえやす》のころから一貫して「徳川イデオロギー」と呼べるような、まとまった正学が成立しなかったことである。逆にそれこそが、幕府イデオロギーの特徴といえるかもしれない。

家康の側近としては、足利《あしかが》学校から天台宗《てんだいしゅう》に入った南光坊天海《なんこうぼうてんかい》、相国《しょうこく》寺《じ》の西笑承兌《せいしょうじょうたい》、臨済宗《りんざいしゅう》の以心《いしん》（金地院《こんちいん》）崇伝《すうでん》などの、仏門の学僧がアドバイザーの主流となっていた。とくに崇伝に代表される臨済宗の学僧は、鎌倉時代の後期に鎌倉執権《しっけん》の北条《ほうじょう》氏が夢窓疎石《むそうそせき》に漢学の専門知識を求めて以来、宗教者としてよりも、漢学知識の生きた宝庫として重宝・登用されつづけてきた。

そうしたなかで、崇伝の助手として慶長《けいちょう》一二年（一六〇七）から抱えられるようになった林羅山は、はじめて専業儒者として権力者に仕えた存在だった。羅山は、家康の御伽衆《おとぎしゅう》のひとりとして迎えられてから、寛永《かんえい》一〇年（一六三三）に崇伝が死去するまでの三〇年近く、崇伝の部下として働き、独自の存在感を発揮することは少なかった。第一章で触れた慶長一五年一二月に明《みん》の福建道総《ふっけんどうそう》督《とく》に送った貿易再開を求める書簡に代表されるように、羅山は外交文書の草案づくりを行なうもの

9

◉剃髪させられた林羅山
林羅山は幕府出仕の際に剃髪を命じられるなど、僧侶のような扱いを受けた。髪をのばすことが許されたのは三代目信篤《のぶあつ》からである。

の、最終的に確認するのは、つねに崇伝の役目だった。

羅山は、寛永七年に将軍家から土地を与えられて江戸の上野忍岡《うえのしのぶがおか》に、のちの昌平黌の前身となる学問所を開いた。羅山は学問所において、朱子学を中心に、専業儒者を輩出するような教育活動に励んだが、諸大名の場合は、道教《どうきょう》や陽明学《ようめいがく》、兵学《へいがく》系統といった朱子学以外の漢学者を抱える例も少なくなかった。岡山藩主の池田光政《いけだみつまさ》が迎えた熊沢蕃山《くまざわばんざん》、『忠臣蔵《ちゅうしんぐら》』で有名な播磨赤穂《はりまあこう》藩主の浅野《あさの》家に仕えた山鹿素行《やまがそこう》、古文辞学《こぶんじがく》派の荻生徂徠《おぎゅうそらい》などが、代表的な非宋学系の儒者であろう。

したがって、定信が推した「異学の禁」は、ほぼ無差別に営まれるようになっていた漢学諸学派の多くを、一種の反体制的な可能性をはぐくんでいるものとして、排除することをねらったものである。しかしながら、それらの学問・思想を「異学」とするには、それ以前に「正学」が存在していた、という過去像を創出する必要があった。定信が異端視した漢学系統を非とし、「異学」として禁ずるために、御用学問の林家儒学の心髄《しんずい》に立てられていた宋学を「正学」として、創造したのである。

ところで、定信の「過去を制す」る試みは漢学にとどまらず、和学の方面にも及んだ。和学・国学の学風は、一七世紀後半の契沖《けいちゅう》の『万葉集《まんようしゅう》』研究、貝原益軒《かいばらえきけん》の『日本釈名《にほんしゃくみょう》』、松下見林《まつしたけんりん》による『新《しん》撰姓氏録《せんしょうじろく》』『古語拾遺《こごしゅうい》』の校訂などを先駆けとして、一八世紀頃から活発になっていく。賀茂真淵《かものまぶち》、荷田春満《かだのあずままろ》に続き、本居宣長《もとおりのりなが》の有名な傑作『古事記伝《こじきでん》』などが生まれている。

こうした国学に対しても、反体制的な可能性を懸念したのか、寛政五年、定信は塙保己一《はなわほきいち》に和学《わがく》

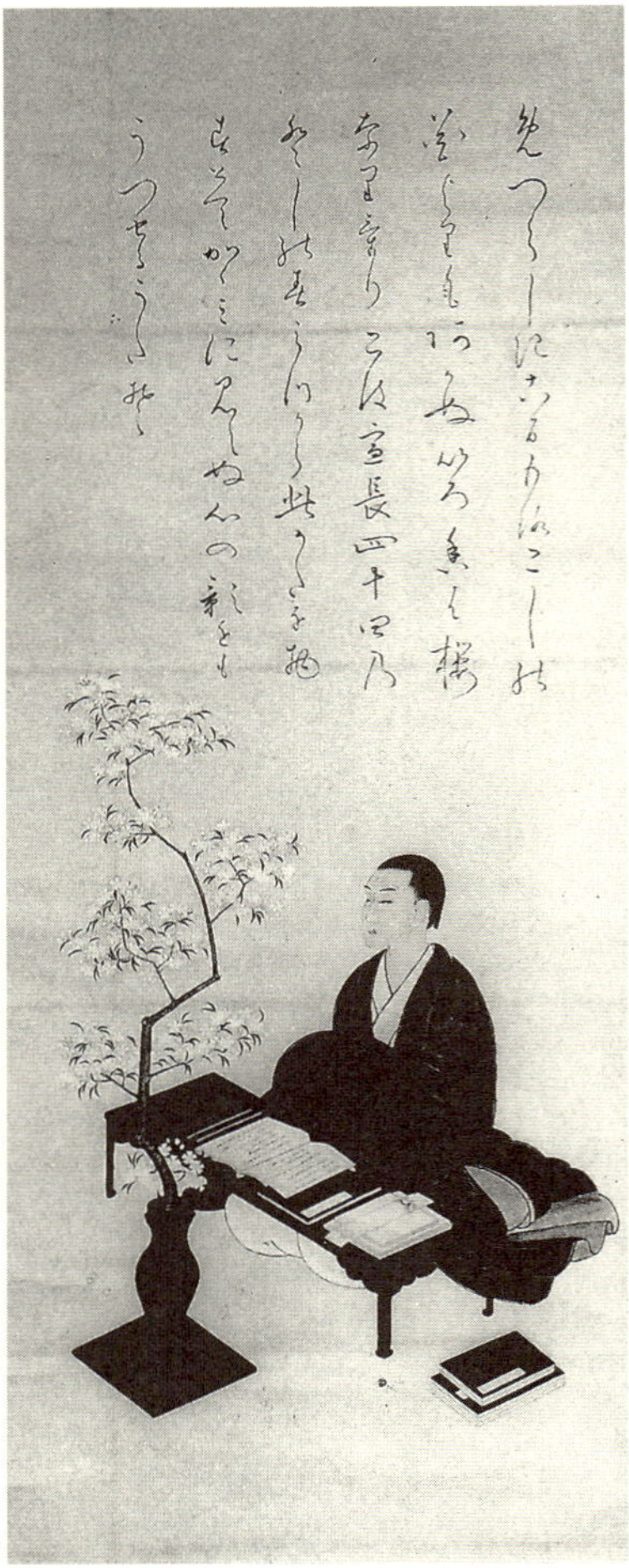

10

◉本居宣長自画自賛像
『古事記伝』全四四巻は、三〇年以上の歳月をかけて、寛政一〇年（一七九八）に完成した。この像は、安永二年（一七七三）、宣長四四歳のときのもの。

講談所《こうだんしょ》を開かせ、国書（和書）の異本を各地に求めて収集し、それらを校訂して、一種の「定本」とも呼ぶべきテキストを定めて、のちに『群書類従《ぐんしょるいじゅう》』（文政《ぶんせい》二年（一八一九）完成）として上梓《じょうし》させた。この作業も、定信の方針下にあって、あるべき姿として「過去を制す」るものであった。

## 『徳川実紀』と松平定信のスタンス

こうした方針は、歴史叙述においても同様にみられる。松平定信《まつだいらさだのぶ》はみずからの発案のもとで、幕府の正史として、「御実紀《ごじつき》」（明治時代以降は『徳川実紀《とくがわじつき》』と呼ばれる）を林述斎《はやしじゅつさい》に編纂《へんさん》させたのである。それは、家康《いえやす》の「東照宮御実紀《とうしょうぐうごじつき》」に始まり、一〇代将軍家治《いえはる》までの徳川の歴代将軍の御世を、将軍を中心として描いた編年体のものであった。

「御実紀」は、定信の在職中には目立った進展がなく、彼が老中職を退いて六年後の寛政《かんせい》一一年（一七九九）に、述斎がようやく徳川氏の代々の事績編纂を建議し、さらに二年後の享和《きようわ》元年（一八〇一）に正式に決定を仰ぎ、作業が本格化した。「御実紀」の編集方針は、定信が幕閣から身を引いたのちは、ひとえに林述斎が指揮するものとなり、必ずしも定信が考えていた構想に沿わなかったとされている。しかし、「御実紀」自体は、彼が「現在を制する」在職中の、「未来を制す」べく「過去を制」せんとした願望から始まったことは間違いなく、それは「異学」を禁じ「正学」を創出する試みや、以下にみていく一連の編纂事業と表裏一体のものだったといえるだろう。

文化《ぶんか》六年（一八〇九）二月に始まった執筆作業は、天保《てんぽう》一四年（一八四三）一二月に清書本が上呈されるまで、延べ三五年もかかった。その間の文政《ぶんせい》一二年（一八二九）に、定信は「御実紀」の完成を見ることなく、この世を去った。定信は回想録『宇下人言《うげのひとごと》』に、「御実紀又は風土記《ふどき》など之事もおいおい建議せしがいまだ果たさず」と、悲しげに書きとめている。

『徳川実紀』は、幕府内部の史料を中心に編纂されたものであり、そもそも「出版」を想定して編纂されたものではなかったようであるが、定信が制しようとした過去は、もっと広い範囲

11

◉松平定信
定信は、八代将軍徳川吉宗の孫にあたる。この像は、嫡子の定永《さだなが》に家督を譲った晩年のもの。顔は定信がみずから描き、その他の部分は幕府奥絵師《おくえし》狩野養信《かのうおさのぶ》に描かせたという。

に及び、一般の知識人の手が届く、読物《よみもの》としての江戸時代史も射程におさめていた。すなわち定信は、若き頼山陽《らいさんよう》に徳川氏の物語を綴《つづ》らせたのである。それが文政一〇年に成立し、定信に献上された『日本外史《にほんがいし》』であった。『日本外史』はあるべき「過去」像を提示するものとして、幕末に広く読まれ、人々に多大な影響を与えた。「正史」である『徳川実紀』に対して、『日本外史』は、「正なる野史《やし》（民間の歴史書）」とでも呼ぶべき存在であったといえよう。

また、寛政一一年に開始された、幕府による大名・旗本の系譜集『寛政重修諸家譜《かんせいちょうしゅうしょかふ》』（文化九年成立）の編纂も、定信の意向によるものであり、定信が個人的に谷文晁《たにぶんちょう》らを動員して古書画や武具などを描かせた『集古十種《しゅうこじっしゅ》』（寛政一二年成立）などとともに「過去を制す」る試みがなされている点も、見逃すことはできない。

ところで、『徳川実紀』の内容について興味深いのは、その記述から判断するかぎり、寛永《かんえい》年間のいわゆる「鎖国」に関係するとされる政策に対する関心が低いように思える点である。

12

◉『集古十種』
寛政一二年に刊行された段階では全八五冊だったが、明治時代に再版される際に総目録三冊が追加された。写真は、明治三二年の再版本。

たとえば、寛永一〇年（一六三三）から一六年に出されたいわゆる「鎖国令」についても、寛永一〇年の禁令には触れているが寛永一二年については記述が見当たらないなど、必ずしもすべてに触れていない。さらに寛永一六年の禁令についての記述も、「邪教」すなわちキリスト教の弾圧に関するものが中心である。やはりここでも「鎖国」的な政策に対する関心は見てとれないのである。

ここからうかがえる『徳川実紀』編纂のスタンスは、寛永の一連の禁令において幕府がねらったのは、「鎖国」ではなくキリスト教の禁圧と、そのために必要なポルトガル人の追放が主眼であった、ということであるように思える。従来は、寛永一六年の「鎖国令」をもって、ポルトガル船を追放することによって「鎖国政策」が定まったとみられてきた。しかし、その後も、たとえば延宝《えんぽう》元年（一六七三）にイギリス船リターン号が長崎に来航し、貿易再開を要求したのに対して、幕府は「鎖国」を理由に断わっていない。幕府が要求を拒否したのは、イギリス国王チャールズ二世の后《きさき》がポルトガルの王女であったことが、おもな理由だったのである。

家康ら徳川始祖三代の「イデオロギー」は、林家の朱子学にとどまらず、儒学・仏教・神道・道教などを適宜利用した折衷《せっちゅう》的なものであり、キリスト教を排除した以外は、柔軟なもので

13

◉踏み絵
キリシタン摘発のために九州各地で行なわれた「絵踏み」に用いられたもの。長崎奉行所が管理し、絵踏みの際に貸し出された。中央の銅碑は日本でつくられている。

あった。

定信の「過去を制す」る試みによって見いだされた、「通信の国」と「通商の国」という「祖法」もまた、「鎖国」というよりはキリスト教に制限を加えたものであったといえるだろう。定信の姿勢は、「国を鎖《とざ》す」のではなく、「通信の国」と「通商の国」という枠組みに当てはめてつきあう国を決定し、その枠組み内での外交を行なおうとしたものだと思われる。

### 近世日本の外交の実態

これまで、松平定信《まつだいらさだのぶ》が「過去を制す」るために創造した「祖法」をみてきたが、それでは、近世日本の外交は、実際にはどのようなものと位置づけることができるだろうか。

従来の「鎖国」論では、「鎖国政策」には三つの目的があったとされる。第一は、キリスト教思想の根絶、第二は、幕府による外国貿易の利潤独占、そして第三は、日本人の海外渡航禁止であり、これは第一、第二の目的を達成するうえで不可欠であった。こうして、ポルトガル船を追放し、オランダと中国商人とは貿易を行ない、朝鮮・琉球《りゅうきゅう》とは外交使節を通じた国交が結ばれた。

しかし、こうした議論は東アジアとの関係が無視された状況で展開されてきた。実際のところ、日本と東アジアとは不可分に結びついており、日本は決して孤立していたわけではなかった。日本の存在は、経済的にも戦略的にも、東アジアにおいて重要な位置を占めており、日本は東アジアの発展と歩調をあわせていたのである。また、東アジアとの関係は、「鎖国政策」が定まったといわれる一六三〇年代以降も、幕末まで途切れることなく継続しており、幕府もみずからの外交政策を、日本を世界から切り離すことだとは思っていなかったのである。

そして先ほども述べたように、定信は「祖法」である外交政策を、キリスト教の禁止として認識していた。実際、日本が「鎖国」後に「通信」「通商」のかたちで交渉をもったのは、キリスト教を日本に押しつけようとしない国々であった。寛永《かんえい》一〇年（一六三三）から一六年にかけての五回にわたる「鎖国令」とは、幕府の綿密な統制のもと、日本にとって危険をもたらさない友好的な外国と、将来にわたり関係を維持しようとしたことを示したものである、ととらえたほうがよいだろう。

そこで近年では、近世日本の対外政策を論じる際には、「鎖国」という枠組みでのとらえ方にかわって、幕府が日本を中心に据えた外交儀礼構想を重要視して、物資の輸出入や人々の出入国を「海禁」によって統制していた、日本型対外システムと見なす

| 年 | 事　項 |
|---|---|
| 慶長17年(1612) | 幕領を対象にキリスト教を禁止 |
| 慶長18年(1613) | キリスト教禁止を全国に拡大 |
| 元和２年(1616) | 中国以外の外国船の入港を長崎・平戸に制限 |
| 元和９年(1623) | イギリスの平戸商館閉鎖 |
| 元和10年(1624) | 幕府、スペインと断交 |
| 寛永８年(1631) | 奉書船制度を開始し、海外渡航を制限 |
| 寛永10年(1633) | 海外在住5年以上の日本人の帰国を禁止 |
| 寛永12年(1635) | 日本人の海外渡航と海外からの帰国を禁止<br>中国船の入港を長崎に限定 |
| 寛永13年(1636) | ポルトガル人を長崎出島に収容 |
| 寛永14年(1637) | 島原・天草一揆起こる(～翌15年) |
| 寛永16年(1639) | ポルトガル船の来航を禁止 |
| 寛永17年(1640) | 通商再開を求めて来航したポルトガル船を襲撃 |
| 寛永18年(1641) | オランダ商館を平戸から出島に移す |

**◉対外政策の流れ**
幕府の対外政策は、まずキリスト教禁止から始まった。続いて通交する外国の制限と日本人の海外渡航と帰国の制限を経て、ポルトガルの追放でほぼ完了した。

とらえ方が提示され、学界の主流となってきている。このシステムは、中国がみずからを「中華」と見なす「中国型世界秩序」あるいは「中国型冊封《さくほう》システム」に類似したもので、一般に「日本型華夷秩序《かいちつじょ》」と呼ばれている。

徳川《とくがわ》家による自己の正当化は、新政権が直面するもっとも重要な課題のひとつであった。幕府草創期に徳川家康《いえやす》が、明《みん》との貿易再開を切望し、明中心の中国型世界秩序を前提とする勘合符《かんごうふ》の発給を、たびたび明に要請したことはよく知られている。しかし家康が世を去ってから、二代将軍秀忠《ひでただ》は、明中心の国際システムへの参入は幕府の正当化を妨害するものとして、明との国交回復・勘合貿易を、明からの打診を却下してまで、断念した。

そして幕府は、第一章でも触れたように、柳川一件《やながわいっけん》によって対馬《つしま》藩による国書の捏造《ねつぞう》・改竄《かいざん》問題が決着したあと、将軍の外交上の称号を「日本国大君《たいくん》」と決め、対朝鮮の外交文書に日本の年号を明記することによって、東アジアの国際空間を形成してきた中国型世界秩序からの離脱を図った。そして明の滅亡後、朝鮮が対日外交文書に中国の年号を書かず干支だけで年を示すようになって、日本と中国中心の華夷システムとの距離は、さらに広がった。

そうしたなかで幕府・日本は、みずからを「中華」と見なす「日本型華夷」体制を生み出した、といわれている。一七世紀なかばに満州族（女真《じょしん》族）の清《しん》が明を滅ぼして中国を支配すると、「女真＝北狄《ほくてき》」という意識が、この自己認識を大きく加速させた。

このようなとらえ方は、一九六〇年代にまず中村栄孝《なかむらひでたか》が「大君外交」についての見解を述べ、それを受けて朝尾直弘《あさおなおひろ》が、日本を世界の中心に置き、ほかを夷狄《いてき》とみる国際観念が近世になって日本に成立することを指摘し、中国が中華と夷狄に分けたのに倣って、それを「日本型華夷意識」と名付けたのに始まる。筆者も、中村・朝尾の見解と解釈に賛成し、「日本型華夷意識」が「大君外交」の基本構想であると考えている。

その後の研究において、この外交・イデオロギー体制を「日本型華夷秩序」と呼ぶ見解も提唱され、筆者もその用語を用いた時期があったが、対外的に認められていることを示す「秩序」と呼ぶよりも、むしろ日本がみずから築いた観念的構想（フィクション）として理解すべきだと考えるようになり、現在では「日本型華夷観念」（または「意識」）と呼ぶようにしている。

いずれにせよ、現在では「鎖国」のかわりに「大君外交」や「華夷・海禁」といった表現が、「四つの口」と並んで、近世日本の対外的な基本姿勢を的確にとらえているといってよいだろう。

## 琉球の特殊な立場

ここで、朝鮮と同様に「通信の国」として近世日本において重要な意味をもっていた、琉球《りゅうきゅう》について触れておきたい。琉球は、鹿児島（薩摩《さつま》）藩の支配下で日本の幕藩体制に組み込まれる一方で、中国（明《みん》・清《しん》）への朝貢も続けるという、日中両方に帰属する微妙な立場を、近世を通じて保っていたのである。琉球は、日本にとって「半属国」または「両属国」だったということになるだろう。

琉球王国に対しては、豊臣秀吉《とよとみひでよし》の時代にも朝鮮侵略の際に協力を依頼したりなどしていたが、尚《しょう》寧《ねい》王はその要請を無視した。徳川家康《とくがわいえやす》の時代になると、鹿児島藩主の島津《しまづ》氏は、正当な根拠なしに、琉球に対して要求・脅迫・命令などを繰り返して、尚寧王に朝貢使節と家康への服従を求めた。しかし尚寧王は、こうした島津家の要求をやはり無視した。

この問題は慶長《けいちょう》一四年（一六〇九）になって、武力によって強制的に解決された。この年、島津家久《いえひさ》は家康の許可を得たうえで、琉球に軍を派遣して、琉球王国を服属させたのである。琉球征服後まもなく家康は、島津氏に琉球を支配する権利を与え、さらにその後、琉球の石高《こくだか》を鹿児島藩の石高に加えることを認めた。その結果、島津氏は大名のなかでも高い地位を得た。当時、島津氏を指して「四国主」と呼ぶ例があったが、その「四国」とは薩摩・大隅《おおすみ》・日向《ひゅうが》の一部に、琉球王国を加えたものである。

しかし、それは琉球が日本の一部となったこと、あるいはそれによって琉球政府と江戸幕府との関係が外交関係ではなくなったことを意味するものではなかった。江戸幕府への琉球使節

14

●尚寧王の将軍謁見

琉球征服の翌年、琉球の尚寧王は島津家久に伴われて江戸に上り、二代将軍秀忠に謁見した。のちの『絵本豊臣琉球軍記《えほんとよとみりゅうきゅうぐんき》』（天保七年〔一八三六〕刊）は、当時流行した源為朝《みなもとのためとも》の琉球渡来伝説を取り入れて、頼朝《よりとも》や島津忠久《ただひさ》（頼朝の子といわれた）を登場させている。

派遣は、島津氏による武力侵攻の結果としての慶長一五年の尚寧王引見を除けば、寛永《かんえい》一一年(一六三四)が最初で、それ以後幕末まで継続し、計一八回に達する。そして琉球使節に関する史料を見るかぎり、制度的な取り決めや外交儀礼からいって、琉球使節はつねに朝鮮通信使と同様に外交使節として処遇されていたことは明らかなのである。ただし、琉球に与えられていた地位は朝鮮のそれよりも明らかに低かった。

寛永一一年に、京都二条城《にじょうじょう》において、徳川家光《いえみつ》が朝廷にみずからの「御威光《ごいこう》」を見せつけるのに琉球使節を利用したことも、重要な点である。第一章で徳川秀忠《ひでただ》が家康死後の元和《げんな》三年(一六一七)に京都で朝鮮通信使を迎えたことを紹介したが、琉球使節も朝鮮通信使と同様の役割を果たしていたのである。

琉球が外国であるという主張は、林家《りんけ》の琉球に対する取り扱い方からも裏付けられる。たとえば林鵞峯《はやしがほう》は、父羅山《らざん》の文書をまとめる際に琉球あての文書を「外国書上」の項目に収めている。また、幕府が得た外国の情報を鵞峯が延宝《えんぽう》二年(一六七四)に編纂した『華夷変態《かいへんたい》』でも、琉球は中国・朝鮮などと並んで外国として扱われている。

また、中国との間を往復する琉球の朝貢船が海賊に攻撃されると長崎奉行が海賊から過料(罰金)を取ったり、琉球船を略奪しないよう幕府がオランダ人に勧告したりするなど、幕府は琉球の問題に対処してきたが、その理由は琉球が日本の一部であるからではなく、「琉球は日本の藩屏《はんぺい》(守りとなる存在)」であるからであった。

日本の対外関係の側面として、琉球と中国との関係や、琉球の中国への従属を幕府も了解していたという問題は、さらに分析していく必要があるだろう。いずれにせよ琉球は、朝鮮の場合と同様、幕府の対外関係の体系のなかに、偶発的ではなく、自覚的に組み込まれた要素であった。たしかに、薩摩の琉球に対する植民地的な搾取《さくしゅ》は、対馬《つしま》の朝鮮に対する役割とは異なっている。しかし、幕府から与えられた貿易上の特権、外交上の儀礼、情報活動における薩摩の役割は、朝鮮に対する対馬の役割と類似していた。その点からも、琉球は朝鮮と同様の存在と見なされていたといっていいだろう。

**「四つの口」について**

近世において日本が外国などとの交易の窓口としたのが、長崎《ながさき》・対馬《つしま》・薩摩《さつま》・松前《まつまえ》の四つの土地

| 年　次 | 使　命 |
|---|---|
| 慶長15年(1610) | 島津が琉球国王尚寧を、江戸へ連れていき、将軍に拝させる |
| ①寛永11年(1634) | 尚豊襲封恩謝・家光襲職賀慶 |
| ②正保１年(1644) | 家綱誕生賀慶・尚賢襲封恩謝・日光行き |
| ③慶安２年(1649) | 尚質襲封恩謝・日光行き |
| ④承応２年(1653) | 家綱襲職賀慶・日光行き |
| ⑤寛文11年(1671) | 尚貞襲封恩謝 |
| ⑥天和２年(1682) | 綱吉襲職賀慶 |
| ⑦宝永７年(1710) | 家宣襲職賀慶・尚益即位恩謝 |
| ⑧正徳４年(1714) | 家継襲職賀慶・尚敬即位恩謝 |
| ⑨享保３年(1718) | 吉宗襲職賀慶 |
| ⑩寛延１年(1748) | 家重襲職賀慶 |
| ⑪宝暦２年(1752) | 尚穆襲封恩謝 |
| ⑫明和１年(1764) | 家治襲職賀慶 |
| ⑬寛政２年(1790) | 家斉襲職賀慶 |
| ⑭寛政８年(1796) | 尚成襲封恩謝 |
| ⑮文化３年(1806) | 尚灝襲封恩謝 |
| ⑯天保３年(1832) | 尚育襲封恩謝 |
| ⑰天保13年(1842) | 家慶襲職賀慶 |
| ⑱嘉永３年(1850) | 尚恭襲封恩謝 |

**◉琉球使節一覧**

将軍の襲職祝いの使節は「賀慶使」（慶賀使）、王位継承の承認に対する謝礼の使節は「恩謝使」（謝恩使）と呼ばれた。正保元年と正徳四年は、賀慶使と恩謝使が別々に派遣されているが、ここでは合わせて一回に数えている。

であった。「鎖国」イメージのなかでは、「四つの口」と呼ばれるこれらの窓口は、「鎖国」の例外とされてきた。だが実際には、「鎖国」が方針で「四つの口」が例外だったのではなく、「四つの口」こそが幕府の方針だったのである。現在でも外国人が日本に入国するときには、空港や港など限られた場所からでないと入国できないように、貿易品や人の出入りを管理するのは、国家として当然のことである。

「四つの口」については、中国・オランダ・朝鮮を「異国」、琉球《りゅうきゅう》・蝦夷《えぞ》を「異域」と見なして、「異国」との窓口である長崎・対馬と、「異域」との窓口である薩摩・松前とを区別する考え方もあるが、それでは「四つの口」の機能的な違いを十分反映していないように思われる。

というのは、「四つの口」のなかでも長崎はほかの口と性格が異なっていたからである。長崎は、異国船が入港し、異国人が居留する地でありながら、日本人が出て行くことは許されていなかった。つまり、長崎

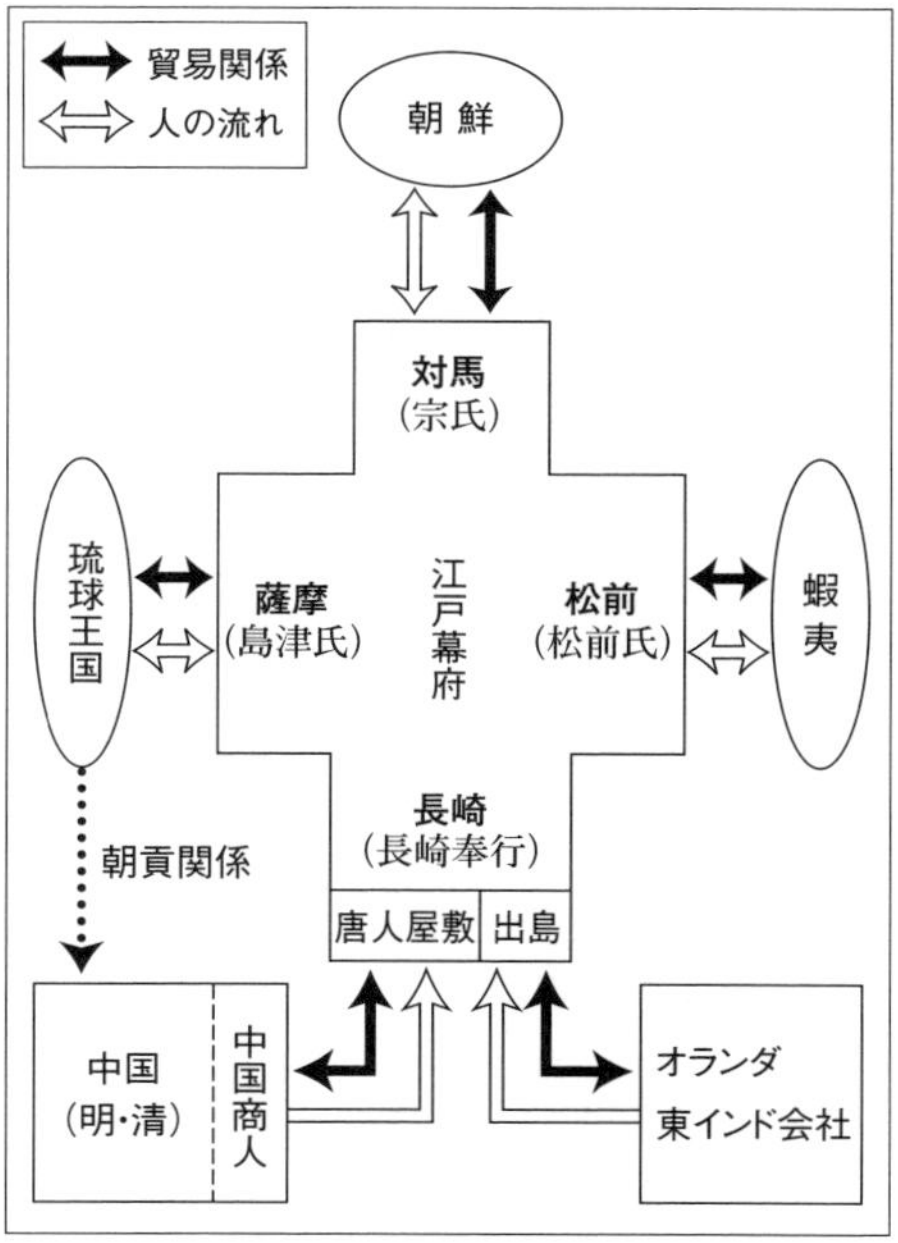


◉四つの口
釜山の倭館に日本人が常駐した対馬、鹿児島に交易のための琉球館を置いた薩摩、藩主一族や家臣などが蝦夷地各地に出向いて交易した松前など、人の動きもさまざまだった。

口は「入り口」としての機能しかもっていなかったことになる。そんな長崎を、ここでは「玄関口」と呼ぶことにしたい。

「玄関口」の長崎に対し、松前口・対馬口・薩摩口は、幕府から特別な許可を受けた者のみという制限はあるが、日本人が交易などを営むために外（蝦夷地・釜山《プサン》・琉球）へ出て行く出口でもあり、同時に外から異国人が訪れる入り口でもあるという、双方向性の強い人的移動が特徴である。松前には蝦夷地から和人地へ出入りするアイヌが、対馬には訳官使《やっかんし》（朝鮮から対馬に派遣される使節）が、また鹿児島には「国質《こくしつ》」（人質）あるいは使者として鹿児島へ送られた琉球人が来訪し、時に逗留するのであった。したがって、松前・対馬・薩摩それぞれの口を「出入り口」と考え、「玄関口」の長崎と区別したいと思う。

「玄関口」が江戸から遠い長崎に限られたうえ、長崎が幕府の直轄地とされたのは、異国人の居留がそれだけ危険と見なされたからである。そのため、長崎に対する民事的・軍事的措置は、当然のことであるがほかの「出入り口」よりも厳しかった。異国人の来訪は、さまざまな潜在的可能性をもっていると同時に、危険の到来でもあった。したがって、長崎に居留する異国人には、

15

◉『蝦夷島奇観』の「ヲンカミ図」
寛政一〇年（一七九八）の蝦夷地調査に同行した村上島之允《むらかみしまのじょう》が、アイヌの風俗を描いたもの。アイヌの人々が日本側の人間へ挨拶に向かう場面と思われる。

厳しい制限が必要だったのである。

なお松前は、対馬や薩摩とはまた異なる要素をもっていた。ここはロシアなど北方との関係、アイヌとの関係、山丹《さんたん》交易（黒竜江《こくりゅうこう》下流域の山丹人との交易）など複雑な要素が入り組んだ口であり、琉球同様に今後さらなる検討が必要であろう。しかし、一八世紀末にロシア人が現実に蝦夷、つまり日本に出入りしていることが否定しえなくなった時点で、幕府が蝦夷地の直接統治（一八〇七〜二一年）を開始しているという事実は、多くの示唆に富んでいるように思われる。

近世の対外関係に関する理解は、この二、三〇年間に大きく進歩してきた。しかし、行き来する人々や貿易の内容、貿易管理の実態などといった具体的な諸問題を考えていくうえでは、どこまでが「日本」で、それを取り巻く世界はどこから始まったか、そしてこの二つはどのように融合していたか、などといった大きな問題についても検討が必要になってくる。すなわち、近世の「対外関係」の真の意味を探り当てるためには、少なくともまず、国境の意味、そして対外窓口としての「口」、さらには「異国」が当時の日本人によってどのようにとらえられていたかを、さらにはっきりと定義する必要があるだろう。

そこで今度は、近世において日本の「境界」、すなわち「国境」とはどのように考えられていたのか、という問題について考えてみたい。これはすなわち、近世の日本とは、どこからどこまでを指すと認識されていたのか、という問題である。

# 日本の境界

## 自明ではない国境

国境について考えるうえでまず重要なのは、日本のような島国の場合、ともすると国境を自明のものと見なしがちだが、国境というものはそもそも人間集団が創造し構築するものであり、自然現象ではないという点である。つまり、時代や状況によって国境は容易に変化するのである。そしてその時その時の境界や国境に関する人々の認識を如実に示すのが、地図である。たとえば中世に多くつくられた荘園絵図《しょうえんえず》は、「どこまでがみずからの領地か」ということを確認・主張するものであり、まさに境界の認識を目に見えるかたちで示したものであるといえよう。

そこでここでは、近世に幕府および民間によってつくられた多くの地図類から、近世の人々の境界認識を考えてみたい。その際、国家（幕府・諸藩）がイメージする「日本」と、一般民衆がイメージする「日本」とは、はたして一致していたのだろうか、という問題が生じる。その点を、日本に隣接する地域（とくに蝦夷《えぞ》・琉球《りゅうきゅう》・朝鮮）がどのように見なされていたかを中心として検討したいと思うが、その前にまず、近世以前の日本地図からうかがえる境界意識についてみておきたい。

いわゆる律令制《りつりょうせい》国家が成立し、安定していった八世紀以降、「日本」という政治版図《はんと》は、海に囲まれていたことから、陸続きの隣国を意識したり、「異国」との境界線を、地図の上で明示したりする必要を感じていなかった。そこにあったのは、海の向こうに浮かぶ、東の「外が浜」・「千嶋と蝦夷が島」や西の「鬼海嶋《きかいじま》」（または、北の「雁道《がんどう》」や南の「羅刹国《らせつこく》」）まで行き、「おのづから人はあれども、この土の人にも似ず…男は烏帽子《えぼし》もせず、女は髪もさげず」（『平家物語《へいけものがたり》』）などといった、姿や習慣が異なる異形《いぎょう》の「ヒト」に遭遇《そうぐう》したことで、異域にたどり着いた、という認識のようである。

　現存する最古の日本図と思われる、京都の仁和寺《にんなじ》に伝わる「日本図（行基図《ぎょうきず》）」（嘉元《かげん》三年〔一三〇五〕）や、それよりやや時代が下る『拾芥抄《じゅうがいしょう》』所収の日本図を見ると、律令制以来の国郡制に基づく列島の六六州と二島（壱岐《いき》・対馬《つしま》）が示されているものの、日本以外の地域はいっさい示されていないことに気づく。これらの地図は、一三世紀後半の文永《ぶんえい》・弘安《こうあん》の役《えき》（蒙古《もうこ》襲来）以降につくられているにもかかわらず、異国を表示せず、日本の境界にほとんど関心を示さないことは、不思議である。

　一方、これらの絵図とほぼ同じころにつくられたと思われる称名寺《しょうみょうじ》（横浜市）蔵の「日本図」は、仁和寺本や『拾芥抄』日本図とは対照的に、列島の境界を強く意識していることが、一

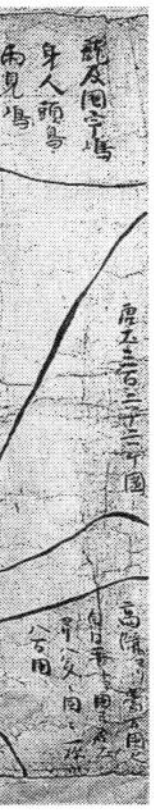

16

◉境界を意識した称名寺蔵の日本図
現存するのは西日本部分のみ。左上（南）から時計回りに、「羅刹国」「龍及国《りゅうきゅう》」「唐土」「高麗・蒙古」「鴈道・新羅国」が描かれている。

見して明らかである。列島を取り巻く龍あるいは蛇の体によって、日本と異国・異域との隔たりを示しながら、じつに奇妙なことに、仁和寺本や『拾芥抄』では日本として表示している二島のうち対馬のみを蛇体の外側に置き、壱岐を境界内に置くかわりに、隠岐国《おきのくに》を境界外に置いているのである。鎌倉時代後期から南北朝時代にかけて作成された絵図や説話などを見ても、日本と非日本が問題として大きく認識されるようになってきたことがうかがえる。

そして、安土《あづち》桃山《ももやま》時代から江戸時代初期にかけての一六世紀から一七世紀初頭の絵図資料を見てみると、その時期に「日本」認識になんらかの変容があったように見受けられる。その例として、豊臣秀吉《とよとみひでよし》が所持していたとされる扇面《せんめん》に描かれた、日本・アジア諸国の図があげられる。

この扇に描かれた日本・アジア諸国の図の注目すべき点は、日本と非日本とを、まったく異なった表現形態で描いていることとである。日本列島は、六六州二島の国々が国境（くにざかい）で区切られており、境界そのものの認識が明らかに表現されて

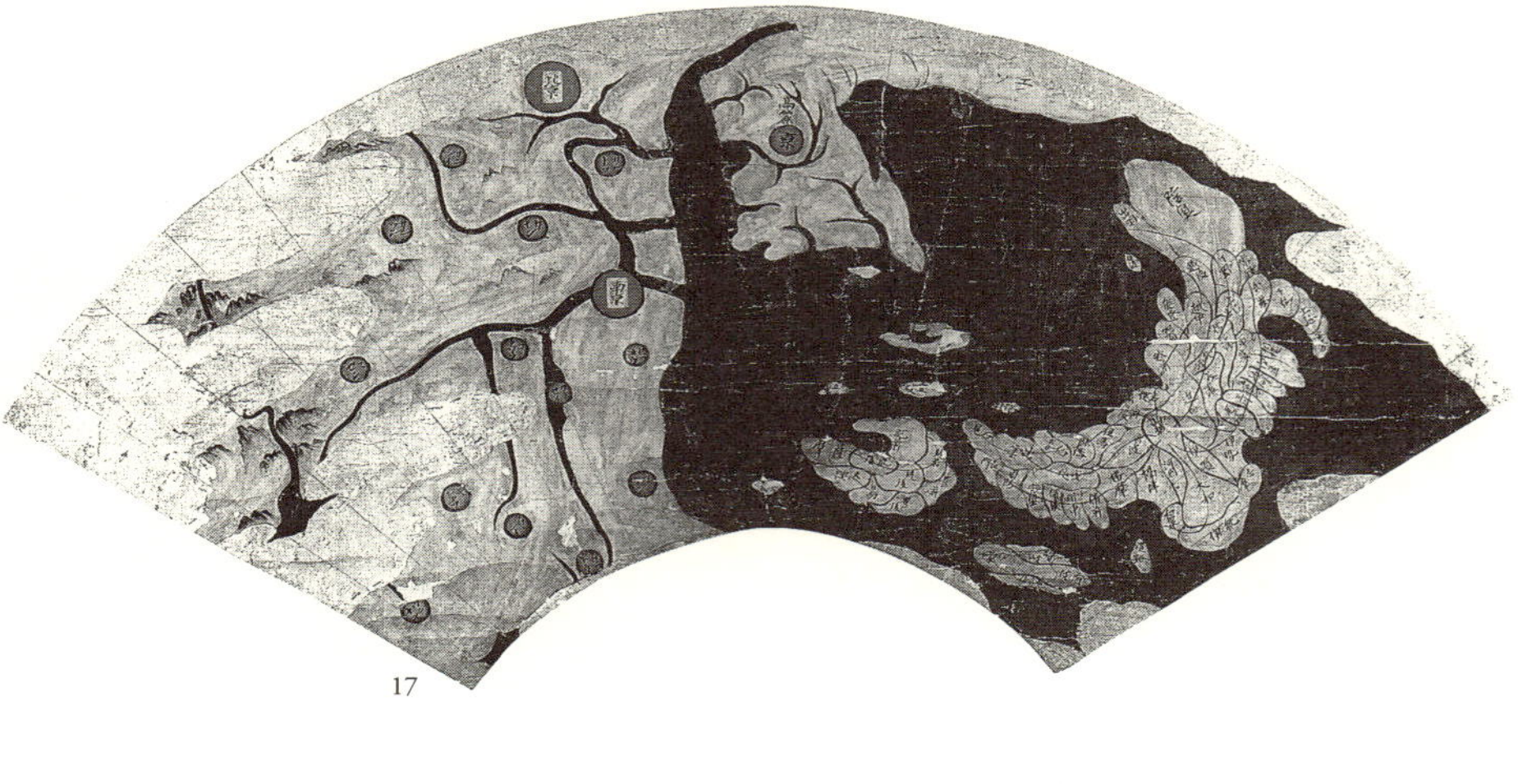

17

いるのに対し、アジア諸国(=非日本)は、国と国との間に境界が表現されていないのである。これは、高麗《こうらい》・唐《から》・天竺《てんじく》までみずからの掌中に収めようという秀吉の野望の現われであり、そこには国境(こっきょう)という意識がなかった、という説もあるが、そうだとすれば、なぜ日本と非日本の表現が違うのかという問題が残る。

◉扇面に描かれた地図
「高麗京」「北京」「南京」が赤丸で大きく示されている。扇の裏には、日本の会話用語の中国語訳が、平仮名で記入されている。

## 幕府が作成した日本図

江戸幕府は、江戸時代を通じて何回か、六六州二島の地図を諸藩に命じて作成させている。これがいわゆる「国絵図《くにえず》」である。このプロジェクトは、検地などと並んで、幕府が全国の領地を細かく把握し、支配する手段であり、そのシンボルともなった。さらに幕府は、その国絵図をもとにして、「幕府撰日本図」を作成したのである。国絵図を集積した幕府撰日本図は、したがって幕府の版《はん》図《と》意識を反映したものだと考えられる。

国絵図が作成されたのは、一般には一七世紀の慶長《けいちょう》期(一六〇〇年代)・正保《しょうほう》期(一六四〇年代)・元禄《げんろく》期(一六〇〇年代末)と、一九世紀の天保《てんぽう》期(一八三〇年代)の四回とされている(慶長期と正保期の間に、一六三〇年代の寛永《かんえい》期にも作成されたという説もある)。そして幕府撰日本図は、慶長期(あるいは寛永期)、正保期、元禄期、そして享保《きょうほう》期(一七二〇年前後)の四回つくられた。そのうち享保期の日本図は、その前の元禄期の日本図を改めてつくりなおしたものである。一方、天保期は、国絵図の作成だけで日本図は作成されなかった。

なお、天保期に日本図が作成されなかった理由については、伊能忠敬《いのうただたか》による『大日本沿海輿地全図《だいにほんえんかいよちぜんず》』（文政《ぶんせい》四年〔一八二一〕完成）がすでに存在していたから日本図を必要としなかったという説がある。だが、伊能忠敬の動機は、一八世紀後半以降のロシアの接近による対外不安から日本の版図を示そうとしたもので、地図作成にあたっては海岸線を描くことに主眼を置いており、内部の詳細には関心が薄いようにみえる。忠敬の測量・製図事業が、寛政《かんせい》一二年（一八〇〇）に、蝦夷地《えぞち》の海岸を明確にとらえる目的から始まったことを考えると、伊能図は、従来の幕府撰日本図とは、動機や形態が明らかに異なるものである。

それはそうと、こうして四回つくられた幕府撰日本図を比較してみると、興味深いことに、「日本」として描かれる領域が毎回微妙に異なっている。その違いは、琉球《りゅうきゅう》・蝦夷・朝鮮の扱い方に現われてくるのである。

琉球と蝦夷は、もともと六六州二島には含まれない、「異」なる存在だったので、第一回目の際には国絵図は作成されず、したがって幕府撰日本図にも掲載されなかった。つぎの正保期に、幕府ははじめて琉球・蝦夷の国絵図の作成を命じた。その結果、正保の幕府撰日本図において、蝦夷は形式的にではあるがはじめて描かれたのだが、琉球はなぜか描かれなかったのである。

そのつぎに作成された、元禄国絵図に基づいた元禄一五年（一七〇二）の幕府撰日本図になって、蝦夷とともに琉球がはじめて描かれるようになる。なお、元禄の幕府撰日本図には、左上の隅に釜《プ》

18

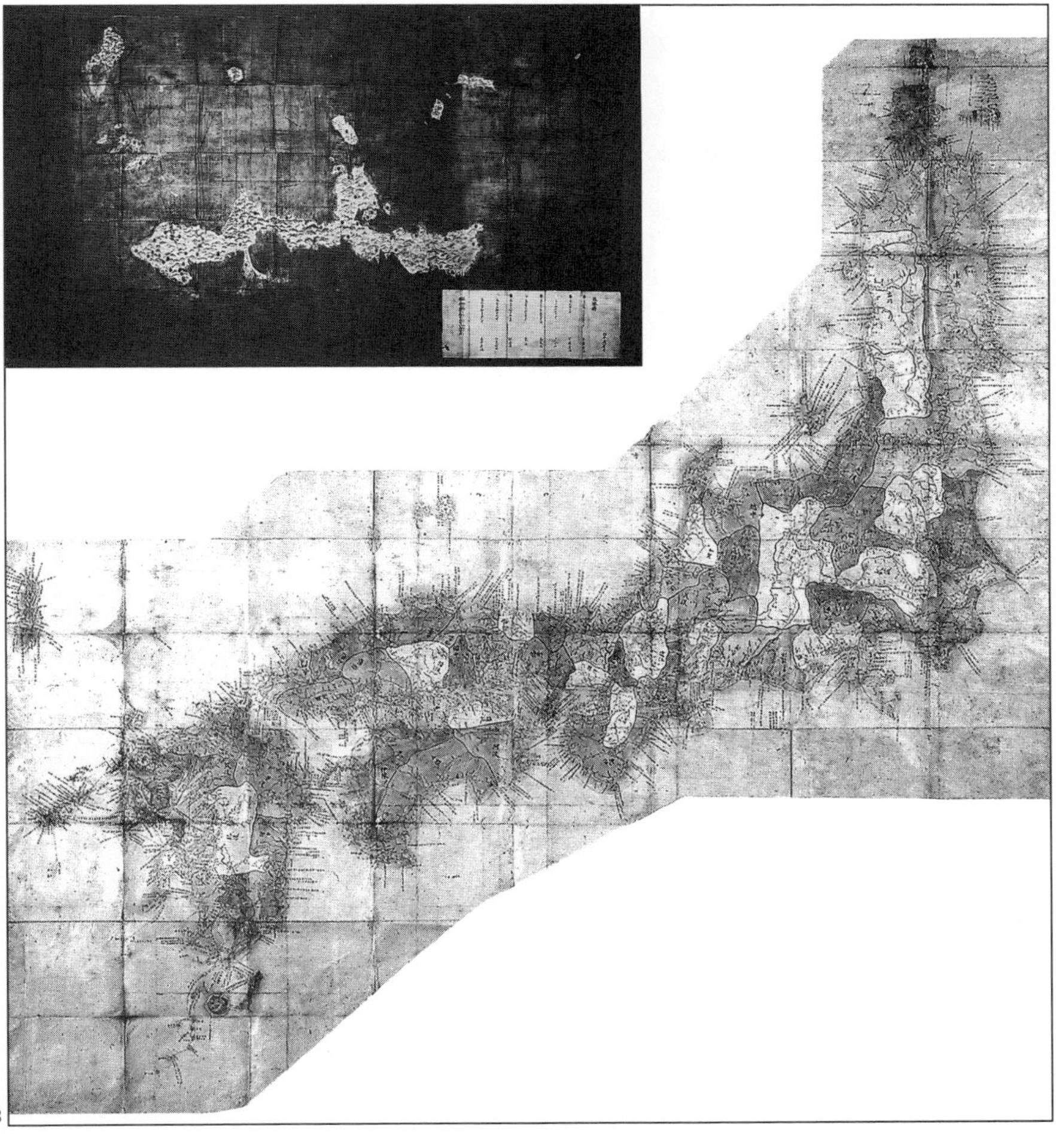

◉正保の日本図と国絵図

正保の日本図は、幕府が作成した日本図のなかでもっとも完成度が高いとされている。描いたのは兵学者の北条氏長《ほうじょううじなが》。原本は残っておらず、これは原本を写したものといわれる。左上は、正保期にはじめて作成された琉球の国絵図。

山《サン》のある朝鮮半島が図式的に示されていて、対馬から倭館《わかん》までの航路が描かれている。ところが元禄の幕府撰日本図に対して、八代将軍徳川吉宗《とくがわよしむね》がその出来に不満を抱き、そのため享保二年（一七一七）に、元禄国絵図に修正を加えたうえで新たに日本図作成を命じている。その享保の日本図では、正保の日本図に近い版図に戻って、蝦夷は描かれているものの、琉球はふたたび版図からはずされ、元禄日本図にあった朝鮮も削られて、倭館のみが示されている。

この表示は、釜山の倭館に対する幕府のなんらかの領有意識を示すものではないかという議論があるが、現時点では十分な根拠がないので、たんに境界的条件として描かれていると理解するだけにとどめておきたい。

このように、琉球・蝦夷の所属に対する幕府の認識は一定せず、日本図作成のたびに変化してきた。琉球と蝦夷は、幕府にとっても、日本の境界内なの

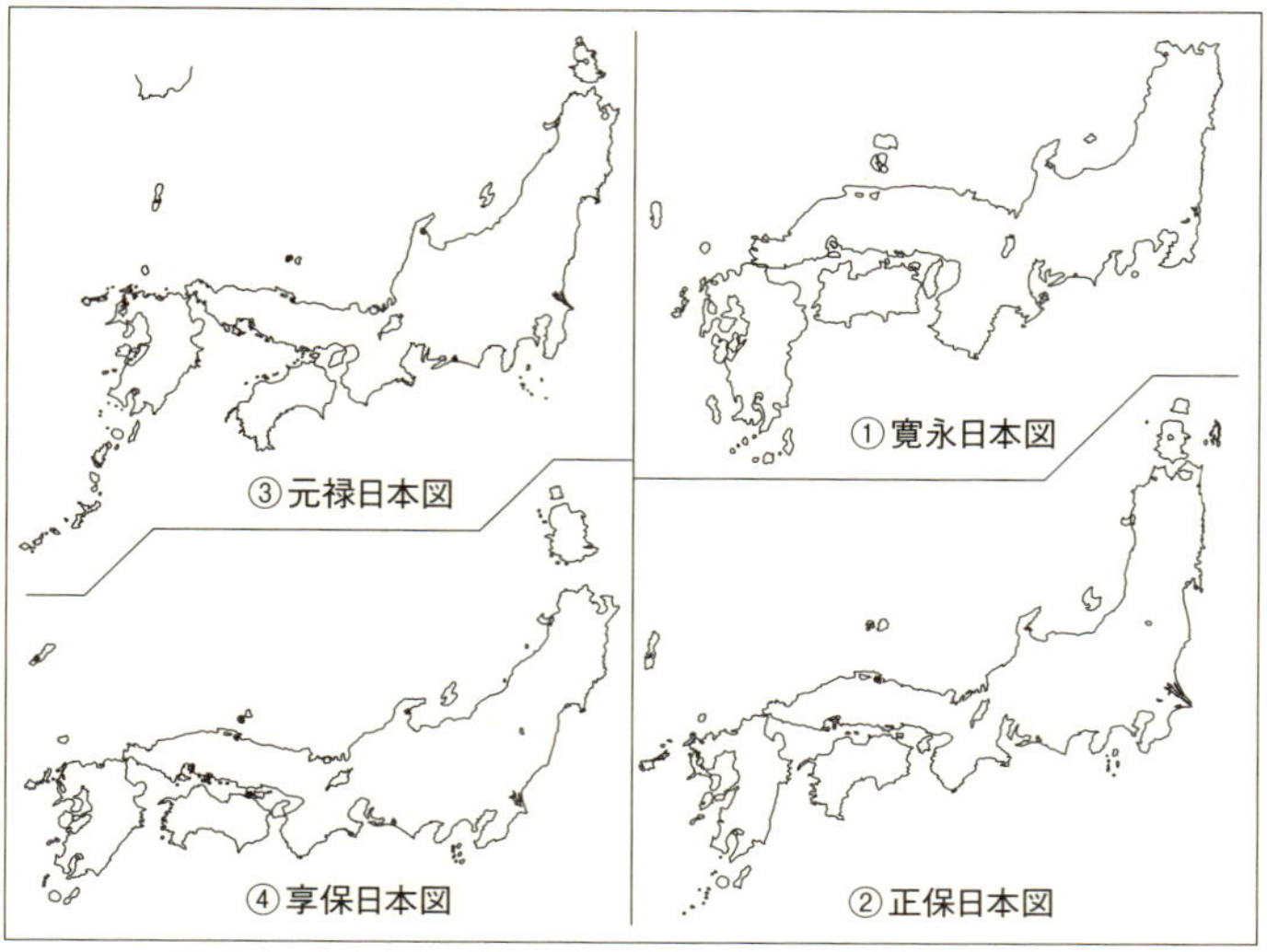


●幕府撰日本図の版図の変遷
元禄日本図の左上に描かれているのが倭館のある朝鮮半島南部。なお、現存する享保日本図の縮小図には朝鮮半島は描かれていないが、原本には倭館のみが示されていた。ただし原本は現存しない。（川村博忠《かわむらひろただ》『国絵図』より作成）

か境界外なのかはっきりしない、両義性に富んだ存在であったかのようである。

幕府撰日本図から判断するかぎり、幕府権力が認識する広義の意味の支配権（日本国）の領域は、じつにあいまいであったといわざるをえない。いわゆる「鎖国」期の日本は、こうしたあいまいな領域認識から成り立っていたのである。

なお、国絵図や幕府撰日本図は、国家機密資料として江戸城内の紅葉山文庫《もみじやまぶんこ》に収納され、一般には公開されなかった。模写された例もあったようだが、それも一般庶民の目に触れることはなかった。その一方で、中世以来の伝統をもつ民間作成の日本図は、安土桃山《あづちももやま》時代の南蛮風《なんばんふう》世界図・日本図屛風《びょうぶ》を経て、江戸時代に入ると商業出版の発達とともに活発になり、じつに目覚ましい発展を遂げたのである。

**民間地図にみる境界認識**

そこで今度は、民間でつくられた地図をみていこう。まず、称名寺本《しょうみょうじ》との関連で触れておきたいのが、寛永《かんえい》元年（一六二四）版の『大日本国地震之図《だいにほんこくじしんのず》』である。ここにはじつに奇妙な表現と、不思議な境界認識がみられる。この絵図は、地図であると同時に寛永元年の絵暦《えごよみ》であり、鰭《ひれ》と思われるところに、一月から一二月までの地震占いが書かれている。地理的空間の区切りと、一年間の時空的空間の区切りとを、同一画面上に表現しているのである。日本六六州を取り巻く龍は、日本を守っているようでありながら、日本の地下に眠り、動き出すと地震を起こす存在でもある。

中世以来、日本の南北の海のかなたにあるとして描かれてきた「羅刹国《らせつこく》」「雁道《がんどう》」は、地図の枠によって断ち切られるかたちで、境界外の存在として表現されている。ただ、帰属があいまいな壱岐《いき》・対馬《つしま》・松前《まつまえ》・蝦夷《えぞ》など、海路で異国に通じ、境界的な役割をもつ離島が、『大日本国地震之図』においては日本本土を守る龍の体の上に表現されていることは、注目すべき点だと思われる。

続いて考えなければならないのは、幕府撰の日本図と民間が作成した日本図との間には、どういう関係があるのかという問題である。だがこの点に関しては、十分な検討がまだなされておらず、

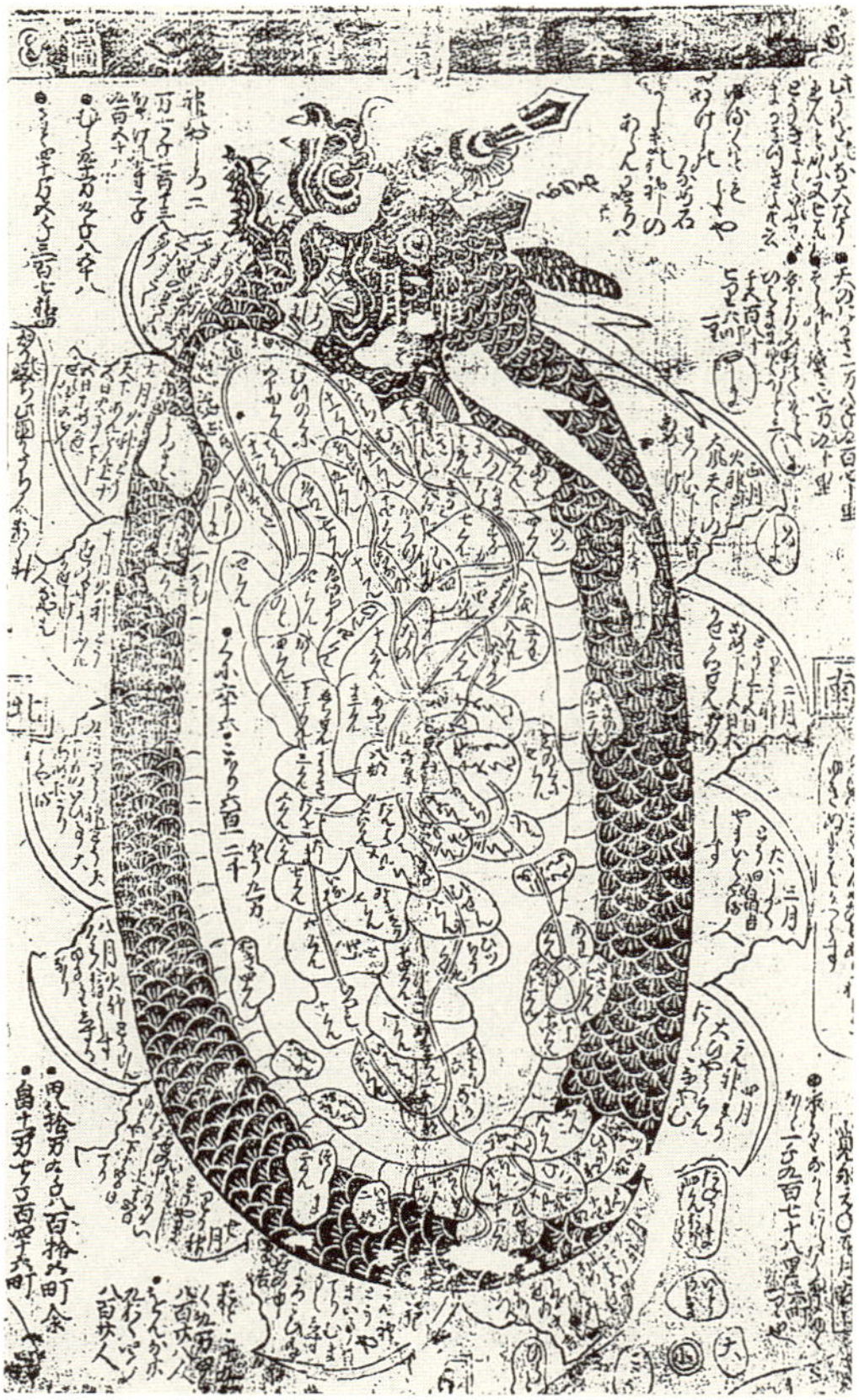

**◉地震占いを記した地図**

『大日本国地震之図』は、日本を描いた一枚刷りの地図としてはもっとも古いものである。だが、龍の存在や「地震占い」など、図の主題は明らかに地震であり、「日本図」と見なしてよいかは微妙ともいわれている。

不明なことが多い。石川流宣《いしかわとものぶ》ら、近世前期の地図作成者たちは、直接であれ間接的であれ、なんらかのかたちで、幕府撰日本図を参照する機会があったに違いない、という説もある。

しかし逆に、境界域や琉球《りゅうきゅう》・蝦夷《えぞ》など両義性に満ちた場所の表現方法を比較してみると、両者には「日本」の境界について基本的な認識の隔たりがみられ、民間の地図作成者は幕府撰日本図を参照していなかったと思わせる要素が多い。すなわち、幕府撰日本図にみられる境界意識にはあいまいさがあったのに対し、民間が作成した日本図は、そのほとんどが、つねに琉球や蝦夷を、朝鮮と同様に日本の境界の外、あるいは境界に接する異国として扱っているのである。

たとえば、中村吉兵衛《なかむらきちべえ》開版の『扶《ふ》桑国之《そうこくの》図《ず》』（寛文《かんぶん》六年（一六六六）刊）や石川流宣の『本朝図鑑綱目《ほんちょうずかんこうもく》』（貞享《じょうきょう》四年（一六八七）刊）は、幕府が琉球や蝦夷に国絵《くにえ》図《ず》差し出しを命じ、形式的とはいえ蝦夷を、正保の幕府撰日本図に組み込んだあとにつくられたものである。

にもかかわらず、それらの地図は、蝦夷や琉球を、中世の日本図によくみられる「羅刹国」「雁道」と同様に、地図の枠によって断ち切る表現をとっている。つまり蝦夷や琉球を、朝鮮と同等な存在として日本の

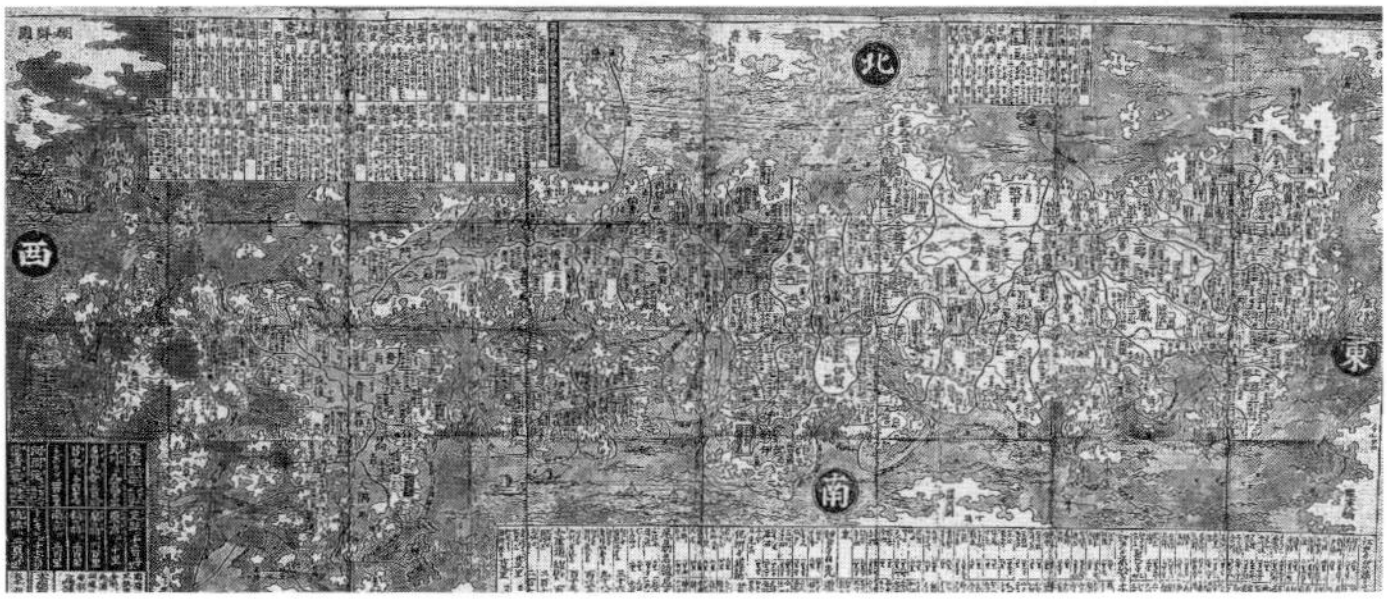


19

●石川流宣の日本図
浮世絵師である流宣の日本図は、絵画的表現と情報の豊富さが人気を呼んだ。西日本に比べて東日本が矮小化されているのが特徴。

境界の外に置き、日本に属することを否定し、「境界的条件」として表現しているのである。

一方、作者不明の『新撰大日本図鑑《しんせんだいにほんずかん》』（延宝《えんぽう》六年〔一六七八〕刊）は、石川流宣の『本朝図鑑綱目』などよりも先につくられたものだが、「ゑその嶋」を描いてその地理的情報も盛り込んでいる。また、架空の存在である「羅刹国」「雁道」も表現していない。その点においては、流宣の日本図よりも中世の日本観から脱却したものであるといえよう。

このように例外もあるが、民間の地図作成者たちの多くは、蝦夷・琉球を朝鮮と同じように日本とは異なる境界外の存在として扱い、時として幕府の認識と異なった「日本」と「異国」という弁別をしたことは間違いない。

これまでみてきたように、江戸幕府は早い段階から、みずからが支配する領域の認識を国絵図、日本図によって示すことを試みていたが、幕府自身の認識にもあいまいさがあった。そして一般庶民の間に流布した、民間が作成する日本図は、必ずしも幕府と同じ「日本」の領土認識を共有していなかった。幕府の主権主張と、一般庶民の認識との間にはズレが存在したわけである。

## ロシアの接近による変化

時代が下って一八世紀後半になると、先に述べたようにロシアの接近という問題が起こってくる。接近してくるロシアに対して、日本は大きな危機感を覚えるようになる。その危機感は、日本の境界認識にどのような変化を与えただろうか。やはり地図から探ってみよう。

安永《あんえい》八年（一七七九）に長久保《ながくぼ》赤水《せきすい》が作成した『改正日本輿《かいせいにほんよ》地路程全図《ちろていぜんず》』は、刊行された日本図としてははじめて緯度・経度のグリッド線を記入しており、地図としての精度は高く、その後の日本図のモデルとなった。だが、境界認識に関しては、右上に蝦夷《えぞ》の一部、左上に朝鮮の一部を描き、琉球《りゅうきゅう》に関しては「これより南百二十里琉球」と文字で示すだけで琉球そのものは描いていない。琉球を描かない例は一七世紀にもみられるので、この地図は一七世紀の伝統に従っており、そこからは境界認識の変化はうかがえない。

だが、仙台藩士林子平《はやししへい》が編纂《へんさん》した『三国通覧図説《さんごくつうらんずせつ》』（天明《てんめい》五年（一七八五）成立）と『海国兵談《かいこくへいだん》』（天明六年成立）には、ロシアに対する危機感がよく示されている。とくに『三国通覧図説』の付録として作成した『三国通覧輿地路程全図』を見ると、赤水の日本図のように日本だけをその周囲から独立させて表現するのではなく、日本の周囲を広範囲に描いて、そのなかで日本の境界をどこに置くかという問題を、強く意識していることが明らかである。

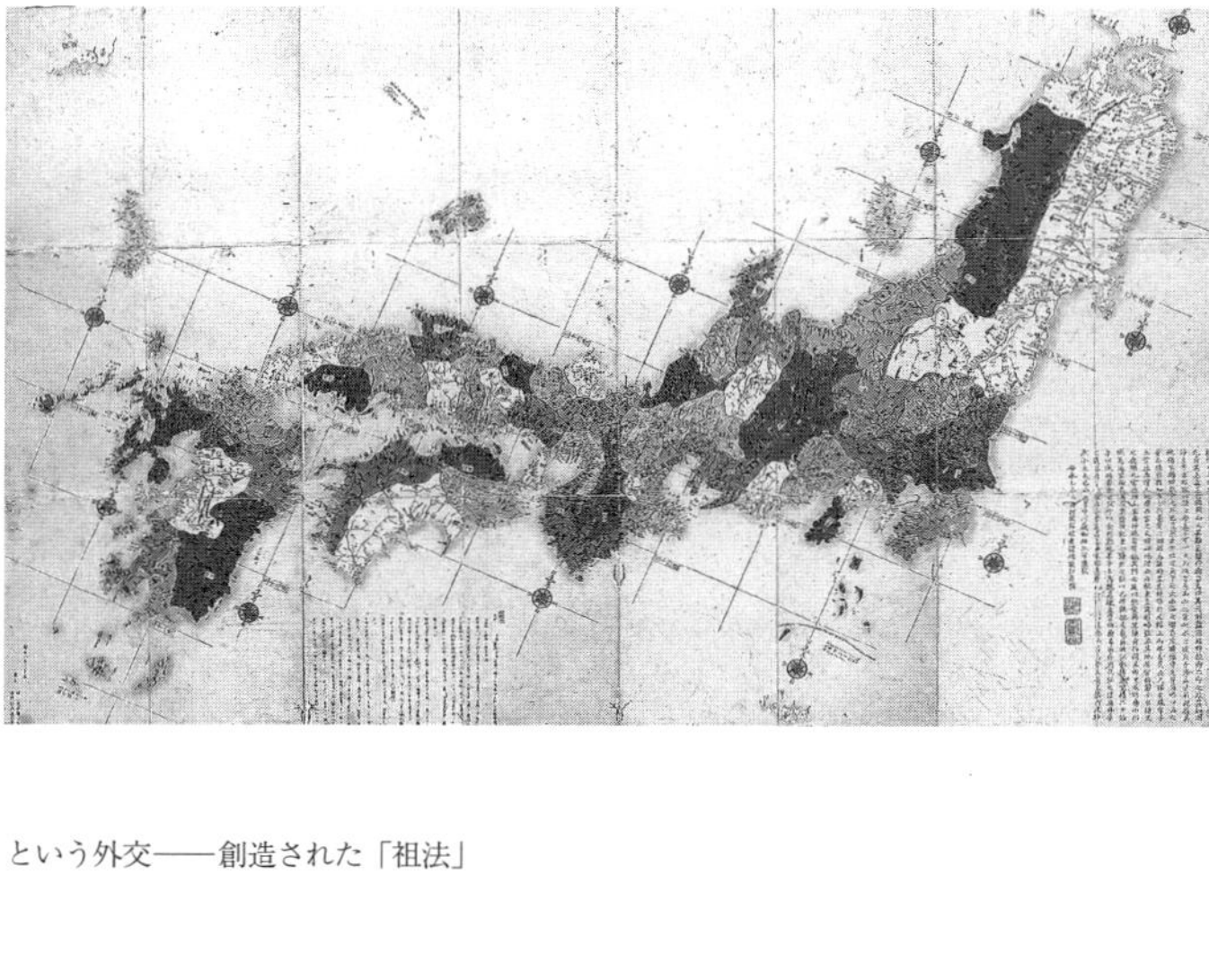

20

◉『改正日本輿地路程全図』
手描き地図には、赤水以前にもすでに森幸安《もりこうあん》の『日本分野図《にほんぶんやず》』（宝暦四年（一七五四））など、経線と緯線を記入した日本図が存在した。赤水も幸安の図を参照したといわれている。

すなわちその図において子平は、「大日本」とともに、「大日本」と「接壌《せつじょう》」する（境を接する）蝦夷・琉球・朝鮮の三国の一部ではなく全体を描くとともに、日本を緑色、三国を黄色、と色分けして表現している。「蝦夷国」の最南端（渡島《おしま》半島付近）だけは、緑色塗りで「大日本」の一部としているが、南西方面は「トガラ」（吐噶喇《とから》）を境界として、その先は「是《これ》ヨリ琉球ノ地」と色が黄色に

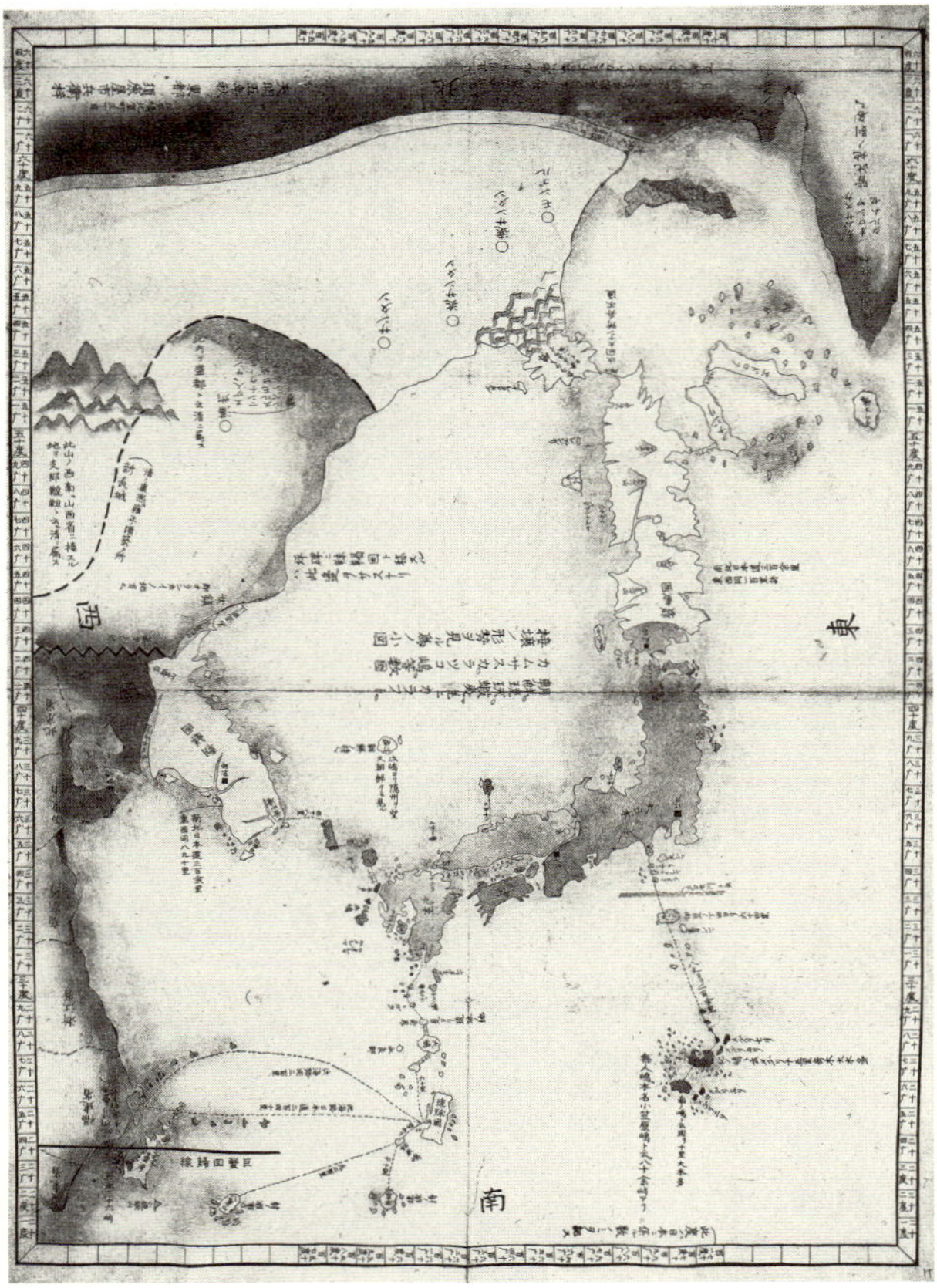

21

◉『三国通覧輿地路程全図』への関心
林子平の『三国通覧図説』は、寛政四年（一七九二）に発禁処分を受ける。しかしその付録の『三国通覧輿地路程全図』への関心は高かったようで、多くの模写図が現在も残っている。

変わり、同じように朝鮮についても、壱岐《いき》・対馬《つしま》までは緑色に、その先は「朝鮮国」として黄色に塗っているである。

子平は、こうした色分けによって境界を明記することの意味と、従来の日本を描いた地図についての不満を序文に記している。その不満とは、「あるいは万国の図に走り、または本邦の地に限れり」というもので、つまり、従来の地図は万国を描く世界地図か日本のみを描く日本図に限られていて、日本と異国外国との関係を必ずしも明確にしていないという問題を指摘している。

それにかわって彼は、「本邦」を中心にして朝鮮・琉球・蝦夷などの境界を明らかにすることが自分の意図であり、そしてこの三国は「土を本邦に接して実に臨境なり」という認識に立ってこの新しい地図をつくった、と述べている。

この『三国通覧図説』を皮切りにして、つぎつぎと行なわれた北方探検の結果、北方の地図や日本と近隣地域との関係を描いた地図が何種類もつくられるようになった。

そのなかで興味深いのが、近藤重蔵《こんどうじゅうぞう》がつくった『大東洋図《だいとうようず》』である。そこでは、日本という版図《はんと》を林子平の段階よりさらに広げて、蝦夷全島を松前《まつまえ》と称し、その北にある樺太《からふと》（サハリン）の南端も日本色にしている。また重蔵は、北方四島の国後《くなしり》なども調査させていることから、それらの島を地図に描いて日本の版図に組み込もうとする意図もみることができる。

伊能忠敬《いのうただたか》による日本図作成の作業も、同時期の寛政《かんせい》一二年（一八〇〇）に始まっているが、彼が蝦夷地を最初の測量地としているのにも、この北方意識が大いに働いていることと思われる。

このようなロシアをはじめとする西洋列強の動きによって、日本は日本の領域を意識し、境界について考えることを余儀なくされたが、にもかかわらず、国境という明確な線引きを必要とする認識が、日本には必ずしもなかったと思われるふしがある。

安政《あんせい》元年（一八五四）一二月に調印された日露《にちろ》和《わ》親《しん》条約《じょうやく》の条文を見ると、第二条において、両国の境界を、千《ち》島《しま》列島（クリル列島）を南北に二分する形で択《えと》捉《ろふ》島と得撫《うるっぷ》島との間に定め、択捉全島およびそれより南は日本、得撫全島およびそれより北はロシアに属す、としている。ところが樺太島に関してだけは、日露両国において「境を分かたずこれまでのしきたりの通りたるべし」となっているのである。

樺太島については、陸上の線引きをする必要性を感じなかったのか、線引きを思いつかなかったのか、それとも日露双方にとってそれをあいまいにしておくことが得策だという認識に立ってのことなのか。その評価については検討を要するが、日本がみずからの境界をどこに置いていたのかを考えるうえで、この日露和親条約はひじょうに興味深いものだということができるだろう。

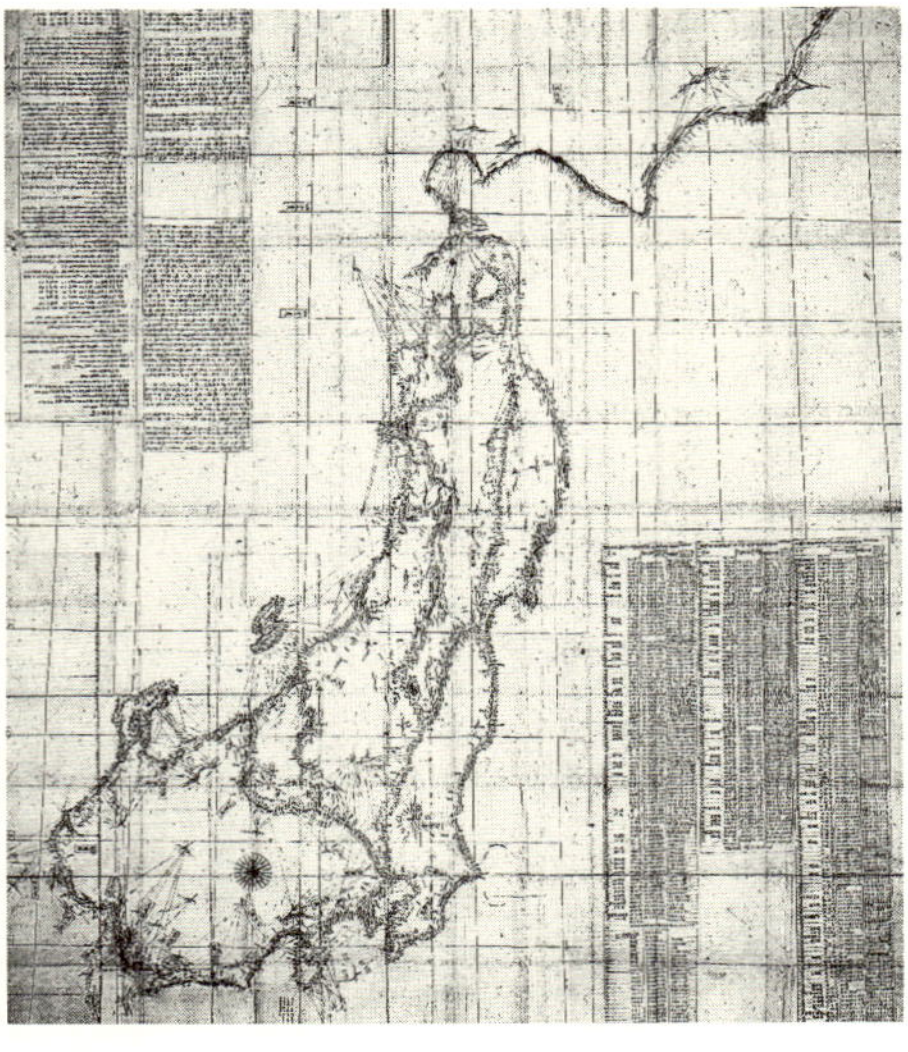

22

◉伊能忠敬の『沿海地図』
伊能忠敬の第四次測量調査までの成果をまとめた、文化元年（一八〇四）作成の東日本の地図。忠敬は蝦夷地北部は測量しなかったので、のちに日本図を作成する際には、蝦夷地北部については間《ま》宮林蔵《みやりんぞう》が実測した記録を使用している。

第三章

# 東アジア経済圏のなかの日本

# 近世日本の貿易と情報収集

## 情報収集の重要性

「鎖国」といわれた近世の日本においても、貿易は盛んであった。日本の主要輸入品目は、生糸《きいと》（白糸《しらいと》）・甘蔗糖《かんしょとう》（サトウキビからつくられた砂糖）・朝鮮人参《にんじん》などの薬種・書籍といった商品であった。その見返りとして、日本は、一七世紀から一八世紀初頭までおもに銀・銅を輸出した。これらの鉱物資源は、中国・東南アジアの貨幣供給に大きなシェアを占めるとともに、急速に商業化・貨幣化していく日本の国内経済の流通システムにおいても、重要な位置を占めていた。

日本と中国や東南アジアの市場とは、切っても切れないつながりがあった。なぜなら、日本に輸入されていた主力商品の大半は、これらの地域が生産地であり、そこでは日本の鉱物資源に対する需要がきわめて高かったからである。幕府はそのことをきちんと認識していた。そして幕府は、国内向けの鉱物資源を確保するため、東アジア海域の地域経済を理解したり、それに対する政策を施したりするのに必要な情報を得るための手段を考え出す必要性にも気づいていた。

同様に、東南アジアに拠点を置く華僑《かきょう》のような者も含めた中国人商人、また朝鮮人商人と為政者も、日本市場およびその鉱物資源とのつながりが途切れないことを望んでいた。そのため彼らは、日本の幕府と同様に、日本市場がどういう商品を求めているのかといった情報を収集する方法を、模索しなければならなかった。

ただし、ポルトガル人の追放からペリー来航に至る二世紀間の幕府の情報収集についての研究は、必ずしも十分とはいえない。そうした研究の多くは、ヨーロッパ事情やキリシタンに対する幕府の不安に発した情報収集に関心が偏り、アジアの問題が重要であることが注目されはじめたのは、ようやく近年になってからのことである。幕府の安全にとってアジアの情報が重要だということが、過小評価されてきたといえよう。

そこでこの章では、いわゆる「鎖国」が始まったとされる一六四〇年頃からの約一〇〇年間を中心に、日本と東アジア社会において、情報収集が果たした役割のいくつかに注目することにする。ここで重要なのは、これらの役割が、近世における地域間の相互関係の移り変わりに対応して、変化していったことである。これは、近世日本を「鎖国」すなわち「閉ざされた日本」と見なす考え方とはまったく正反対に、近世日本が東アジア社会の一員として、東アジア経済と無縁ではいられなかったことを示すものである。

1

◉銅の輸出風景

『唐蘭館絵《とうらんかんえ》巻《まき》』に描かれた、文政期（一八一八〜三〇）ごろの長崎出島におけるオランダとの交易の場で銅が支払われる場面。絵師の川原慶《かわはらけい》賀《が》は、シーボルトのお抱え絵師としても有名。

そのなかでもとくに、筆者が以前から指摘しているように、日本は、「鎖国」と呼ばれた時期の最初の一世紀、じつは積極的に商業・技術、また外交政策上において必要で有用な情報の収集活動をしたという点を、日本と中国との関係を中心に考察してみたい。なぜなら中国は、外交関係はないものの、日本の輸入品の大部分を生産する、日本にとって実質的に最大の貿易相手国であり、また地理的な近さからいっても、切っても切れない関係にあったからである。

初代将軍徳川家康《とくがわいえやす》が中国との直接交易を復活させようとして失敗に終わり、二代将軍徳川秀忠《ひでただ》が、元和《げんな》七年（一六二一）にもたらされた、明《みん》朝の使者と称する人物による日中貿易の再開の打診を断わってから、日本と中国の間には正式な外交はなかった。しかし日中貿易は、両国の経済状況や外交政策によって取引量が増減することはあったものの、絶えることはなく、むしろ繁栄するに至った。そして幕府は、政治上・貿易上の必要から、つねに中国の情報を入手しようとしていたのである。

そうした幕府の姿勢は、オランダ人・中国人の活動を長崎の

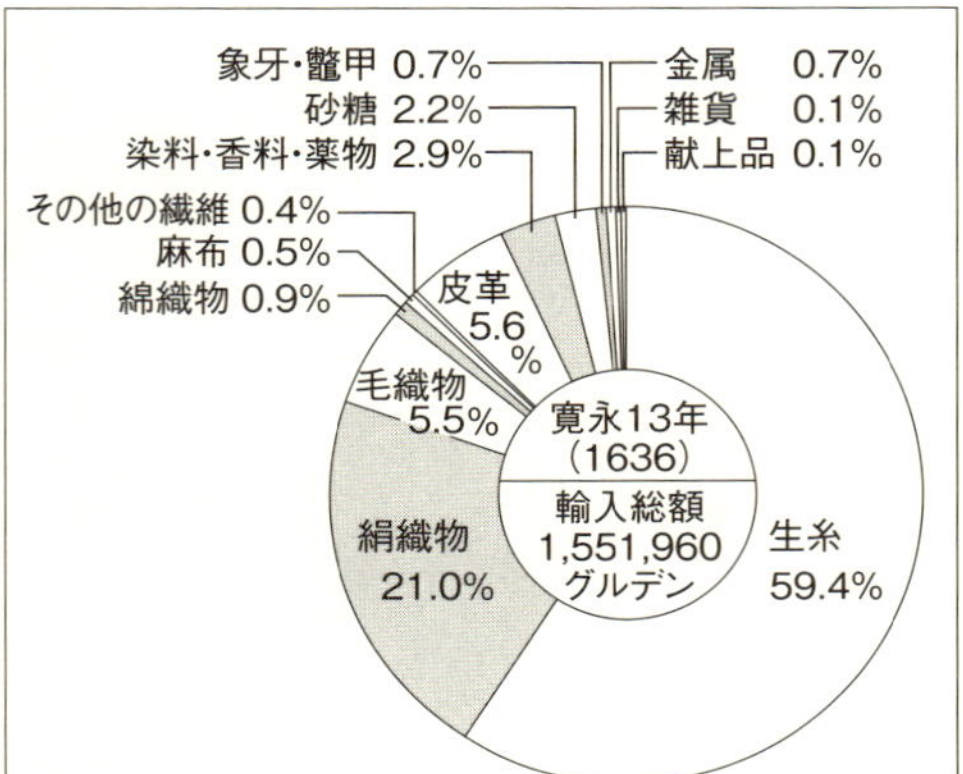


◉オランダ船舶載の輸入品
主力商品である生糸と絹織物は、どちらも中国産品をオランダが購入したもの。日本の輸入品の大半は中国産品だった。（科野《しなの》孝蔵《こうぞう》『オランダ東インド会社の歴史』より作成）

◉長崎出島
『出島図《でじまず》』は数多く存在する。川原慶賀《かわはらけいが》を中心とする工房のものが多く、それぞれを見比べると、構図は同じだが建物の色など細部が異なっている。ここに掲載したのはそのうちの一点。

みに制限し、朝鮮・琉球《りゆうきゆう》・蝦夷《えぞ》地へ出向く活動を、それぞれ対馬《つしま》・鹿児島（薩摩《さつま》）・福山《ふくやま》（松前《まつまえ》）の三藩だけに限って認め、日本人の海外渡航を原則的に禁止した、「四つの口」といわれる日本の対外関係の構造とは、相いれないようにみえるかもしれない。たしかにその構造は、日本が海外において積極的に情報を収集することを制限した。しかし幕府は、活発にそして前向きに、経済・技術開発・外交政策の展望に価値のある情報を追い求めたということは、史料からしても明白なのである。

逆にいうと、近世日本を特徴づけた四つの口のあり方は、ヒトとモノの出入りを制限し管理すると同時に、海外からの情報を収集するうえでも重要な要素であった。その四つの口を経由してもたらされた海外情報を入手・管理するという情報操作は、国内統治を確固たるものとする政治機構の能力を向上するうえで不可欠であった。そしてそうした情報操作は、国内と国外の間に壁をつくり、政治権力が例外を認める以外、二つの領域は完全に隔てられている、という状況を確実にすることで可能となるのである。

2

### 清の勃興に対する警戒感

一七世紀の中国大陸では、満州から興《おこ》った清《しん》が明《みん》を滅ぼし、新たな王朝を築いた。清とは、一六世紀末に太祖ヌルハチが中国東北部の女真族《じょしんぞく》（満州族）を統一し、一六一六年に建国した金《きん》（後金《こうきん》）が、一六三六年に名を改めたものである。一六四四年に清は明を滅ぼして、明の遺臣たちによる抵抗を鎮圧し、一六八〇年代には、中国本土を完全に制圧する。

このことは、当時の日本人に、その四〇〇年前の一三世紀後半に起きた蒙古《もうこ》襲来（元寇《げんこう》）を思い起こさせた。当時の日本人の目には、満州と蒙古は同一に映ったようで、ともに「韃靼《だったん》」と見なされていた。そして日本は、清朝・満州族に対しては、元寇以来の反感に根ざした敵意を抱いていた。満州族の中国征服により、幕府は東アジアにおける戦略上の均衡の激動に神経質にならざるをえなくなったのである。

近世初頭において、幕府はみずからの安全にとっての脅威を取り除くため、ヨーロッパ人と中国人の日本への接近を厳しく制限する方向へ舵《かじ》を切った。しかしいくら制限しようとも、中国と日本の地理的な近さは変えようがない。そこで日本は、清朝の勃興《ぼっこう》のような重要な事件に際しては、防衛上の必要から、さまざまな情報収集と安全保障策を講じて対応した。それは、「日本はアジアにあり、そこから孤立できない」という明白な事実をみずから認めることを意味していた。

太祖ヌルハチはすでに、一五九〇年代には豊臣秀吉《とよとみひでよし》による朝鮮侵略（文禄《ぶんろく》・慶長《けいちょう》の役《えき》）を撃退するため、明に援助を申し出ていた。だが、その時点では日本は、この満州族の動向にまだほとんど注目していなかったようである。日本が注意を向けはじめたのは、一六二七年にヌルハチの子のアバハイが朝鮮を侵略してからである。

その年、後金の軍勢が鴨緑江《アムノッカン》から南下して漢城《ハンソン》（ソウル）にまで侵入し、朝鮮国王仁祖《インジョ》が江華島《カンファド》に逃亡を余儀なくされ、アバハイに降伏して忠誠を誓った。この情報は釜山《プサン》にある倭館《わかん》の館主にすみやかに報じられた。朝鮮政府はこの侵略を口実に、日本との釜山貿易を廃止ないしは中断しようと考えていた面もあったからである。

しかし、対馬《つしま》藩はこれに応じず、みずからの貿易特権の拡張のために、朝鮮の危機を利用した。後金の脅威に直面している朝鮮には、対馬の意向に抵抗することは難しかった。そして対馬藩の藩主宗義成《そうよしなり》は、幕府の対朝鮮外交代表として、この満州族による朝鮮侵略を幕府に報告する必要があった。義成がいつ江戸にこの情報を伝えたかははっきりしないが、翌寛永《かんえい》五年（一六二八）、彼が江戸参勤から国許《くにもと》へ帰る際、三代将軍徳川家《とくがわいえ》光《みつ》は義成を呼び出し、漢城に偵察のための使節を派遣することを命じ、状況に応じては満州族への抵抗を助けるため、朝鮮に武器や援軍を派遣する用意があると告げている。

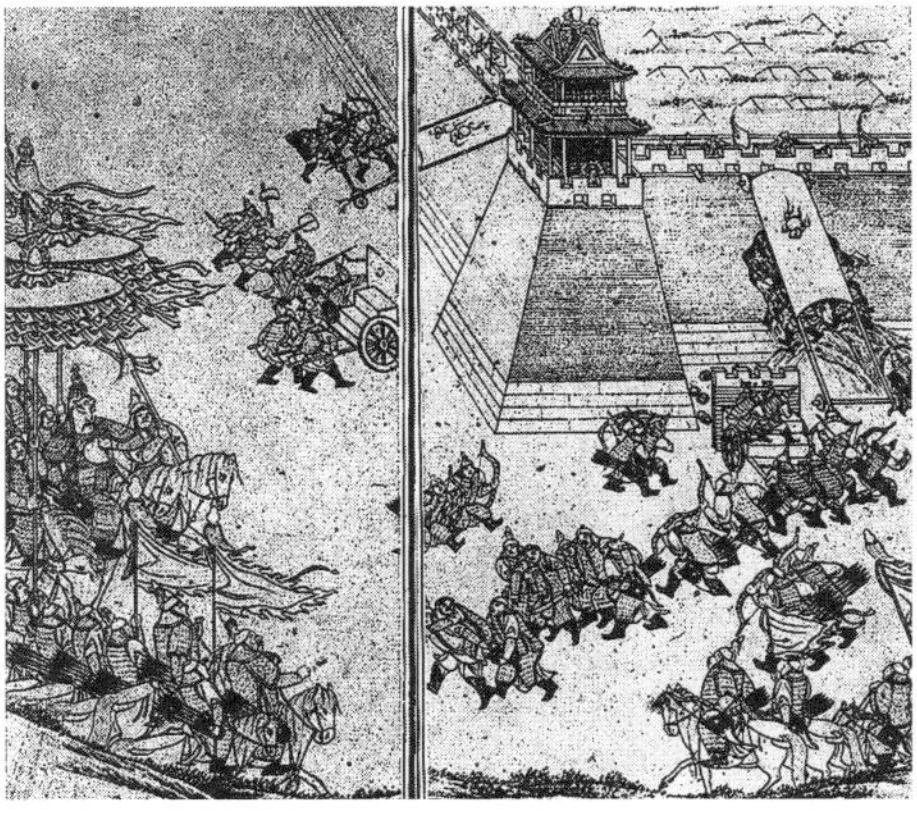
3

◉寧遠城の攻防
ヌルハチは、一六二六年に明《みん》の寧遠城《ねいえんじょう》を攻めたが、明がポルトガルから輸入した大砲（「紅夷砲」）によって撃破された。ヌルハチは同年死去している。

徳川家康《いえやす》によって秀吉の朝鮮侵略に対する講和と日朝関係の正常化がなされたのちも、徳川将軍が漢城に使節を派遣することはなかったし、対馬は何度も使節を漢城に送ろうとしたが、朝鮮側から許可が下りることはなかった。

その翌年の寛永六年、宗義成が使者として派遣した外交僧の規伯玄方《きはくげんぽう》らが釜山に渡り、現地役人の疑惑と抵抗を受けながらも、やがて説得に成功して漢城へと入った。これは、江戸時代に漢城入りを許された唯一の日本人の使節であった。しかし、朝鮮政府は、後金の軍勢がすでに朝鮮から撤退していることを理由に、日本からの援助の申し出を拒絶したのである。

後金の軍勢が撤退したのは事実だったが、朝鮮は「野人」の脅威からは依然として抜け出せなかった。そして、これ以降、満州族の勃興がもたらした東アジアの動乱は、何十年もの間日本人の注意と関心の的となり、日本に戦略上の情報収集と分析のための制度発展をもたらしたのだった。

## 明遺臣からの援軍要請

満州族の勃興《ぼっこう》に呼応するかたちで、明《みん》の国内は打ちつづく内乱によって引き裂かれ、一六四四年三月、ついに叛徒李自成《はんとりじせい》が北京《ペキン》を占領し、明の皇帝はみずから命を絶った。そしてこの機に乗じた清《しん》の軍勢が中国北部に侵入を開始し、五月には北京占領に成功する。その後、宮廷を瀋陽《しんよう》（奉天《ほうてん》）から北京に正式に移し、清朝を樹立した。その一方で、満州族の侵略に抵抗し、王朝再興のために戦う明の遺臣たちが、福建《ふっけん》省中心に拠点を置いて、「南明《なんみん》」と呼ばれる臨時政府を立てるなどの動きも目立つようになる。

こうした一連の戦闘情報は、日本にもかなり早くに届いていた。長崎に来航した中国人商人は、正保《しょうほう》元年（一六四四）八月には戦争の詳細を報告していた。また、これよりもはるかに簡略だが同様の報告も、対馬《つしま》藩を経由してもたらされた。これらの情報はすべて江戸に送られて調査検討に付されている。

しかし、幕府にとってより重要だったのは、翌正保二年一二月に、林高《りんこう》という貿易商が長崎に到着したことだった。林は、明の遺臣崔芝《さいし》総督が日本に軍事援助を求める書簡を、長崎奉行に提出したのである。

明朝を崩壊させてからも四〇年にわたり、清朝にはさまざまな抵抗勢力がつぎつぎと現われ、事実上の内戦状態が続いた。それらは、たとえば、明朝の正当性を主張する者、海賊のリーダー、そして雲南《うんなん》の呉三桂《ごさんけい》、広東《カントン》の尚可喜《しょうかき》・之信《ししん》親子、福建の耿精忠《こうせいちゅう》からなる「三藩《さんぱん》」と呼ばれる地方権力者たちであった。そして、清朝の支配に最後まで抵抗したのが、「国姓爺《こくせんや》」の名で知られる鄭成功《ていせいこう》と、その息子鄭経《けい》であった。彼らのなかには、日本に軍事援助を求める動きもあり、この四〇年間に一〇以上の使節が日本に来着したのだが、この林はその最初の例であった。

蒙古《もうこ》襲来の記憶から清に反感を抱いていた日本は、そのぶん明の遺臣には好意的であった。たとえば、幕府は清の政府管理下にある中国人商人に対しては不利な待遇をもうけ、鄭成功など明の遺臣の支配下にある船には長崎貿易を許していた。また、朱舜水《しゅしゅんすい》のように日本への定住を望む明の遺臣たちを受け入れたりもしていたのである。

林と崔はともに鄭成功の父鄭芝龍《しりゅう》（通称一官《いっかん》）の配下であった。一六二〇年から三〇年代に平戸《ひらど》在住の中国人商人の手代、あるいはオランダ人の通詞《つうじ》、海賊などとして多彩に活動していた鄭芝龍の名は、すでに日本でもよく知られていた。長崎奉行からこの書簡を送られた幕府は、長い時間をかけて検討した末に、この要請をきっぱりと却下している。

幕府はすでに元和《げんな》七年（一六二一）の段階で、細川忠利《ほそかわただとし》、大《おお》村純信《むらすみのぶ》、松浦隆信《まつらたかのぶ》ら九州の諸大名に武器輸出の禁止を命じていた。その目的は、当時日本にいたヨーロッパ商人による武器の持ち出しを防ぐことにあった。寛永《かんえい》一一年（一六三四）には、すべての武器の異国への輸送を禁止するよう、禁令の範囲を拡大した。

しかしその約四〇年後の延宝《えんぽう》四年（一六七六）、幕府はみずから禁令を無視し、琉球《りゅうきゅう》を通じて中国沿岸の反清朝勢力に、弾薬の製造に用いる硫黄の輸出を認めている。つまり、幕府はみずからの政策に反しても、反清朝勢力を後押しするかのような行動とることがあったわけである。

だとすれば、このときはなぜ却下したのだろうか。三代将軍徳川家光《とくがわいえみつ》は最初から応じる考えがなかったという説もあるが、幕府の検討が長引いたことや、立花忠茂《たちばなただしげ》などの大名の動きを考えれば、

4

◉明の遺臣朱舜水
明の儒者。明の復興を求めたがかなわず、万治二年（一六五九）に長崎へ渡る。寛文五年（一六六五）に徳川光圀《みつくに》に招かれて水戸へ移り、藩政や水戸学に影響を与えた。

それだけではないことがわかる。家光が却下したのは、むしろ林の要請の誠意を試すためであった。この時期、すでに明の政府は消滅し、数人が王位を僭称《せんしょう》して争っている状況だった。そのような状況では、家光や幕府が林の援軍要請に慎重にならざるをえないのは当然のことであった。まして、この要請には海賊などの経歴をもつ鄭芝龍が深くかかわっていたのであるから、幕府や家光が林の要請を却下したのは当然といえば当然である。

### 家光の援軍派遣構想

幕府・家光《いえみつ》は林の要請を却下したのだが、その一方で、中国への援軍派遣にはかなり注目していたことがうかがえる。正保《しょうほう》三年（一六四六）、幕閣が林に帰国を促す決定を長崎奉行の山崎権八郎《やまざきごんはちろう》に伝えた直後、将軍家光の政策協議にたびたび参加していた京都所司代の板倉重宗《いたくらしげむね》は、甥《おい》の重矩《しげのり》に出した手紙のなかで、家光はじつは中国からの援軍要請に関心を寄せ、中国に派遣する遠征軍の戦闘計画を立てていたという驚くべき事実を語っている。柳川《やながわ》藩の藩主で、やはり江戸城中の討議のうわさを察知した立花忠茂《たちばなただしげ》も、江戸から国許《くにもと》の家老に向けた手紙で、板倉と同様、家光が中国への派兵に積極的な考えをもっていたことを伝えている。

正保三年の秋、鄭芝龍《ていしりゅう》からの二度目の使者黄徴明《こうちょうめい》が長崎に到着し、ふたたび日本の援助を求めてきた。黄を通じて、鄭芝龍と南明《なんみん》朝の隆武帝《りゅうぶてい》は、将軍に書簡と中国の生糸・絹織物を贈った。書簡は、明朝の再興を目的とする対清《しん》朝の戦争のため、日本からの軍事援助を求めるものだった。

隆武帝はその書簡のなかで、「韃靼人《だったん》」が古来から日本の敵であり、これまでに日本を攻めたこともあったこと――すなわち元寇《げんこう》の事実を想起させ、蒙古人《もうこ》を中国から追い出して日本を危険から救ったのが明朝であったことに注意を払うよう求め、日本と明との歴史的友好にかんがみて、日本が隆武帝らの要請に応じて軍隊を派遣するのが当然であると論じている。

これに対し、老中と尾張《おわり》・紀伊《きい》・水戸《みと》の御三家《ごさんけ》、そして譜代《ふだい》重臣の彦根《ひこね》藩主・井伊直孝《いいなおたか》に意見が求められた。御三家のなかには援軍派遣に賛成の声もあったが、援軍に反対する紀州藩主・徳川頼《より》宣《のぶ》や井伊直孝は、遠征によって得られるものは何もなく、さらに多くの敵をつくるだけになるだろうと論じた。

こうしたなか、長崎奉行から、最近長崎に到着した中国船の情報が江戸に届いた。それは、鄭芝龍が福州《ふくしゅう》において清軍に敗北し、現在は降伏に向けての交渉中であるという知らせであった。これにより、将軍家光は中国への援軍要請を正式に却下することとなった。

実際のところ、援軍提案の議論は、日本軍が明の再興を援助するために兵を送るとき、朝鮮を通過することを朝鮮政府がはたして許すかどうかを、家光が対馬《つしま》の宗義成《そうよしなり》に相談するところまで進んでいた。義成は、朝鮮は満州族の侵略でひじょうに疲弊しているので、中国へ侵攻する日本軍の糧食を補給できないとして、家光を思いとどまらせていたのである。いずれにせよ、かつて秀吉《ひでよし》時代の日本による侵略の傷跡が残る朝鮮が、日本軍の進軍を歓迎するはずはなかったであろうが。

このように、明の遺臣たちによる明朝再興運動への直接援助を、結果として幕府は繰り返し却下した。この事実については、「鎖国政策」のもたらした当然の結果であり、却下はあらかじめ決められていた結論だったと見なす考え方もあった。

しかしこれまでみてきたように、少なくとも正保三年から翌年にかけては、幕府は援軍派遣の可能性をかなり真剣に検討していたのである。そして幕府が援軍派遣を断念したのは、明の抵抗軍が福州で敗北を喫したからであった。援助する相手が敗れた以上、もはや派兵は無意味と化したのである。したがって、幕府による援軍要請の却下、そして派遣の断念は、「鎖国」が理由とは考えにくい。家光にその意思はあったけれども、時期を逸したというのが事の真相といえるだろう。

こうして幕府は、明遺臣の援軍要請に対して軍隊の派遣こそ行なわなかったものの、琉球《りゅうきゅう》を経由して反清朝勢力への援助は行なった。明遺臣からのたび重なる軍事援助の要請と、中国大陸における内戦の激化は、情報で武装する必要性を幕府に痛感させた。

### 四つの情報収集ルート

国際社会においては、政治・経済動向に関する情報が直接・間接に二国間、あるいは多国間の関係に重要な影響を及ぼすことはいうまでもない。「鎖国」が文字どおりの閉ざされた国家を意味しない以上、日本にとっても情報収集が国家の存立にかかわる重要な意義をもつことは自明のことであった。それでは、日本は東アジア――とくに中国大陸の情報を、どのようにして収集していたのだろうか。

幕府は、外国情報を収集するための主要なルートとして、四つのルートを確保していた。

第一のルートは、「長崎到着の中国人商人↓唐通事《とうつうじ》↓長崎奉行↓江戸（老中、林家《りんけ》）」というルートである。中国船が長崎に入港すると、唐通事が船長などに聴取して得た情報をまとめた報告書（風説書《ふうせつがき》）を、長崎奉行を介して江戸へ送る。その報告書が江戸で検討され、重要事項と判断された情報は、老中も検討することになる。長崎に入港する外国船のうち、もっとも多かったのは中国船であったので、一八世紀前半までは、このルートが最大量の情報を供給していた。このルートの情報は、外国政府や地方政府などの利害関係による介入を受ける危険がなく、直接中国人商人から聴取される情報だったため、一般的にはもっとも正確だったとされている。

その一方で、情報の供給者である商人・船長らが南京《ナンキン》より奥の中国大陸に足を踏み入れることはほとんどなかっただろうから、彼らが独自の情報網をもっていないかぎり、その情報の多くは直接

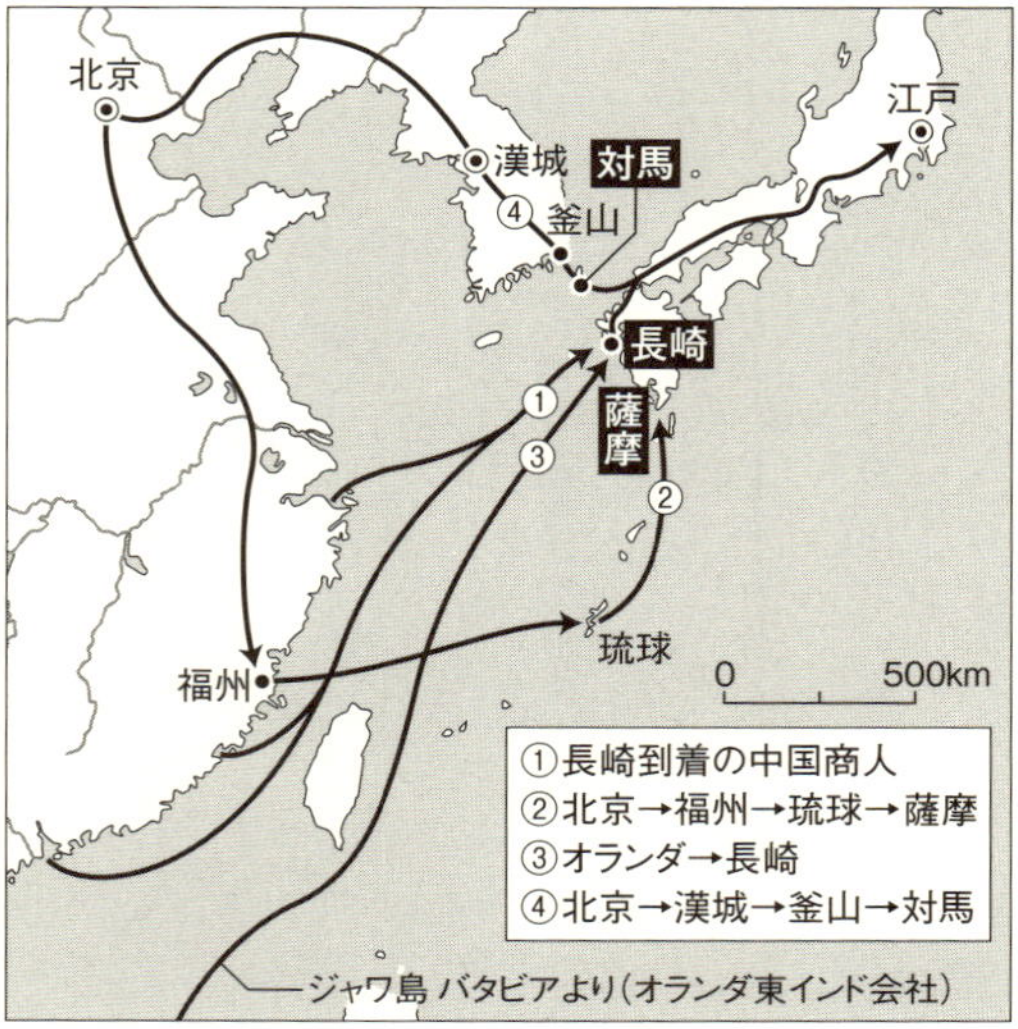


◉四つの情報収集ルート
長崎・薩摩・対馬という情報収集の窓口は、対外関係の「四つの口」と一致する。もうひとつの「口」松前を窓口とする北方の情報収集は、一八世紀後半から重要となってくる。

見聞したものではなく、港での伝聞やうわさ話のレベルにすぎなかった、という見方もできる。
第二のルートは、「北京《ペキン》→福州《ふくしゅう》→琉球《りゅうきゅう》→薩摩《さつま》→江戸」というルートである。琉球は、慶長《けいちょう》一四年（一六〇九）に薩摩の侵攻を受けて以来、鹿児島（薩摩）藩島津《しまづ》氏の監督・支配下に置かれていた。しかし、同時に中世以来中国にも朝貢しており、その朝貢使は定期的に北京に派遣され、福州には琉球館もあった。そして、琉球の新王国の即位時に明や清の皇帝が冊封使《さくほうし》を派遣する際にも、多くの情報交換が行なわれた。また琉球から中国に渡る留学生もいたため、琉球からは比較的正確な情報を安定的に得ることができた。

第三のルートは、「オランダ商館長（カピタン）→長崎オランダ通詞《つうじ》→長崎奉行→江戸」である。

オランダ人の関心は第一に、海賊行為など海上の安全にかかわる問題にあり、また幕府もキリシタンの動向についてオランダの報告を求めていたため、中国本土の情報収集に関しては、このルートは重要性が低かった。したがって中国の一般情勢についての詳細な情報は少なかったが、オランダ人が直接かかわる事例については、正確な情報が多かった。

5

◉江戸長崎屋でのオランダ人
江戸参府のオランダ人の江戸での定宿が、日本橋にあった江戸長崎屋だった。約二〇日間の滞在中、一行は多くの諸大名や蘭学者たちの訪問を受けた。（葛飾北斎《かつしかほくさい》筆『画本東都遊《えほんあずまあそび》』）

しかし、せっかく正確な情報が入っても、一七世紀の段階ではオランダ通詞のオランダ語能力が必ずしも十分でなかったようで、そのため翻訳の際に誤訳が多く、情報の利用価値が著しく損なわれてしまったといわれる。

しかも、長崎の出島《でじま》に居留するオランダ商館長たちは、彼らの政治的目的のためにオランダ通詞を通して長崎奉行に伝える報告をゆがめることもあった。こうした理由から、オランダよりもたらされる情報は、必ずしも信頼できるとは限らなかったのである。

そして第四のルートは、「北京→漢城《ハンソン》→釜山《プサン》→対馬《つしま》→江戸」。

幕府は朝鮮との関係を利用して大陸の事情についての情報を集めていた。朝鮮は冊封体制における宗主国への儀礼として、中国の皇帝に新年の祝詞を述べ、その一環として奉朔《ほうさく》する（天子が発表した暦を受ける）という使命を帯びた定例の使節を、毎年北京に派遣していた。漢城へ帰った使節は、そのたびに中国の最新事情を報告した。朝鮮はまた、鴨緑江《アムノッカン》のほとりに位置する義州《ウイジュ》で中国との国境を挟んだ貿易を続けており、その際にうわさ話などの情報も入手した。

こうして集められた大陸情報のうち、日本へ伝えるべきだと判断された情報は、対馬の朝鮮貿易関係者の居留が許された釜山の倭館《わかん》を監視する東萊《トンネ》府使に伝達され、そこから倭館の館主、そして対馬へと伝えられていった。また、情報を口頭で報告するため、朝鮮の訳官が対馬に派遣されることもあった。

## 幕府の情報処理

これらの四つのルートを通じて収集された情報は、どのように幕府へと伝わったのだろうか。対馬《つしま》藩や鹿児島（薩摩《さつま》）藩は、幕藩体制の原則にふさわしく、幕府の直接の支配下にあったわけではなかったが、情報の収集という点については、幕府の意思と政策に対して敏感に反応した。たとえば対馬藩は、倭館《わかん》から届いた情報を、対馬藩主宗《そう》氏の江戸屋敷に飛脚で届け、藩主はみずからの報告として手を加えてから、幕府老中へと渡していた。藩主の在国時には、江戸藩邸の留守居《るすい》家老に報告が送られ、さらに当番の老中へ渡されたという。

一方、長崎における情報収集体制は、幕府によってより緊密に統制され、通常長崎奉行が管理した。そして、幕府にあっては老中が対外政策を統制する役割を果たし、情報収集上のさまざまな指令は、江戸から長崎、対馬、薩摩に規則的な伝達経路を通って流されていた。こうした情報の経路は、近世日本の対外貿易の窓口と、おおむね一致していたのである。

江戸に伝達された情報は、直接、または官儒《かんじゅ》の林家《りんけ》当主を通じて老中のもとに達していた。林家は中国語の文書を翻訳し、さらに内容を調査したうえで老中への報告準備をするという役割を担っていた。

老中が受け取った情報の質はさまざまで、大部分は時宜を得た正確なものだったが、誤った情報もまた、少なくはなかった。老中は受け取った情報を審議するわけだが、その経過は記録に残っておらず、関連する命令・布達の事例もわずかしかないため、情報の良否を区別する能力が、はたして幕府にどれだけあったのかは明らかではない。
それでは、四つのルートによる情報収集の実態を、「三藩《さんぱん》の乱《らん》」を例にみてみよう。「三藩」と清《しん》によって滅ぼされた明《みん》の遺臣とが清に抵抗して戦った「三藩の乱」は、一六七三年に呉《ご》三桂《さんけい》が最初に叛旗を翻してから、一〇年間続いた。その情報は、東アジア域内に飛び交い、日本にもこれらのルートを通して伝えられた。日本ではそれ以後、約一〇年間にわたり、清朝への反乱をめぐる情勢が、政策審議において注目を集めた。

反乱の最初の通報は、長崎から江戸に延宝《えんぽう》二年（一六七四）六月に江戸へもたらされた。同年八月には、老中稲葉《いなば》正則《まさのり》が林《はやし》鵞峯《がほう》に中国の戦況を記した地図を渡している。この地図の出所や正確な日付は不明であるが、これが中国筋からもたらされたものであり、一六七四年中ごろの華南《かなん》における勢力分布をかなり正確に反映していることは確かである。

この一か月後の九月に、今度は琉球《りゅうきゅう》ルートから江戸に情報が流れはじめた。琉球から中国沿岸に向かう船は、台湾を拠点として清朝への抵抗を続ける鄭《てい》氏（鄭経《けい》）の船団の攻撃にさらされていたため、琉球はこうした反乱情勢に敏感だった。しかし、琉球の使節が中国沿岸の福州《ふくしゅう》に行くのは二年

●三藩の乱関係図
呉三桂らは、清による明滅亡時には清に味方した武将（尚之信《しょうしん》・耿精忠《こうせいちゅう》はその子孫）だったが、康熙帝《こうきてい》が三藩の廃止を決めたことから清に背いた。だが尚之信と耿精忠はすぐに降伏するなど、足並みはそろわなかった。

に一度だけだったため、この琉球ルートは情報源としては限定的にしか機能しなかった。

オランダを経由しての情報は、延宝三年夏、長崎のオランダ商館長マルティヌス・カエサルからの報告によってはじめてもたらされた。しかし、江戸に届いたこの報告には、情報の混同がみられるなど信憑性《しんぴょう》に問題があった。前述のように、オランダ通詞《つうじ》のオランダ語力に問題があったためか、あるいは商館長のカエサルが、オランダと中国本土との間に接触があったという事実を日本側に隠しておこうとしたためと思われる。

第四のルート、すなわち北京《ペキン》から漢城《ハンソン》、対馬を経由して江戸に到着する情報は、もっともよく文書で裏付けをとることができる。ここで問題となるのは、日本に伝えられる情報は、明の復活を願う朝鮮政府の管理下に置かれていたことである。彼らは日本を清朝の味方へと導くような情報を伝えないようにしていたから、このルートからの情報は、朝鮮政府によって「選択」された情報だったのである。その結果、江戸まで届く情報は、朝鮮が入手した情報よりはるかに少なかった。

このように一七世紀なかばの日本は、さまざまな制限もあったが、清に対する明の抵抗運動をきっかけとして、軍事的参加についての熟慮を重ね、三藩の乱に対応して広範な外国情報網を構築した。そして、ポルトガル人追放後の日本の外交政策は大きく変容し、幕府が成熟期に入った日本とアジアとの関係に、新たな構図を描き出したのである。

# 一七世紀後半の大陸の動向と日本の情報収集

## 鉱物資源流出という問題

前にも述べたように、日本の貿易は、生糸《きいと》・甘蔗糖《かんしょとう》（砂糖）・薬種といった商品を輸入して、その対価としては銀と銅を貨幣や鉱物資源のかたちであてていた。ここで重要な点は、当時の日本がペルー、メキシコと並んで銀の世界三大産出国であり、東アジアや東南アジアの国々は日本の銀と銅を必要としていたことである。たとえば中国の清朝《しん》では、康熙帝《こうきてい》時代に雲南《うんなん》省で銅山が整備されるまでは日本産の棹銅《さおどう》が清の銅銭鋳造を支える主要原料だった。また、日本の銅貨が東南アジアへと大量流出し、東南アジアでは二〇世紀前半まで日本の銅貨が流通していた。

しかしその結果、日本からは大量の銀と銅が流出し、一七世紀なかばごろまでにはとくに銀の産出高は著しく減少した。その一方、日本の人口は増加を続け、国内経済は商業が活性化し、その重心は都市に移っていた。そして、鉱物資源は今やたんなる輸出用の商品ではなく、国内の金・銀・銅三種の貨幣を基本とした貨幣経済の急成長を支えるのに不可欠の存在となっていた。そして、銀・銅貨による海外からの消費財購入は、今日でいう貿易赤字の状態を招いていた。

江戸幕府は、徳川家康《とくがわいえやす》の時代からすでに国内の流通貨幣の発行権を独占していた。当時、貨幣はおもに商取引に使用されるだけでなく、日常生活においても急速に取り入れられていた。こういった状況のなか、長崎・対馬《つしま》・薩摩《さつま》からの銀・銅貨の流出は、貨幣不足を深刻化させ、一七世紀の終わりを迎えるころには、国内経済は苦境に陥っていた。

一八世紀初頭の正徳《しょうとく》の治《ち》を主導したとされる新井《あらい》白石《はくせき》は、江戸開府以来の約一〇〇年間に対外貿易によって日本から流出した銅の量は年間平均三〇〇万斤《きん》（約一八〇〇トン）であると見積もった。だが、のちの岩生《いわお》成一《せいいち》による正確な計算によれば、一七世紀末の二〇年間には、白石の試算をはるかに上まわる年間平均二五〇〇トン以上の銅が貿易で流出していたことになる。さらに日朝貿易に

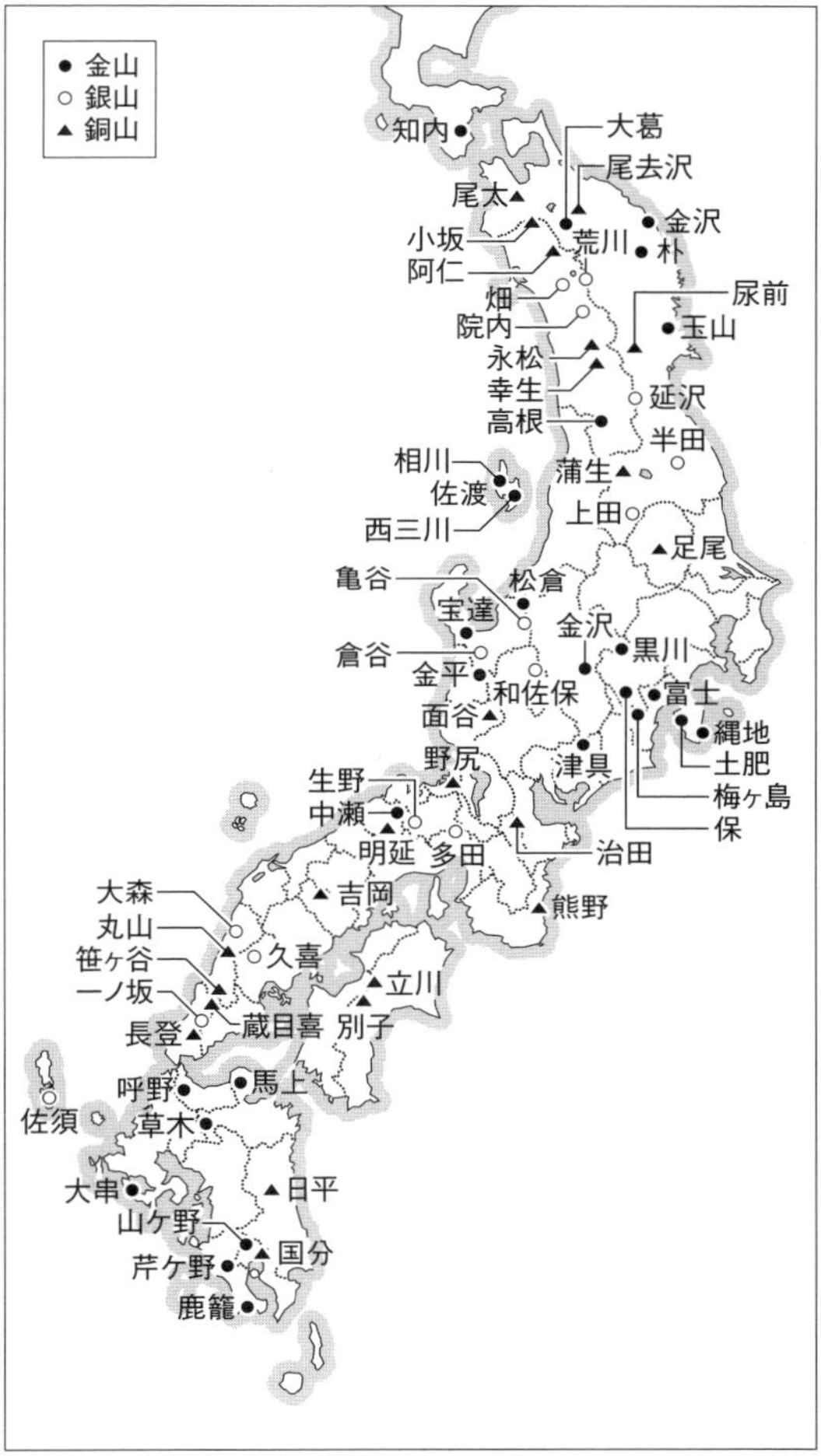


●日本のおもな鉱山
幕府は多くの鉱山を直轄した。なかでも佐渡金山（相川に代表される佐渡の諸鉱山の総称）は、幕府の財政を支える貴重な存在であった。また鉱山開発の背景には、鉱業技術の発達があったことも見逃せない。（葉賀七三男《はがなみお》「鉱山町」より作成）

6

◉日本初の藩札
藩札を最初に発行したのは越前福井藩といわれるが、現存する最古の藩札も、寛文六年発行の福井藩のものである。墨書して印判を押すなど、偽造防止の工夫がなされている。

関する田代和生《たしろかずい》の研究によれば、その最盛期とされる一七世紀末の天和《てんな》から元禄《げんろく》初期において、日本の年間新鋳造銀貨の一〇パーセントが輸入品の対価として朝鮮に流出していたため、対外貿易による銀貨の海外流出が、国内の銀貨供給を大きく左右していたことが明らかになっている。

国内での貨幣の供給不足は、各藩の財政難とも相まって、これ以降、近世を特徴づけるうえで重要な、藩札《はんさつ》と呼ばれる紙幣の登場を促した。藩札は、銀一〇匁《もんめ》に相当する証券として、寛文《かんぶん》元年（一六六一）に福井《ふくい》藩ではじめて発行された。そして宝永《ほうえい》四年（一七〇七）にいったん禁止されるまでの数十年間、名古屋から九州にかけての西日本を中心に、藩独自の銀証券が発行されたのである。

もちろん幕府も手をこまねいていたわけではなく、一六三〇年代から、時を見て貨幣の流出を食い止める策を講じた。たとえば、銀や銅といった特定の鉱物の輸出を禁止したり、貿易取引の上限を設定したり、長崎に入港する商船の数を限定したりしたのがそれである。しかし、これらは、銀・銅貨流出の問題を根本的に解決するには至らなかった。なぜなら、生糸・砂糖・薬種（とくに朝鮮人参《にんじん》）を中心とした海外輸入品に対する需要は、この時代においても依然として高かったからである。国内農業でも糖類そのものは生産されていたが、砂糖の原料となる甘蔗（サトウキビ）は栽培されていなかった。さらに朝鮮人参に至っては、朝鮮と中国からの輸入に完全に依存していた。

養蚕業《ようさん》は、その数百年も前から国内経済に重要な位置を占めていたが、戦国時代末ごろから需要に供給が追いつかなくなり、輸入への依存度を増した。そして国産の生糸よりも、白糸《しらいと》と呼ばれる中国産の高品質のものに人気があった。すでに貿易が下火になっていたとされる享保《きょうほう》元年（一七一六）段階でも、西陣織《にしじんおり》で知られる京都西陣で利用される織物の原料となる生糸は、その五七パーセント強が外国産・舶来品だったといわれている。元禄から享保期の京都は日本最大の産業都市であり、なかでも西陣の織物産業は、最大の雇用を生み出す一大産業だった。元禄一三年（一七〇〇）の京都の庶民人口三一万七九三七人のうち、その二一パーセント強にあたる約六万七六〇〇人が、西陣の織物産業に従事するか依存して生計を立てていた、という推計もある。

一業種に限っての話ではあるが、西陣の織物産業や、ひいては京都の経済自体が、織物の原料である輸入生糸に大きく依存していたことは疑いない事実である。絹織物を扱う流通・商業・加工機構に至る周辺産業も、その強い影響下にあったことはいうまでもない。

そこでここでは、一七世紀後半を対象に、清と台湾の抗争を中心にした中国大陸の動向に日本がどのように興味をもち、情報を収集したかを述べてみたい。大陸の動向は、日本の安全保障だけでなく貿易や国内経済にもかかわっており、したがって銀・銅の鉱物資源の流出問題とも密接に関係していた。日本は鉱物資源流出の対策を講じるという点からも、大陸の動向に関心をもたざるをえなかったのである。

### 清と台湾の抗争

前にも触れたが、清《しん》朝の支配に最後まで抵抗したのが、台湾を拠点としていた鄭成功《ていせいこう》とその子鄭経《けい》であった。彼らは中国沿岸やオランダ船、中国船に対して略奪行為を行ない、一六六二年に鄭成功が死んでからも清朝への抵抗を続けていた。そして「三藩《さんぱん》の乱《らん》」と連携し、明《みん》の再興をねらっていた。

清朝は、台湾を支配する鄭氏と中国沿岸地域の支配を争ううえで、二つの長期的対策をとった。まず、一六五六年に、「海禁」を強化して海事をコントロールしようとした。これは、中国人商人の海外渡航と海外貿易を厳しく制約するものであった。続いて、康熙帝《こうきてい》が即位し、鄭氏の勢力が台湾に逃れた一六六一年には、台湾に面する中国本土沿岸部から住民をことごとく立ち退《の》かせ、沿岸を無人地帯としたことで、鄭氏勢力がその地域の本来豊富であった農作物を入手することを防ごうと試みた。これは「遷界令《せんかいれい》」と呼ばれている。

これらの政策は、鄭氏勢力の拡大を防ぐ効果はあったかもしれないが、同時に、日中間の貿易にもマイナスの結果をもたらした。たとえば、長崎に入港した中国船は、一六五二年から六一年の一〇年間では、年間平均四六隻だったのに対し、その後の一〇年間は、年間平均三四隻と、約二五パーセント減少してしまったのである。

この数字は、ただ中国船の長崎入港の頻度が減ったという事実を示しているだけではない。清朝が支配する中国本土の商人が長崎に姿を現わさなくなり、もともと日中貿易の中心的存在だった鄭氏が支配する台湾からの中国人や、東南アジアの港町に散在する華僑《かきょう》が長崎での存在感をより高めたということなのである。しかし、一六七四年から八三年までの一〇年間をみると、今度は三藩の支配する地域からの船が、長崎に入港する中国船の中心を占めるようになる。情勢は絶え間なく変化していたのである。

そこで、やがて三藩が敗北し、清朝が本土沿岸地域の支配権を奪還し、台湾もその支配下に入れていくなかで、一六八〇年代に中国人商人の海外渡航の制限（海禁）と台湾に面する中国本土沿岸部の住民の立ち退き（遷界令）という二つの政策が廃止されるに至った経過に注目してみたい。

康熙帝が、三藩のひとりである広州の尚之信《しょうししん》を、一六八〇年に北京《ペキン》で処刑したことは、手強《てごわ》い敵を駆

| 年 | 事　項 |
|---|---|
| 16世紀末 | ヌルハチ、女真族を統一 |
| 1616（元和２年） | 金（後金）建国、ヌルハチ汗位につく |
| 1621（元和７年） | ヌルハチ、遼陽を攻め落とし遷都 |
| 1626（寛永３年） | ヌルハチ死去 |
| 1627（寛永４年） | ヌルハチの子のホンタイジ、朝鮮を攻める（丁卯胡乱） |
| 1636（寛永13年） | 後金、国号を清と改める。朝鮮、清に攻められ服属 |
| 1644（正保１年） | 明、滅亡。清、北京に遷都 |
| 1645（正保２年） | 清、辮髪令 |
| 1646（正保３年） | 明の遺臣、日本に援軍要請（日本却下） |
| 1656（明暦２年） | 清、海禁令強化 |
| 1661（寛文１年） | 鄭成功、台湾に逃亡（翌年死去）。清、遷界令 |
| 1673（延宝１年） | 三藩の乱 |
| 1681（天和１年） | 三藩の乱平定 |
| 1683（天和３年） | 台湾平定 |

◉清の勃興と中国統一
一六八三年に台湾を平定して中国全土を統一した清は、一九一一年（明治四四年）に辛亥革命で倒れるまで二〇〇年以上の間、中国最後の統一王朝として東アジアに君臨した。

逐したただけでなく、広東《カントン》地方における清朝の勢力を拡大させたことを意味した。さらに清朝は、広東地方だけでなくそれまで勢力圏外にあった地域にも、沿岸・海事政策を及ぼしていった。

清朝は、一六八一年一〇月までに大陸におけるすべての敵対勢力を退けた。そして、台湾はまだ鄭氏の手中にあったものの、同年一月の鄭経の死は、鄭氏勢力に深刻な打撃を与えた。康熙帝は、早くもその年二月に、部分的ではあるが、台湾の対岸に位置する福建《ふっけん》地方における遷界令打ち切りを決め、三年後の一六八四年一〇月に発布した「展海令《てんかいれい》」によって、遷界令を全面的に撤廃して全住民が沿岸部全域の居住区に帰ることを許可した。

これらの住民は、農業を再開することは許可されたが、漁業や貿易に従事することはただちには許されなかった。つまり、海自体に近づくことが禁止されたのである。康熙帝は、清朝の海軍が、台湾の鄭勢力の略奪行為から、その地域を守ることはできると信じて疑わなかったが、沿岸部の住民が海上において鄭氏勢力の犠牲になる可能性については否定しきれなかったのである。

しかしながら、広東と福建の支配を回復したことにより、清朝は福建沿岸地域の居住区の再開発を可能にしたのと同時に、海上貿易についても支配力を増した。一六八〇年までに長崎に入港した中国船の多くは、三藩の支配する地域から出航していたのに対し、清朝は本土を事実上封鎖したため、一六八一年から内戦の終わる一六八三年までに長崎に入港した中国船は、その大部分が鄭氏の支配する台湾か東南アジア、さらにシャム（タイ）から来航した。さらに皮肉ではあるが、中国本土からの商船は清朝の官吏によって違法に派遣されたものであった。

こういったなかで、一六八二年、清朝は台湾に攻撃をしかけるとともに、鄭氏勢力に投降を促した。そして、一六八三年五月から六月にかけて行なわれた澎湖《ほうこ》群島《ぐんとう》での戦いが決定打となり、施琅《しろう》率いる清の水軍が鄭氏勢力の残存兵力を駆逐した。これにより、台湾はついに清朝の手におちたのであった。

### 日本による情報収集

一方、長崎と江戸の幕閣関係者は、この戦争の成り行きと、それに伴う清《しん》朝の沿岸・海事政策の進展を興味津々にうかがっていた。なぜなら日本は、それが自国の安全保障と貿易に密接に関係していることを認識していたからである。

そこで、戦争、清朝の政策一般、そして中国本土と沿岸部の状況に関する情報を得るため、長崎に入港する中国船の船長は全員、唐通事《とうつうじ》から事情聴取を受けることになった。そして、長崎奉行はただちに調書を江戸の老中に送り、吟味に付した。たとえば施琅《しろう》の勝利は、天和《てんな》三年(一六八三)六月一日には中国船の船長によって長崎の幕府関係者に報告されていた。

一六八三年八月に鄭経《ていけい》の子鄭克爽《こくそう》が降伏すると、清朝の台湾平定のプロジェクトは完了した。同年一〇月、鄭克爽は福州《ふくしゅう》に渡った。しかし、翌年まで長崎に中国船が寄港しなかったため、台湾降伏とそれに続く情報が日本に伝わるのには時間を要した。天和三年に長崎に入港した中国船は、九月九日が最後だったのである。その船は、台湾陥落は時間の問題と報告したのみで、詳細が伝えられたのは翌年になってからだった。

幕府は、翌貞享《じょうきょう》元年(一六八四)七月一四日にオランダ人にも事情聴取を行なったが、得られた情報は不完全、不確かなものでしかなかった。彼らはただ「高砂之大将《たかさごのたいしょう》」(鄭克爽)がカンボジアに逃げ失せたことを、バタビア(ジャカルタ)の広東商人から耳にしたと述べたのみであった。

しかしながら、その三日後に東南アジアから三隻、広東から四隻、廈門《アモイ》から一隻、合計八隻の中国船が長崎に入港した。清朝の台湾平定後はじめて、中国本土からの船もやってきたのである。一番目の船は広南《クワンナム》(現在のベトナム南部)から到着し、清朝の官吏が東アジアと東南アジアの港町に、台湾の商人の処置に関する触《ふれ》を出したと報告した。さらに、台湾から来着したジャンク(商船)は、捕らえられて福建《ふっけん》に送り返されることになると、警告を発している。

広南船の船長がもたらしたこの情報は正しかったものの、少し遅かったようである。なぜなら、八隻のうち、最後に長崎に到着した船は、ただの廈門からの商船ではなく、清朝の提督で台湾平定の立て役者である施琅が派遣した船だったからである。広南船の船長が伝えたように、施琅は、康《こう》熙《き》帝《てい》の同意のもと、みずからの使者である「林《りん》使官」を通じて、鄭氏の残党を含めた台湾人所有の商船を一斉に捕らえて福建に送り返そうとしたのである。

その時点では、長崎に台湾からの商船が一隻もいなかったため、施琅の使命は果たされなかった。しかし、林氏が到着してから数日のうちに、五隻の台湾船が入港した。そして林氏は、そのうち四隻を無抵抗で清朝に投降させることに成功し、その旨を福建に報告した。そして翌年、施琅は長崎の幕府関係者に報告するために、別の役人二人を派遣したのである。

清朝による台湾の平定と併合は、中国で約四〇年間、断続的に続いた内戦に終止符を打った。その結果、日本が長年抱いていた、日本の安全保障についての懸念はおおむね払拭《ふっしょく》された。しかしその一方で、清がつぎに琉球《りゅうきゅう》を台湾と同じように併合するのでは、という不安ももたらしたようである。そして、清朝統一に至る一連の動向は、幕府に新たな問題を投げかけることとなった。というのは、中国の治安の安定化は、確実にその沿岸部と公海における「開国」を意味したからである。そしてそれは、日本の貿易にも密接にかかわってくることであった。

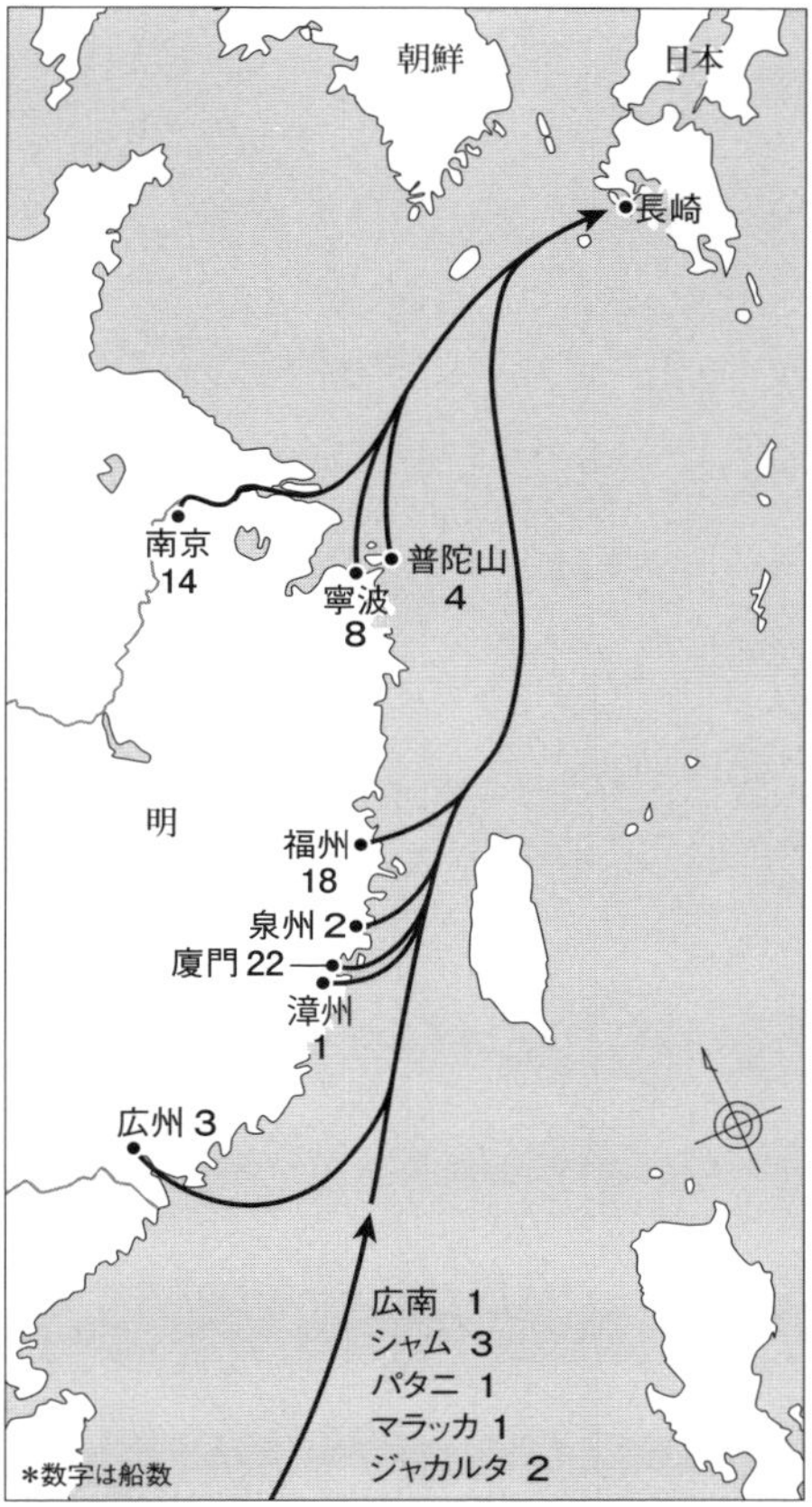


◉**貞享二年に来航した中国船の出港地**
清が「開国」すると、長崎に来航する中国船は急増した。貞享元年が中国本土から九隻、東南アジアからが一五隻だったのに対して、翌貞享二年になると中国本土各地から七〇隻以上と大幅に増え、東南アジアからは八隻とほぼ半減した。（大庭脩《おおばおさむ》『徳川吉宗と康熙帝』より作成）

## 台湾征服の日本への影響

清《しん》の海禁政策の変更が日本貿易に及ぼす影響は、長崎に入港する中国船の増加というかたちで現われた。前にも述べたように、一六八一年の段階で広東《カントン》と福建《ふっけん》に対する「遷界令《せんかいれい》」は解除されたが、住民はその段階ではまだ海に出ることは許されていなかった。

貞享《じょうきょう》元年（一六八四）七月に長崎に入港した施琅《しろう》の使者林《りん》氏は、沿岸部住民が漁業に出ることは許されるようになったが、貿易はまだ許されていないという情報をもたらした。また、この年の暮れに長崎に入港した南京《ナンキン》船は、康熙帝《こうきてい》の腹心で沿岸部管理の責任者である楊《よう》氏が、皇帝に沿岸部の海上貿易や漁業に関する規制の緩和を強く求めたという、南京でのうわさ話を伝えた。

翌貞享二年の春の福州《ふくしゅう》船は、もとの居住区へ戻った沿岸地域の住民は昔の生活を回復しており、楊氏が提言した規制緩和が着々と進められている旨を伝えた。すなわち、清の康熙帝はまず広東と福建の二省に限り海上通商の再開を許可したのである。それは、彼の貿易に対する関心からではなく、長期にわたる避難生活のため荒れ果てた土地や家屋に戻った沿岸部の住民に対する救済措置であった。

しかし沿岸部の商人は、海上通商に戻ることを許可されたものの、新たな問題に直面することになった。それは、長年、人が住んでいなかった彼らの土地には、船に積み込む商品がなかったのである。

その一方、台湾には商品があった。そこで康熙帝は、福建の部院の官

◉清の貿易船
一八世紀初期に長崎に来航した清とオランダの船を描いた『唐船之《からふねの》図《ず》』を見ると、出航地によって船の形状が異なっていたことがわかる。右が南京船で、左が寧波《ニンポー》船。

吏と軍官に台湾経営をゆだね、それに必要な経費を彼らに工面させるようにした。彼らは、台湾でもっとも重要な輸出品である砂糖と鹿皮《しかがわ》を独占し、それらを福州にいったん輸送して、国際貿易の物流ネットワークに乗せた。そして、漳州《しょうしゅう》と泉州《せんしゅう》において砂糖の個人売買を禁止し、それをすべて購入して、長崎に輸送する準備をしたのである。

康熙帝は、広東と福建以外の沿岸地域の住民には、これまで同様の制約を課しつづけていた。だが清朝政府は、一六八四年一〇月、「海上交通を通商のために開き、満州人と漢人が同様に、生計を立てられるようにすることを希望する」という康熙帝の勅令によって、沿岸地域の制約をすべて破棄した。これが先ほども触れた展海令《てんかいれい》である。

その後しばらくは海上貿易の自由は、運上金の徴収所がある広東と福建に限られていた。ところが、翌年の貞享二年六月に長崎に入港した南京船の船長は、二、三か月以内には運上金の徴収所が中国各地に設けられ、多数の中国船が長崎に入港することになるであろうという予測を伝えている。

これは、すべての中国船に対して貿易制限が取り除かれ、新たな「自由貿易」政策がこの時点で実行に移されようとしていることを意味して

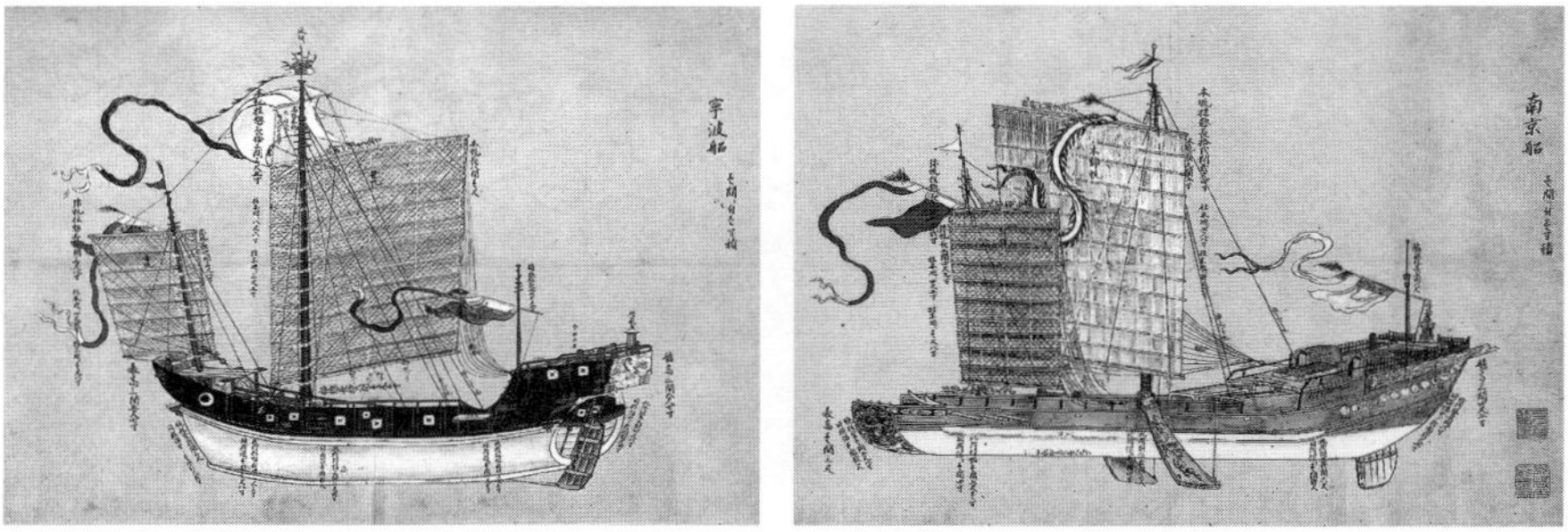

7

いる。そして幕府が今後の貿易政策を決めていくうえで貴重だったのは、この船長が、何かを予言するがごとくの正確さで、いつ、この清朝の日中貿易に対する態度の変化が日本に影響を及ぼすかを指摘している点である。

実際、貞享二年七月以降、中国船は激流のごとく長崎に押し寄せることとなった。たとえば、七月一五日から八月一八日までの間に長崎には三五隻の中国船が入港している。そのときの船には、商人や船員に交じって、二人の清朝の官吏も乗っていた。幕府と清朝は正式な国交を結んでおらず、通商は個人商人に限定されていて、官吏は除外されていたから、官吏が乗っていたことは問題であったかもしれなかったが、幕府にとっては、もっとも信頼できる情報の提供者として、有用な存在でもあった。幕府は、彼らに帰国を促すのと同時に、事情聴取を唐通事《とうつうじ》会所に指示するため、特使を長崎に派遣した。

唐通事会所の者が国外退去の旨を告げると、二人の官吏はそれを快く受け入れた。そして、抵抗するかわりに、長崎の幕府関係者に中国の近況について、貴重で詳しい情報を提供した。そしてその詳細から、台湾併合の資金調達に関して、康熙帝が日本を重視していることが明らかになった。

みずからの即位の年が、鄭《てい》氏勢力の台湾逃亡と偶然同じ年にあった康熙帝は、鄭氏勢力が、これだけ長期間、中国本土の市場や資源から孤立して、どうやって抵抗しつづけたかを知りたがっていた。鄭成功《せいこう》の孫で、清に投降した鄭克爽《こくそう》は、皇帝の質問に対し、台湾は中国沿岸部から離れているため、鄭氏旗下の商人たちは清朝の海禁政策の影響を受けることはなかった、と答えている。彼らは、さまざまな外国の港を行き来して自由に貿易ができ、これから得られた利益によって、鄭氏の軍事費をまかなうことができた。そして、海禁政策下でも日本に絹製品を輸出していたというのである。

日本への輸出品が絹製品だという鄭氏の回答は正確でないが、ここで重要なのは、鄭氏が長崎貿易の重要性と台湾の商業的可能性を康熙帝に示唆していることである。台湾には、台湾経営のための資金を捻出《ねんしゅつ》する商品があり、日本は、その商品を購入することでその資金を提供してくれる、ということである。

## 情報収集の成果だった貞享令

江戸幕府は、こういった中国における動向を、できるだけ注意深く見守っていた。そして、広《カン》東《トン》・福建《ふっけん》沿岸部の遷界令《せんかいれい》打ち切りに伴う再開発に関する情報を得た天和《てんな》元年（一六八一）初頭から、その関心はますます強くなった。その一方で、幕府官僚や知識人の間では、国内の貨幣不足に対する懸念がささやかれていた。それは、日本市場においてきわめて需要が高かった生糸《きいと》、砂糖・薬種の輸入量が急激に増えることにより、鉱物資源の流出がさらに悪化の様相を呈していたからである。それに対して、幕府は高まる需要を抑えて、輸入を減らすことはできなかった。これらの商品は需要を満たすだけの国内生産が発達しておらず、輸入品に勝る高品質なものも生産できなかったからである。

そこで江戸幕府は、日本の主要輸出品目である鉱物資源の流出を制限しようとした。貞享《じょうきょう》元年（一六八四）の暮れ、幕府は、長崎貿易における、取引・支払いに関する方法の見直しを決めた。それが一七世紀前半に導入され、一七世紀なかばに一度廃止された糸割符《いとわっぷ》制度の再開である。ただそれは生糸の交易を特定の商人に制限するというもので、商品取り扱い量の制限は含まれていなかった。そこで翌貞享二年、幕府は長崎奉行に新たな指示を送ったのであった。この幕府の政策は、輸入品目に対してその量の上限を定めたり新たな運上金を課したりするのではなく、輸入品購入の全体額を、銀九〇〇〇貫《かん》（三万三七五〇キログラム）までに制限するものであった。そして、そのうち六〇〇〇貫が中国船からの商品、残りの三〇〇〇貫（実際にはそれに相当する金五万両）が、オランダ船からの商品に割り当てられたのである。

一般に貞享令（定高貿易仕法《さだめだかぼうえきしほう》）と呼ばれる、この貿易量の制限は、日本の国内市場に流通する銀・銅貨の土台となる鉱物資源の流出を食い止めるという火急の必要性が、その発端となっ

| 年 | 取引方法 | 内容 |
| --- | --- | --- |
| 明暦１年（1655） | 相対貿易 | 糸割符制を廃止し、当事者間の自由売買に |
| 寛文12年(1672) | 市法貿易法 | 銀の流出を防ぐため、市法会所が輸入品を独占的に買い取る |
| 貞享２年（1685） | 貞享令 | 糸割符制の復活、中国・オランダとの貿易額を制限 |
| 正徳５年（1715） | 正徳新例 | 貿易額制限、信牌（貿易許可証）による貿易船の数の制限 |

◉長崎における取引方法の変遷
相対貿易《あいたいぼうえき》とは、それまで生糸が糸割符仲間だけに配分されていたのを廃止し、外国人と日本人商人が自由に売買できるようにしたもの。その結果、生糸の価格が高騰し、大量の銀が流出したことから、寛文《かんぶん》一二年に改められた。

◉唐人屋敷
長崎に来航した中国人は、当初は市中に居住を認められていたが、密貿易防止などのため、元禄二年（一六八九）に幕府が設立した唐人屋敷に移された。（伝渡辺秀石《わたなべしゅうせき》筆『長崎唐蘭館図《ながさきとうらんかんず》巻《まき》』）

た。しかしそれだけでなく、一六八一年から始まった中国湾岸地域の再開発、一六八三年の鄭《てい》氏勢力の滅亡と清《しん》朝の台湾併合、そして康熙《こうき》帝《てい》による海禁令の取り消しが日本にもたらす複合的影響を見据えたうえで発布されたものだったのである。

従来の考え方では、貞享令は、長崎に入港する中国船が貞享二年に急増したことを受けて、幕府がその対策として出したものとされていた。だがこれまでみてきたように、幕府はその情報網によって、康熙帝が港町に運上金徴収所を設けて貿易に関する制限を完全撤廃した結果として、貞享二年の秋ごろまでには長崎に入港する中国船が急増して、長崎貿易が急成長することを予測していたのである。

すなわち、幕府は情報収集によって、事前に貿易政策の転換を図っていたわけである。長崎出島《でじま》のオランダ商館長（カピタン）のアンドリース・クレイエルが、その後、同僚のヨハネス・カンファイスにあてた書簡にもあるように、幕府は中国の貿易再開がもたらすであろう鉱物資源の流出を、事前に食い止めようとしていたのである。

幕府が発した新たな貿易制限令は、貞享二年八月一〇日に長崎にもたらされた。この年、五〇隻

8

余の中国船がすでに入港していた。そして貞享令が公布された時点で、長崎の港には四二隻の中国船が停泊していた。

　貞享令による制限は即時に課せられ、それに従わない場合、長崎奉行はすでに地上に降ろして売りさばきはじめた商品を積み直す暇も与えず、中国人商人を長崎からそのまま帰国させることになっていた。そう命じられて困った中国人船長たちは、四二人全員が、自分たちの積み荷売却を許可してくれるよう懇願した。

　四二人の船長は、長崎奉行が貞享令の公布を伝える前にすでに上陸していた。ということは、彼らには特別な免除を求める理由があったのである。しかし、そののちに入港した八隻の船長は、接岸しても荷物を降ろしたり乗組員を上陸させたりすることは許可されなかった。つまり、法令公布以前に入港した中国船のようにはいかなかったのである。彼らも

9

制限の緩和を求めたものの、強い態度には出られなかった。長旅で破損が激しい船の整備もできずに荒れた海を帰ることになれば、出港地にたどり着くことさえ無理かもしれないと、船長たちは嘆いた。

◉貿易品の荷揚げ
海から荷揚げした貿易品を「新地」の土蔵に収める風景を描く。新地は、中国人の荷物用に元禄一五年（一七〇二）に海を埋め立てて新たに築かれた。（石崎融思《いしざきゆうし》筆『唐館図絵巻《とうかんずえまき》』）

しかしながら、彼らの懸念は杞憂《きゆう》に終わった。すでに入港していた四二隻とあとから入港した八隻の計五〇隻すべての中国船の乗組員は、最終的に乗組員の上陸、積み荷の陸揚げと販売を許可されたのである。さらにそののちに入港した一四隻の中国船にも、同様の措置がとられた。厳しい制約を課した貞享令を不幸にも知ることなく長崎に到着した船員のために、法令の緩和が図られたわけである。ただ、その措置を決めたのが幕府だったのか長崎奉行だったのかは、はっきりしない。それから、最終的にはこの年入港した八五隻中一二隻は販売を許されなかった。

## 貞享令をどう評価するか

だが貞享令《じょうきょうれい》は、結論から先にいうと日本を貿易収支の危機から救うことはできなかった。長崎に来る船の数は増加の一途《いっと》をたどり、それにより幕府は、毎年、多くの船の長崎入港を拒否せざるをえなくなった。元禄《げんろく》二年（一六八九）、江戸幕府は貿易量の制限を継続する一方で、はじめて中国船の長崎入港を七〇隻までに制限した。

ところで、貞享令による貿易量の制限は、長崎における中国とオランダとの取り引きだけに適用されたものだった。釜山《プサン》港で取り仕切られていた対馬《つしま》藩と朝鮮の貿易と、琉球《りゅうきゅう》王国を介した薩摩《さつま》と福州《ふくしゅう》との間接的貿易は、なんら制限を受けなかった。じつは貞享三年（一六八六）に、幕府は対琉球・対朝鮮の貿易量に関しても、それぞれ銀一二〇貫・一〇八〇貫《かん》（金二〇〇〇両・一万八〇〇〇両）という上限を設けてはいた。しかし、幕府の役人がこれらの取り引きを直接監督しなかったため、効果はなかったのである。

貿易量の制限によって、国内の中国産生糸《きいと》や反物《たんもの》に対する需要が満たされなくなったが、その不足は対馬藩によって穴埋めされた。幕府からの直接の監査がないため、対馬藩は日本国内で流通する貨幣から銀塊《ぎんかい》を入手して、それを用いた対朝鮮貿易によって、一六九〇年代に至るまで、継続して利益を得ることとなったのである。

対馬藩の対朝鮮貿易のピークは貞享から元禄期にかけてで、この間、日本が朝鮮から輸入した高品質の生糸の量は、長崎に入港した中国船から購入した総量よりも多い年もあった。そして、元禄期には、朝鮮は日本にとってのいちばんの生糸供給国となった。しかも、朝鮮からの生糸は長崎で取り引きされる生糸に比べ安価であったため、対馬藩は日本国内において大きな利益をあげることができた。皮肉にも、朝鮮から購入された生糸は、長崎で取り引きされているものと同様中国産だったのである。

貞享令は、長崎貿易に限れば、輸入量を抑え貿易収支の赤字を減らすことに、ある程度の効果をあげた。その一方で、明らかに対馬藩の貿易量と利益の増加を許してしまった。そして銀・銅の鉱物資源の海外流出は止まらなかった。その意味では、貞享令はたしかに結果としては失敗だったかもしれない。

だが、清《しん》朝が台湾を平定したとき、幕府は、長崎への規則的な情報流入により、反乱鎮圧の経過

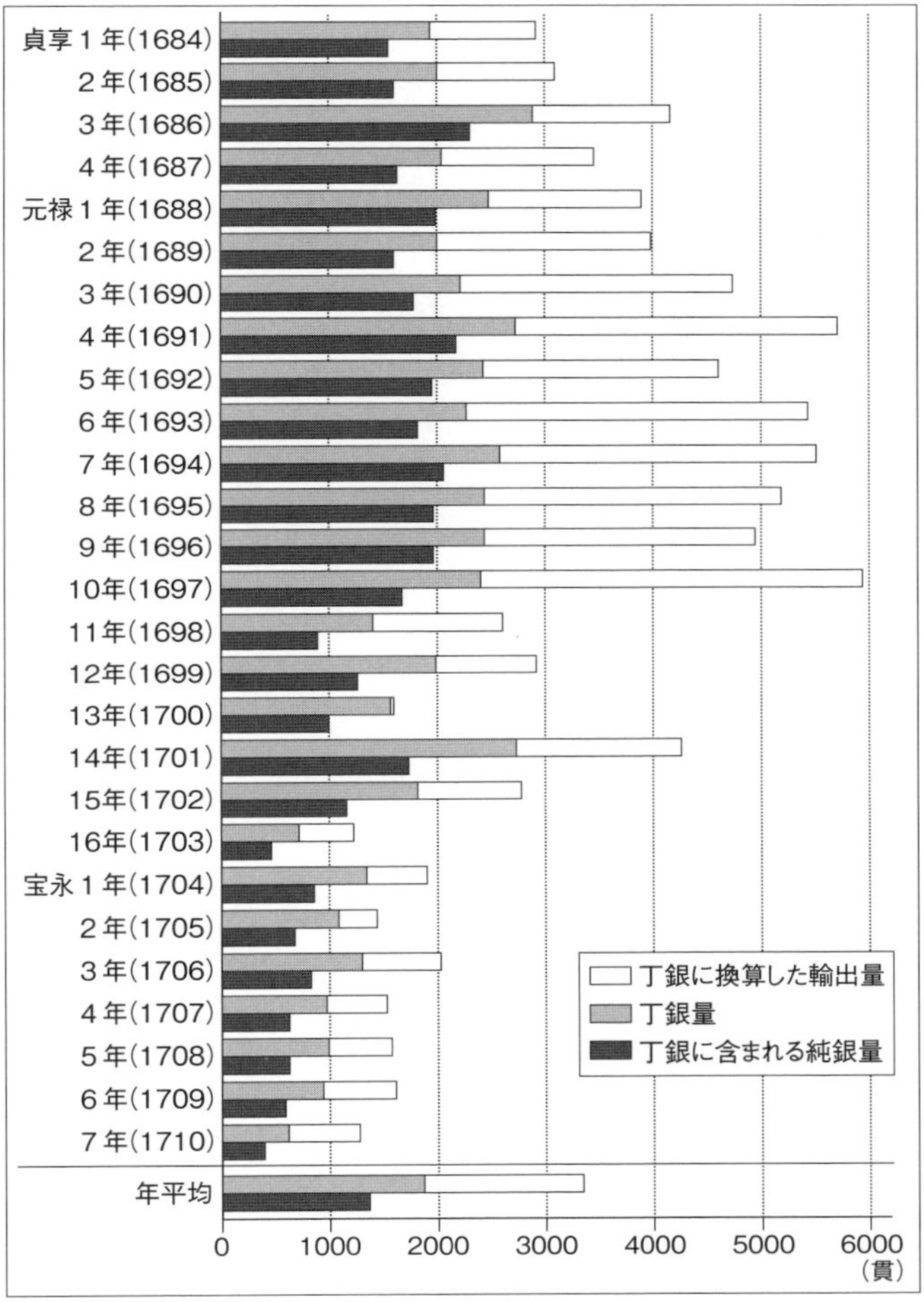


◉対馬の私貿易で流出した銀
一七世紀末〜一八世紀初頭の、対馬の私貿易による輸出額に占める丁銀《ちょうぎん》の割合と、その丁銀に含まれていた純銀の量を示したもの。年平均で約一四〇〇貫弱（約五トン）の銀が対馬から流出したことになる。（田代和生《たしろかずい》『近世日朝通交貿易史の研究』より作成）

を追うことができた。幕府は、中国人とオランダ人がもたらす情報によって、大幅に遅れることなく、急速に変化する海外の状況に対処しつづけることができた。また、貞享二年に長崎に中国船がいきなり殺到することによってもたらされる、中国商品の急増を事前に見込んで、それから誘発される影響に対処するための政策の検討も行なうことができた。その結果としての貞享令は、長崎貿易においては幕府が懸念した銀の流出を、ある程度食い止めることができた。

したがって、貞享令という政策が、日本からの銀や銅の流出を、結局のところ阻止できなかったとしても、その理由を、幕府が国際情勢を正確に把握していなかったからだとか、時局を見抜けなかったからだ、などと見なして否定的にばかり評価するのは正しくないように思える。幕府は国際情勢にタイムリーに対応し、鉱物資源流出を阻止できる可能性が十分にあった政策を事前に打ち出すことができた。これらが、「外国人の入国制限／自国民の海外渡航禁止」という、幕府がみずから課した制約のもとで実行されたことを考えると、その手腕は、むしろ驚きとしかいいようがないのではないだろうか。

# 輸入品の国産化と吉宗の情報収集

### 鉱物資源流出への対策

一七世紀後半になると、対外貿易収支の赤字状態は国内での貨幣不足の問題へとかたちを変え、ますます深刻になった。貞享令《じょうきょうれい》は、銀流出問題に対する国家としての対策であったが、一七世紀を通じて年間平均一五〇〇トンともいわれる銀の流出を食い止めることは不可能であった。

元禄《げんろく》八年（一六九五）、当時勘定組頭《かんじょうくみがしら》だった荻原重秀《おぎわらしげひで》は、貨幣不足に対処すべく、銀貨の純度を従来の八〇パーセントから六四パーセントに引き下げるという、いわゆる通貨の切り下げを行なった。同じ銀の量でより額面の高い貨幣を流通させることにより、名目貨幣の供給を増加したのである。荻原が指導した「元禄の改鋳」は、貨幣改鋳による差益金が目当てと、批判されることが多い。荻原のおもな関心は、たしかに幕府財政に新たな収入源を見いだすことであり、通貨の不足と対外貿易が相互に関係していたということを、荻原がはたして把握していたかどうかは不明である。

荻原が進めた貨幣改鋳は、のちに日常一般の取り引きで用いられる銅銭も対象とし、正徳《しょうとく》四年（一七一四）まで続けられた。幕府財政の一時的救済を主要な目的としていたこの政策は、国内的には経済を潤し、いわゆる「元禄バブル」には貢献したかもしれない。しかし、対外貿易においては、為替レートのゆがみを生じさせ、深刻な問題をもたらすものとなった。

とくに朝鮮は、日本に朝鮮人参《にんじん》・生糸《きいと》などを輸出して、その支払いを日本の銀貨で受けていた。そしてその銀を朝貢貿易で清《しん》朝に再輸出していたのである。純度の下がった元禄銀をそのまま清に輸出できないので、朝鮮は純度を八〇パーセントに再精製しなければならなかった。そのため、朝鮮は銀含有率六四パーセントの元禄銀貨を、一定の割引をもって対馬《つしま》藩から受け入れた。すなわち荻原の貨幣改鋳は、日本の主要輸出品目である銀の価値を下げ、結果的に日本国内における輸入品の額面上の値上げをもたらしたのである。

しかし、銀の含有率を五〇パーセントにまで下げた宝永《ほうえい》三年（一七〇六）のいわゆる宝字銀《ほうじぎん》は、どれだけ割引しようとも、朝鮮側には受け入れられなかった。対馬藩の財政は、朝鮮との貿易に完全に依存していたため、幕府は対馬藩のために、対朝鮮支払い用に限って、改鋳前の純度八〇パーセントに戻した銀貨を鋳造するという措置をとった。この銀貨は「人参代往古銀《にんじんだいおうこぎん》」と呼ばれている。

10

◉銀含有率の異なる二つの丁銀
幕府は、宝永七年に対馬藩用に銀の含有率八〇パーセントの「人参代往古銀」（右）を鋳造する一方で、翌年国内向けに銀含有率二〇パーセントの「宝永四ツ宝丁銀《ほうえいよつほうちょうぎん》」（左）を鋳造した。

日本国内市場では、さまざまな幕府の政策にみられるように、一七世紀を通じて鉱物の流出を阻止しようと試みてきたにもかかわらず、生糸・砂糖・朝鮮人参などの輸入品に対する需要は、たとえ価格が変動してもほとんど変化しなかった。国産の生糸は、中国産より品質が劣ると考えられていたし、砂糖の材料であるサトウキビと薬種として珍重された朝鮮人参は、国内では栽培されていなかったからである。

だが、銀の不足と輸入品の値上げによって生糸やその他の品の輸入が困難になっていくと、日本国内で農民が生糸を生産したり、サトウキビ・朝鮮人参栽培に挑戦したり、さらにそうした商品の質を向上させる市場のメリットが増していった。一八世紀を通じて、信濃《しなの》や甲斐《かい》から東北南部などの地方において、国産の生糸は、量・品質ともに飛躍を遂げ、やがて品質・価格の面で輸入品と競争しうるようになっていった。生糸の地方生産は、一九世紀に入ってからも繁栄を続け、一九世紀なかばの「開国」から一九四一年（昭和一六）の太平洋戦争《たいへいようせんそう》開戦に至るまで、日本の主要な輸出産業として外貨獲得の手段の大半を占め、日本の工業化・近代化を支えつづけたのであった。

しかしながら、この輸入品を代替する高品質の国産代用品の登場は、市場原理のみから自然に生じた現象というわけではなかった。それは、享保《きょうほう》期の一七二〇年代に推し進められた、八代将軍徳《とく》川《がわ》吉宗《よしむね》による、それまで輸入に依存していた商品を国産化するための積極的な政策によるものだったのである。そこで今度は、吉宗を中心とした幕府による輸入品の国産化に向けての政策や実験の試みを、当時生糸に続いて貿易赤字の二番目の要因であり、史料からその経緯をたどりやすい砂糖を例にして、考察したいと思う。

### 輸入品国内生産の主張

幕府が輸入品の国産化政策を検討するより早く、思想家や農学者らによって、鉱物資源の流出に対する懸念と、輸入品の国産化に関する提案が行なわれた。

幕府が貞享《じようきよう》二年（一六八五）に貞享令を施行するよりも早く、陽明学者《ようめいがくしや》の熊沢蕃山《くまざわばんざん》は、その著『集義外書《しゆうぎがいしよ》』（延宝《えんぽう》七年〔一六七九〕頃成立）において、長崎貿易での貨幣鋳造用鉱物資源の流出を食い止めることの重要性を説いていた。また、貞享令と同時期の『大学或問《だいがくわくもん》』（貞享二〜四年頃成立）では、日本の二大輸入品である生糸《きいと》と薬種（砂糖も広い意味では薬種と見なされた）の国内生産を促している。このことから、蕃山の国内生産促進思想は、彼の鉱物流出に対する懸念から生まれたものであり、彼は国内紡績産業の発達が多くの人に就職口を提供することになるなど、問題を経済的観点から考えていた、と見なされることがある。

しかしながら、『大学或問』において、蕃山は鉱物資源の流出に歯止めをかけることには言及していない。むしろ、『大学或問』における蕃山の解釈は、以下のようにまとめることができる。

蕃山によれば、高品質の生糸を生産するには、農民はほかの仕事で手いっぱいで時間を費やすことができず、大量生産することは不可能であろう。一方で、侍の妻や子供は余暇が十分にあり、侍の住居には養蚕業《ようさんぎよう》に利用できる空間が豊富にある。もし侍の妻や子供が桑《くわ》を栽培し、蚕《かいこ》を育てることにいそしめば、もはや娯楽に浪費する時間がなくなるだろう。

つまり蕃山の議論は、経済的観点よりはむしろ道徳的観点によるところが多いのである。続いて蕃山は、鉱物資源の損失を減らすことを勧めているが、ここでも彼の観点は道徳的であり、経済的視点から国内産業推進を提唱しているとは思えない。

というのは、蕃山にとって銀と銅は日本の国土にとって神聖な魂ともいうべき存在だったのである。したがって蕃山は、日本の鉱物資源の流出に関心を抱いているというよりは、むしろ通貨流通そのものを問題とし、その廃止を提唱したのである。通貨を廃止することによって、鉱物資源が地中に残されて、その神聖な魂が保たれるというのである。鉱物資源を地中から掘り出して、それを貨幣鋳造に用いるということ自体が、道徳的過ちなのである。

蕃山はたしかに、日本から通貨と鉱物資源が失われることに懸念を示した。その結果として、生糸と薬種の国内生産を提唱するに至った。しかしながら、ここにみられる蕃山の視点は、必ずしも輸入品の国産化によって日本の銀と銅の流出を削減することを

11

◉養蚕を描く
蚕の飼育から反物ができるまでを、一二枚の錦絵《にしきえ》で描いた、「養蚕錦絵」と呼ばれるもの。右ページは勝川春章《かつかわしゅんしょう》、左ページは北尾重政《きたおしげまさ》が描いている。（『画本宝能縷《えほんたからのいとすじ》』）

視野に入れたものではない。つまり、蕃山は折に触れ経済政策に言及してはいるものの、本質的には道徳主義者であって、それによって導かれた彼の意見を「経済的」と定義するのは誤りであるように思える。

これに対して、宮崎安貞《みやざきやすさだ》はまぎれもなく近世日本農業の先駆者だといえる。元禄《げんろく》一〇年（一六九七）に刊行された、農学の百科事典的手引書である『農業全書《のうぎょうぜんしょ》』において彼は、砂糖は身分の上下に関係なく日常的に大量に使うものであるから、砂糖を国産化することが輸入を抑制し、鉱物という国家の「宝」の流出を防ぐことになると、はっきり述べている。そしてそれを実現するには、幕府が政策として推進していくことが必要であると強調している。

安貞の主張は、一八世紀初頭に正徳《しょうとく》の治《ち》を推進した新井《あらい》白石《はくせき》にも影響を与え、白石によって輸入品の国産化は、はじめて幕府として検討されるようになったのである。

### 新井白石の鉱物資源流出防止策

それ以前にも、幕府や幕府関係者による輸入品の国産化の試みがなかったわけではない。元和《げんな》期（一六一五〜二四）には、幕府が奄美《あまみ》大島《おおしま》と琉球《りゅうきゅう》からサトウキビの種を取り寄せて栽培しようとしたという記録がある。ただしこのときの幕府の意図は明確ではなく、結果も失敗に終わっている。

また寛文《かんぶん》七年（一六六七）には、御三家《ごさんけ》のひとつ、水戸《みと》徳川《とくがわ》家の徳川光圀《みつくに》の要望によって、東南アジアから糖類の種と果樹が輸入されている。光圀の要望には、そのほかに薬種となる植物類も含まれていた。そして光圀は、薬局方と処方箋の有識者を中国人商人から紹介してもらうように、との覚え書きを、唐通事《とうつうじ》会所に送っている。

だが光圀の場合、それが将軍や幕府の意図による国家政策であったとうかがわせる史料はない。光圀は個人的な薬草園を有しており、彼の要望は、おそらくは他人が入手不可能な商品やめずらしいものに対する、彼の好事家的関心に基づく試みだったと考えられる。

宮崎安貞《みやざきやすさだ》は別として、一七一〇年頃までの間に、銀・銅の鉱物資源流出の問題と、生《き》糸《いと》・砂糖・朝鮮人参《にんじん》などに対する抑制の効かない需要の問題とを結びつけた、幕府レベルでの体系的な政策が試みられたという証拠は見当たらない。はじめて鉱物資源の流出や貿易収支との関連から、生糸や農産物輸入の問題に対して、本格的で長期的視野に立った政策が検討されるようになったのは、一七一〇年から二〇年代になってからのことであった。

日本を輸入依存から脱皮させることへの関心は、宮崎安貞と新井《あらい》白石《はくせき》によって、倫理哲学的な問題から、農学・経済学、そして貿易・財政政策上の問題へと移された。新井白石の『折《おり》たく柴《しば》の記《き》』（享保元年〔一七一六〕起草）によれば、六代将軍徳川家宣《いえのぶ》も、鉱物の流出と特定商品の

12

●小判の変遷
元禄期に金の含有量を減らし、宝永期には小型化したが、正徳・享保期に品質をもとに戻した。（右から元禄小判、宝永小判、享保小判）

輸入依存、そして輸入品の国産化との相互関係を認めていた。家宣の当面の関心は、貨幣流出の最大の原因である生糸であった。

新井白石は、勘定奉行になっていた荻原重秀《おぎわらしげひで》を正徳《しょうとく》二年（一七一二）に失脚させ、正徳四年には金銀の含有率や量を慶長《けいちょう》金銀と同じとした正徳金銀を鋳造した。さらに翌正徳五年には、長崎貿易にさらなる規制を加える正徳新例（海舶互《かいはくご》市《し》新例《しんれい》）を公布した。

この新例では、輸入品の量に制限を加えるとともに、長崎に入港する中国船に、信牌《しんぱい》の所持を義務づけた。信牌とは、幕府が発行した、入港する日を指定した一回限り有効な貿易許可証明書である。これによって、中国船は自由に長崎に入港することが不可能となったのである。結果として正徳新例は、鋳造用鉱物資源の流出を防ぐ点では、貞享《じょうきょう》令《れい》よりも効果を発した。

しかし、白石のこの政策は、鉱物資源の危機を打開するのに一定の成果をあげたのにもかかわらず、その流出の主因である輸入品の需要と供給の問題を解決するには至らなかった。輸入品の国内生産によって輸入制限を実現するという試みは、白石の段階では具体的に着手されることはなかった。長期的で、ほんとうの意味で効果的な輸入品の国内生産は、八代将軍徳川吉宗《よしむね》の時代になってはじめて進められたのである。

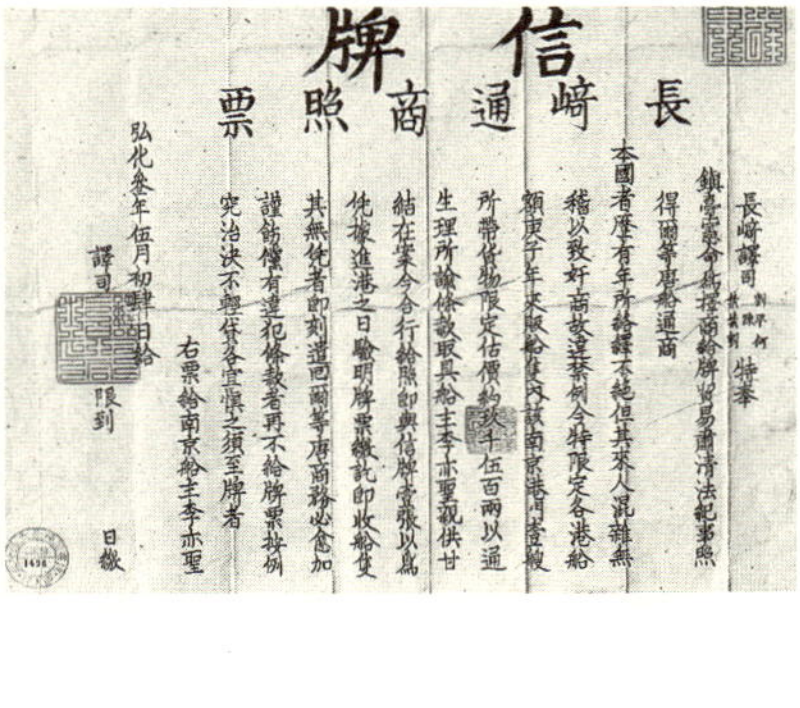

13

◉信牌
割印《わりいん》を押し、次回の来航時に割印が合致するかどうかを確認した。地域ごとに船の数を決めて、中国側に出航順を調整させた。

## 徳川吉宗による国産化の試み

徳川家宣《とくがわいえのぶ》の跡を継いだ七代将軍徳川家継《いえつぐ》が享保《きょうほう》元年（一七一六）に没し、八代将軍となった吉宗《よしむね》は、新井白石《あらいはくせき》を罷免し、白石の政策の多くを改めた。ただし正徳新例《しょうとくしんれい》については、鉱物流出を防ぐというその目的と効果を認め、継続することとした。

享保四年、金沢《かなざわ》藩主前田綱紀《まえだつなのり》は、みずから出資して稲生若水《いのうじゃくすい》に編纂《へんさん》させた『庶物類纂《しょぶつるいさん》』の写しを吉宗に献上した。『庶物類纂』は、その時点ですでに三六二巻、最終的には補編を含めて一〇五四巻に及ぶという、博物学の集大成であった。これは、当時すでに吉宗が、農学的知識の習得とその体系化に関心を示していたことの表われである。

そして同じ享保五年、吉宗はキリスト教に関するものを除いて「漢訳洋書輸入の禁」の緩和を許可したことで、彼の農学的知識を日本だけでなく世界の物質・技術・知識からも求めるうえで、もっとも重要な第一歩を踏み出すことになる。

この漢訳洋書輸入の禁の緩和は、しばしば、「蘭学《らんがく》の夜明け」として注目され、さらには最終的に幕府の権威をゆるがすこととなる新しい知識をもたらした「日本人の西洋発見」と理解されがちである。また吉宗は、経済的効果ではなくて、より進んだ暦への彼自身の関心から、こうした施策を推し進めたものとも考えられている。

だが、吉宗の直接的動機が天文学・暦学の発達であったとしても、両方とも世俗的な「実学」として共通点をもつことに注目すべきであろう。いずれにせよ吉宗は、洋書が提供する実践的知識を得ることを目的に、みずから漢訳洋書の輸入を積極的に図ったのである。

吉宗の意気込みを物語るのに、格好の逸話がある。享保六年四月、吉宗は将軍の図書係ともいえる書物奉行《しょもつぶぎょう》に、将軍の図書館といえる江戸城内の紅葉山文庫《もみじやまぶんこ》に所蔵されているすべての外国（中国）の地誌を提出するよう命じた。その結果、所蔵書全体で、地誌はわずか一二部しかないことが判明した。その七か月後に前田綱紀は、みずからの蔵書のなかから吉宗自身が選んだ『府誌《ふし》』一三部を献上し、将軍が所有する地誌は一気に二倍以上になった。そして、続く一五年間で、吉宗の努力の結果、四一二部の新たな地誌が紅葉山文庫に加えられることになったのである。

吉宗の目的は、たんなる余暇を利用した図書目録編纂にあるのではなく、マニアックな収集でもないことは明白である。また、当時計画されていた幕府による日本図の再制作（「享保の日本図」）のための参考書を集めることでもなかった。江戸時代、中国の地誌は、侍や商人による写本から西川如見《にしかわじょけん》の『華夷通商考《かいつうしょうこう》』（元禄《げんろく》八年〔一六九五〕刊、宝《ほう》

14

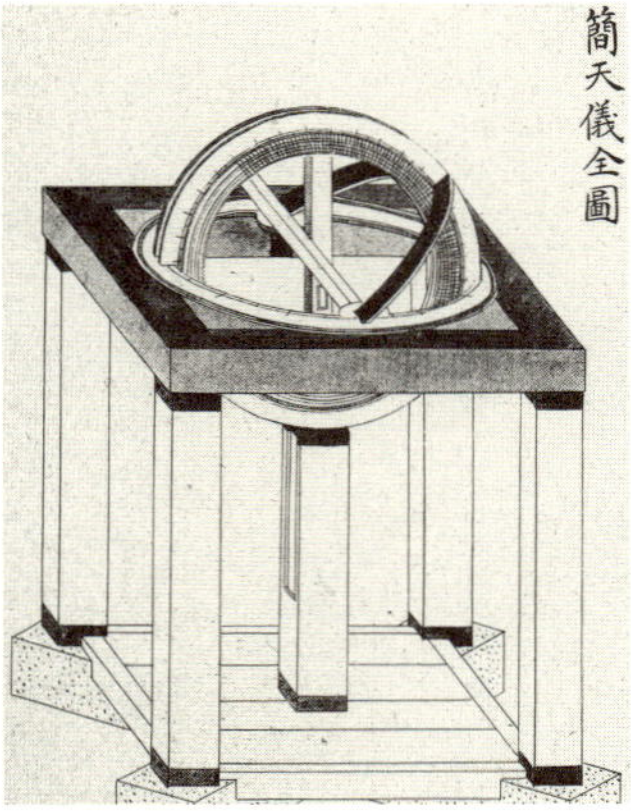

15

●徳川吉宗の「実学」への関心
右は『庶物類纂』掲載の薬草類を描いた『庶物類纂図翼《ずよく》』。左は延享元年（一七四四）に幕府が設置した司天台《してんだい》（天文台）に置かれた、天体観測用の簡天儀《かんてんぎ》。（『寛政暦書《かんせいれきしょ》』より）

永《えい》五年〔一七〇八〕増補本刊）のように公に出版されたものまで多数存在する。そういった写本や西川の書において、中国のさまざまな地方の有用な植物の紹介が、ページのほとんどを埋めている点に注目すべきだろう。吉宗を含めた当時の日本人は、ただたんにより正確な地図や地誌をつくる方法を学ぶというだけではなく、本草学《ほんぞうがく》的な知識を得ることによって、日本の農業生産を向上させることができると思い、中国の地誌に関心を抱いたのである。

吉宗による輸入品の国内生産化の奨励には、つぎのような四つの段階があった。

①まず、先に述べたように、漢訳洋書輸入の禁の緩和によって、中国、東南アジアを中心として世界中の農産物を列挙した地誌の輸入が可能となり、経済的に有用な農産物に関する知識を体系的に得ることができた。

②つぎに、それらと日本の農産物の類似性を確認するため、日本中の農産物の調査が行なわれた。

③さらに、日本の土地・風土にもっとも適した農産物を見極めるための実験用に、種・苗木・根茎が輸入された。

④そして最後に、それらの輸入された種などを、中国の植物学的知識に照らし合わせて、日本でも栽培可能な作物にした。

だが、吉宗が輸入品の国内生産化の促進を砂糖から始めようとしたのと時を同じくして、日本の砂糖の大部分を供給していた台湾において、反乱が起こった。一七二一年四月、現地の住民朱一貴《しゅいっき》が、自分が明《みん》朝の建国者の朱元璋《しゅげんしょう》（洪武帝《こうぶてい》）の正統な子孫であることを主張し、明朝再建を宣言したのである。反乱は結果的には失敗に終わったが、この反乱に関する最初のニュースは、同年六月一三日から二一日の間に長崎に伝えられている。吉宗は、砂糖のほぼ一〇〇パーセントを輸入に依存しているという状況において、その海外供給源で起きた反乱が砂糖の値上げをもたらすということを、十分認識していたと思われる。

吉宗は、精力的に地誌を収集しはじめたのと同じ享保六年に、京都から本草学者の松岡玄達《まつおかげんたつ》（恕庵《じょあん》）を江戸に呼び寄せ、薬草の識別と鑑定を命じた。翌享保七年には、中国の蘇州《そしゅう》から医師が来日し、医療効果があるとされる一六二種類の薬草が日本でも生育していることを確認した。さらに享保一二年には、中国から二名の医師が来日し、一四五種の海洋動物、三四種の植物、そして一三種の鳥獣について、中国名と日本名の対応表を幕府に提出した。このような、信頼のおける日中両語による動植物名対応表は、医薬的、経済的に価値のある生物資源を識別し有効に活用するうえで、不可欠な参考資料となったことはいうまでもない。

## 清からの情報収集

輸入品の国産化を進めるという目的を遂げるため、吉宗《よしむね》がつぎに行なったのは、いわゆる試験場の設置と実証実験の開始であった。享保《きょうほう》六年（一七二一）、中国からの輸入を命じた地誌の到着を待っている間に、吉宗は小石川《こいしかわ》にあった薬園を拡大して、四万四八〇〇坪の試験農場を建設した。もっともこれは、当初は朝鮮人参《にんじん》の栽培用だったと思われる。同じ享保六年、幕府の命を受けた

全集 日本の歴史
第9巻「鎖国」という外交
月報9（2008年8月）
小学館
東京都千代田区一ツ橋2-3-1

## 今月の逸品

岩佐又兵衛《いわさまたべえ》筆
「山中常盤《やまなかときわ》物語絵巻」（MOA美術館蔵）

恩師・辻惟雄《つじのぶお》先生から近著『岩佐又兵衛・浮世絵をつくった男の謎』（文春新書）が送られてきた。新書版だが、オールカラー。先生のライフワークを集成する充実した内容で、その日のうちに熟読した。

カバーには、長大な絵巻である「山中常盤」のクライマックス・シーン。賊《ぞく》に襲われて絶命寸前の常盤御前。刺された胸から滴る鮮血。これでもかと執拗に描写されるほつれ毛。半開きの口、虚《うつ》ろな視線……。

浮世又兵衛こと岩佐勝以《かつもち》（一五七八〜一六五〇）をご存じか。織田信長《おだのぶなが》によって、幼時に母を含む一族郎党を虐殺され（なんと、父・荒木村重《あらきむらしげ》だけは生き延びている!）、かろうじて救い出された又兵衛は、強烈なマザーコンプレックスを抱いたまま、絵描きとして生き延びることに腹をくくったはずだ。京都、福井とパトロンを頼って工房を主宰し、晩年、江戸に赴いて客死する。

二〇〇四年、千葉市美術館で開催された「伝説の浮世絵開祖・岩佐又兵衛」展をご覧になった方がどれほどいるか。日本美術ブームの昨今、今秋の「大琳派《りんぱ》展」など、大行列が予想される。だが、ほんの四年前、これほど充実した内容の展覧会でも、会場は閑散としていた。又兵衛は、いまだ多くの人が脳裏に刻んでいない、日本絵画史上、最大のコンテンツだと思う。

一九七〇年、辻先生が美術出版社から上梓された『奇想の系譜』（ちくま学芸文庫に収録）が、戦後、江戸時代絵画史を見直すきっかけとなった。その一〇年後、大学で先生の講義を受けた私だが、当時はその意味がまったくわかっていなかった。又兵衛に関するゼミも開かれたが、さぼってばかりいた。すみません。

**山下裕二（明治学院大学教授・日本美術史）**

# 今月の質問　日本に興味をもった理由は？

第9巻「『鎖国』という外交」

## ロナルド・トビ

（イリノイ大学教授）

私が高校生だった一九五〇年代のアメリカは、ビートニクの時代。ビート族は日本の「禅」に憧れて、鈴木大拙《すずきだいせつ》の『禅とは何か』などを読んでいました。そんなビート流文学に染まった世界史の先生がいて、世界の思想と宗教の歴史を教えてくれました。授業でヒンズー教と仏教・儒教について話したことがあって、そのときは魅力的で美しく神秘的だけど、まったくわからないなあという印象でした（笑）。

ソ連の人工衛星スプートニク打ち上げ成功の直後で、私も闘志に燃えるほかの青年たち同様、理系を専攻して、ソ連を追い越すために貢献しようと大学に入りました。ところが化学と数学についていけなくて、私にできるいちばんの貢献は理系を断念することではないかと思って（笑）。今でもそうですが、コロンビア大学はアジア研究が盛んです。高校時代に東洋文化がおもしろかったことを思い出して、学んでみようと思ったのが三年生のときです。

インド、そして中国の宗教を学び、日本の神道にたどりつきました。無知な青年の直感ですね。土着信仰である神道を捨てずに中国から入ってきた仏教や儒教を少しずつ取り入れて独自の文化を築くなんて、日本でおもしろいじゃないか。これなら私にもやっていけると思い、日本の近世史から入り、夏期学校で日本語も学びはじめました。

六五年の秋に、文部省の国費留学生として初めて日本に来ました。国交正常化のために日韓基本条約が結ばれた年です。そのとき免税店でニコンのカメラを買ったのですが、半年以内に国外に持ち出さない場合は税金を納めなければいけないという。税額は一万七〇〇〇円でしたが、それだけあれば韓国に行けたので、六六年の夏休みに二週間だけ韓国に滞在しました。

# 「それは、ニコンのカメラから始まりました」

関釜《かんぷ》フェリーで釜山《プサン》まで行き、入国手続きを済ませて出てくると、四〇代なかばのオバチャンが、当たり前のように日本語で話しかけてくるんです。日本ではこちらが日本語で話しかけても「No English」と断わられることもありましたから、驚きでした。その人は、植民地時代にお兄さんが日本へ強制労働に連れていかれたきり消息がつかめないので、日本へ帰ったら探してくれないかと言うんです。日本史の未知の領域を初めて目にしました。

韓国であちこち見てまわるうちに、やはり渚《なぎさ》の内側だけで日本をとらえることはできない。海のかなたにある陸地とのつながりを知らなくてはいけないのだと、思うようになりました。

研究していくなかで、朝鮮通信使と、秀吉の朝鮮侵略以後に再建された日朝関係史を自分の研究テーマに決めました。この分野の研究をしようとするならば、日本語はもちろん韓国語も身につける必要がありましたし、朝鮮の一次資料にあたるには漢文の知識も必要です。当たり前のことですが、大学で教えてくれるのは教科書どおりの現代日本語のみ。幕府や各藩の記録、金融関係の貸借の帳簿などを読むのは難しかったですね。

## 炭酸水のような東京の活気

六五年に初めて来たときは、日本はまだ高度成長期の玄関口にしかたどり着いていませんでした。東京の地下鉄は丸ノ内線と銀座線・日比谷線だけで、東西線が部分的に開業、初乗りが一〇円。そして路面電車がたくさん走っていて……ああ、懐かしい（笑）。

あのころ通っていた場所で、今でも行くのは一か所だけです。日本橋浜町の「ろくちゃん」という焼き鳥屋。アメリカにいると、「ろくちゃん」のつくねが夢に出てくるほど絶品なんですよ（笑）。ほかの店はほとんどなくなっているし、由緒ある地名もあちこち消えている。霞町《かすみちょう》や角筈《つのはず》町などが完全に消えて、西麻布や東新宿などとなり、つまらなくなりました。

私は不定期に東京にやって来る「渡り鳥」だと、自分で言っています。トビだから、ピーヒョロロとね（笑）。渡り鳥として巣に戻ってくるたびに、新しい建物や地下鉄ができていて驚きます。ぷかぷか炭酸水のように泡を立て、ころころ変わる東京の活気が、大好きです。

もちろん四〇年前の新宿の町がもっていた雰囲気のほうが好きですが、今の都庁の建物が周囲の空間を形づくっている景観もすばらしい。いくら見ても、見飽きません。

一方で、地震や大火、戦災を生き抜いて、今も江戸の姿が残っている場所もありますね。たとえば本郷《ほんごう》三丁目の東京大学赤門近くの路地は、一六三〇年代の江戸図屏風《びょうぶ》に、すでに見えます。ここは、加賀《かが》金沢藩邸の長屋に住んでいた単身赴任の武士たちが、自炊するために野菜や酒を買った町人地でした。大名屋敷の近くには、こういう小さな町人地がよくあって、鳥居坂下《とりいざかした》の麻布十番《あざぶじゅうばん》の細い商店街もまさしくそうなのです。

そういう目で見てみると、江戸は遠い昔ではありません。自分が研究している江戸の人たちが生きていた場所を歩けるというのも、東京の魅力です。

今月の

# おすすめ博物館

## 京都国立博物館

**貴重な文化財を多数収蔵する博物館**

明治三〇年、京都の美術品や文化財などを収集・保管するため帝国博物館として開館。考古・陶磁・彫刻・絵画など貴重な収蔵品が多く、国宝二七件、重要文化財一七七件を含むほか、明治に建てられた赤煉瓦造りの特別展示館の建物も重要文化財に指定。平安時代の石仏など石造遺品やロダンの「考える人」などが置かれた庭園の屋外展示も楽しめる。平常展示館は、平成二〇年一二月より解体・新設のため休館。

京都市東山《ひがしやま》区茶屋町《ちややちよう》527
☎075-525-2473（テレホンサービス）
ＪＲ東海道本線ほか京都駅からバス

## 京都府京都文化博物館

**長い歴史に彩られた京都を知る**

一二〇〇年にわたって生きつづけてきた京都という都市の歴史と文化を、復元模型や映像を交えてわかりやすく紹介する。歴史展示室では、「平安楽土万年春」や「武者の世に」などのテーマによる時代ごとの展示と、「京のまつり」「能と狂言」など時代ではくくれない文化的事象の展示を行なっている。京都ゆかりの作品を展示する美術・工芸展示室と映像文化の研究のため、古典映画を収集・上映する映像ホールも常設。

京都市中京《なかぎよう》区三条高倉《さんじようたかくら》
☎075-222-0888

市営地下鉄烏丸《からすま》線ほか烏丸御池《おいけ》駅から徒歩

## 幕末維新ミュージアム 霊山《りようぜん》歴史館

**激動の幕末維新を多彩な資料で紹介**

昭和四五年開館の幕末・明治維新専門の歴史博物館で、幕末に活躍した志士たちの尊い精神を現代に伝える。志士をはじめ、朝廷や公卿、文人などにゆかりの資料・文献を収集し、その数は五〇〇〇点を超える。なかには坂本龍馬《さかもとりようま》が斬られたという脇差《わきざし》や近藤勇《こんどういさみ》の鎖帷子《くさりかたびら》などもある。約一〇〇点を公開する常設展のほか、時期によっては特別展や企画展を開催。「維新土曜トーク」や特別講演会などの催しも行なわれる。

京都市東山区清閑寺《せいかんじ》霊山町１
☎075-531-3773

ＪＲ東海道本線ほか京都駅からバス

今月の

# 歴史博物館・資料館ガイド

**【京都府】**

**◆宇治《うじ》・上林《かんばやし》記念館**
宇治市宇治妙楽《みょうらく》38
☎0774-22-2513
＊JR奈良線宇治駅から徒歩
江戸時代に宇治茶師を務めた上林家の長屋《ながや》門《もん》の建物を生かし、古文書や茶道具、製茶用具などを展示する宇治茶の資料館。四〇〇年以上にわたる宇治茶の歴史を学べる。

**◆宇治市源氏物語《げんじものがたり》ミュージアム**
宇治市宇治東内《ひがしうち》45-26
☎0774-39-9300
＊京阪電鉄宇治線宇治駅から徒歩
宇治は、紫式部が書いた『源氏物語』の最後の一〇帖の舞台。光源氏が過ごした六条院《ろくじょういん》の模型や鮮やかな女房の装束、調度品などの展示で、『源氏物語』の世界に触れられる。

**◆梅小路《うめこうじ》蒸気機関車館**
京都市下京《しもぎょう》区観喜寺町《かんきじちょう》
☎075-314-2996
＊JR山陰本線丹波口《たんばぐち》駅から徒歩
昭和四七年、日本の鉄道開業一〇〇周年を記念して開設された蒸気機関車専門の博物館。D51形など、大正から昭和の代表的な蒸気機関車一六形式一八両を保存展示。

**◆大谷《おおたに》大学博物館**
京都市北《きた》区小山上総町《こやまかみふさちょう》大谷大学響流館《こうるかん》内
☎075-411-8483
＊市営地下鉄烏丸線北大路《きたおおじ》駅から徒歩
平成一五年開設の大学博物館で、真言宗・仏教を中心に、歴史・文学・芸術など一万二〇〇〇点余の資料を所蔵する。大学の歩みや京都の歴史・文化などの企画展を開催。

**◆加悦《かや》SL《エスエル》広場**
与謝《よさ》郡与謝野町字滝《たき》941-2
☎0772-42-3186
＊北近畿タンゴ鉄道宮津《みやづ》線野田川《のだがわ》駅からバス
大正一四年、おもに地場産業の丹後縮緬《たんごちりめん》の輸送のため、設立された加悦鉄道。廃線になった現在、重要文化財の蒸気機関車をはじめ、二七両の車輌や復元された洋風建築の駅舎、鉄道関連の資料などを展示。

**◆眼科・外科医療歴史博物館**
京都市下京区正面木屋《しょうめんきや》町東入《まちひがしい》ル鍵屋町《かぎやちょう》340
☎075-371-0781
＊JR東海道本線ほか京都駅からバス
古い町家に復元された診療室に、奥沢《おくざわ》眼科・竹岡《たけおか》外科両家に保存されていた江戸時代からの医科道具を展示する私設博物館。入場は公式サイトより事前に予約が必要。

**◆京菓子資料館**
京都市上京《かみぎょう》区烏丸通上立売上《からすまどおりかみだちうりちょうあが》ル柳図《やなぎのず》子町《しちょう》331-2
☎075-432-3101（俵屋吉富《たわらやよしとみ》烏丸店）
＊市営地下鉄烏丸線今出川《いまでがわ》駅から徒歩
昭和五三年設立の京菓子文化の総合資料館。和菓子に関する資料などの常設展示を行なう。京菓子と抹茶も味わえる。

**◆京セラファインセラミック館**
京都市伏見《ふしみ》区竹田《たけだ》鳥羽殿町《とばどのちょう》6
☎075-604-3500
＊市営地下鉄烏丸線ほか竹田駅からバス
幅広い分野で活躍するファインセラミックス。その材料や加工技術などの基本をはじめ、京セラが開発してきた技術の変遷を、実際の製品や最新製品を交えて紹介する。

**◆京丹後《きょうたんご》市立丹後古代の里資料館**
京丹後市丹後町宮《たんごちょうみや》108
☎0772-75-2431
＊北近畿タンゴ鉄道宮津線峰山《みねやま》駅からバス
丹後町にある巨大な前方後円墳・神明山《しんめいやま》古墳など、京丹後市内に点在する縄文《じょうもん》・弥生《やよい》・古墳時代の遺跡や出土品を紹介。隣には竪《たて》穴《あな》住居など弥生時代の集落を再現する。

**◆京都市学校歴史博物館**

京都市下京区御幸町通《ごこまちどおり》仏光寺下《ぶっこうじさが》ル橘　町《たちばなちょう》437

☎075・344・1305

＊阪急電鉄京都本線河原町《かわらまち》駅から徒歩

明治二年に開校した日本初の学区制小学校である番組《ばんぐみ》小学校を中心に、京都の学校と教育の歴史を紹介する。番組小学校のひとつ、旧開智《かいち》小学校の校舎を利用し、教科書・教材・古文書などの資料を展示する。

**◆京都市歴史資料館**

京都市上京区寺町通《てらまちどおり》荒神口下《こうじんぐちさが》ル松蔭町《まつかげちょう》138・1

☎075・241・4312

＊市営地下鉄烏丸線丸太町《まるたまち》駅から徒歩

古文書・絵画・民俗資料など、京都の歴史に関する資料を保存する資料館。年四回ほどのテーマ展のほか、映像展示室では京都の歴史・祭礼・風物をビデオで紹介する。

**◆京都大学総合博物館**

京都市左京《さきょう》区吉田《よしだ》本町《ほんまち》

☎075・753・3272

＊JR東海道本線ほか京都駅からバス

京都大学で、過去一〇〇年以上にわたり収集・研究されてきた学術標本資料や教育資料を広く活用してもらおうと設置された博物館。文化史・自然史・技術史と各分野の貴重な資料は、約二六〇万点にも及ぶ。

**◆キンシ正宗《まさむね》堀野《ほりの》記念館**

京都市中　京《なかぎょう》区堺　町通二条上《さかいまちどおりにじょうあが》ル亀屋町《かめやちょう》172

☎075・223・2072

＊市営地下鉄烏丸線丸太町駅から徒歩

天明《てんめい》元年創業の造り酒屋・キンシ正宗の初代本宅を活用した資料館で、造り酒屋の歴史と町家文化を紹介する。登録有形文化財に指定された文庫蔵や天明蔵などが公開され、昔の酒造りの道具などを見学できる。

**◆グンゼ博物苑**

綾部《あやべ》市青野町《あおのちょう》膳所《ぜぜ》1

☎0773・43・1050、または42・0083

＊JR山陰本線綾部駅から徒歩

グンゼ記念館では、明治二九年創業のグンゼの歩みや蚕糸技術の歴史、製糸業を紹介。繭蔵《まゆぐら》を利用した見学施設では、昔の道具から最新技術まで見られ、世界各地から約五〇〇品種集められた桑園も併設する。

**◆月桂冠《げっけいかん》大倉《おおくら》記念館**

京都市伏見《ふしみ》区南　浜町《みなみはまちょう》247

☎075・623・2056

＊京阪電鉄京阪本線ほか中書島《ちゅうしょじま》駅から徒歩

伏見の酒造りと日本酒の歴史を紹介する。京都市指定の有形民俗文化財六一二〇点のうち、代表的な酒造用具約四〇〇点を酒造りの工程に沿って見学できる。見学後には吟醸酒などの試飲も楽しめる。

**◆島津《しまづ》創業記念資料館**

京都市中京区木屋町二条南

☎075・255・0980

＊市営地下鉄東西線京都市役所前駅から徒歩

昭和五〇年、島津製作所が創業一〇〇年を記念して開設した施設。当時の面影をとどめた建物で、理化学器械や医用エックス線装置、関連文献・資料を見学でき、日本の近代科学技術の発達過程を学べる。

**◆泉屋博古館《せんおくはくこかん》**

京都市左京区鹿ケ谷《ししがたに》下宮《しもみや》ノ前町《まえちょう》24

☎075・771・6411

＊JR東海道本線ほか京都駅からバス

昭和三五年、旧住友《すみとも》財閥住友家の美術コレクションを保存・展示するために設立された。中国古代の青銅器や鏡鑑、中国書画を中心に、国宝や重要文化財なども数多い。

**◆丹後ちりめん歴史館**

与謝郡与謝野町岩屋《いわや》317

☎0772・43・0469

＊北近畿タンゴ鉄道宮津線野田川駅からタクシー

伝統的地場産業・丹後縮緬《ちりめん》を紹介する施設。織りから染めまですべての工程が見学できるほか、手機や写真、文書などの資料を展示。デジタル染色や手機の体験も可能。

**◆同志社《どうししゃ》大学歴史資料館**

京田辺《きょうたなべ》市多々羅都谷《たたらみやこだに》1・3

☎0774・65・7255

＊JR学研都市線同志社前駅から徒歩

京田辺キャンパスの自然系実験実習棟にある資料館。今出川や京田辺キャンパスの発掘調査で収集された八五万点もの考古資料や民俗資料を中心に、収蔵・展示している。

**◆日本の鬼の交流博物館**
福知山《ふくちやま》市大江町仏性寺《おおえちょうぶっしょうじ》909
☎0773・56・1996
＊北近畿タンゴ鉄道宮福《みやふく》線大江駅からタクシー
大江山に伝わる三つの鬼伝説の紹介をはじめ、国内外から収集された鬼にまつわる資料や伝統芸能、鬼面・鬼瓦などを展示する。

**◆博物館さがの人形の家**
京都市右京《うきょう》区嵯峨《さが》鳥居本仏餉田町《とりいもとぶっしょうでんちょう》12
☎075・882・1421
＊JR山陰本線嵯峨嵐山《あらしやま》駅、または京福電気鉄道嵐山駅から徒歩
御所人形・嵯峨人形などの伝統京人形をはじめ、国内各地の郷土人形や玩具など約二〇万点を収蔵。招き猫づくり体験も可能。

**◆琵琶《びわ》湖疏水《そすい》記念館**
京都市左京区南禅寺草川町《なんぜんじくさがわちょう》17
☎075・752・2530
＊市営地下鉄東西線蹴上《けあげ》駅から徒歩
明治二三年完成の琵琶湖疏水は、用水・水運・発電などを目的に琵琶湖から引かれた水路。図面や絵図など疏水関連の資料を展示し、この大事業の意義を現在に伝える。

**◆風俗博物館**
京都市下京区新花屋町通堀川東入ル《しんはなやちょうどおりほりかわひがしいる》　井筒《いづつ》法衣《ほうえ》店5階
☎075・342・5345
＊JR東海道本線ほか京都駅からバス
『源氏物語』の主人公・光源氏の大邸宅・六條院を四分の一の大きさで展示。精密に再現された美しい装束の人形や調度品で、平安時代の貴族の世界を紹介している。

**◆福知山城　福知山市郷土資料館・産業館**
福知山市字内記《ないき》（内記1丁目）5
☎0773・23・9564
＊JR山陰本線ほか福知山駅から徒歩
明智光秀《あけちみつひで》により築城された福知山城。昭和六一年、三層四階の天守が復元され、内部は郷土資料館として、城に関する資料や福知山地方の歴史・文化財を展示する。

**◆ふるさとミュージアム丹後**
宮津市字国分《こくぶん》小字天王山《てんのうさん》611－1
☎0772・27・0230
＊北近畿タンゴ鉄道宮津線天橋立《あまのはしだて》駅、または岩滝口《いわたきぐち》駅からバス
「丹後の歴史と文化」をテーマに考古・歴史・民俗に関する常設展示のほか、屋外には江戸時代、宮津藩の大庄屋を務めた旧永島家の茅葺《かやぶき》住宅を移築している。

**◆ふるさとミュージアム山城《やましろ》**
木津川《きづがわ》市山城町上狛千両岩《かみこませんりょういわ》
☎0774・86・5199
＊JR奈良線上狛駅から徒歩
椿井大塚山《つばいおおつかやま》古墳の出土品など多彩な資料の展示で、先史時代から江戸時代にかけての南山城地方の歴史と文化を紹介する。

**◆舞鶴《まいづる》市立赤れんが博物館**
舞鶴市浜《はま》2011
☎0773・66・1095
＊JR舞鶴線・小浜線東舞鶴駅から徒歩
明治三六年、旧海軍兵器廠魚形水雷庫として建造された建物を利用した博物館。館内に世界各地の煉瓦やジオラマ模型などを展示し、煉瓦建築とその歴史を紹介する。

**◆松下《まつした》資料館**
木津川市相楽台《さがなかだい》3・1・1　ハイタッチリサーチパーク東ブロック内
☎0774・72・7776
＊近畿日本鉄道京都線山田川《やまだがわ》駅から徒歩
松下電器グループの創始者・松下幸之助《こうのすけ》の生誕一〇〇年を記念して開設。氏の足跡や経営理念に触れられる。見学は要予約。

**◆美山《みやま》民俗資料館**
南丹《なんたん》市美山町北
☎0771・77・0587
＊JR東海道本線ほか京都駅からバス
重要伝統的建造物群保存地区に指定された茅葺屋根の民家が残る集落「かやぶきの里」内にある資料館。復元整備された民家に当時の生活用具などを展示している。

**◆立命館大学国際平和ミュージアム**
京都市北《きた》区等持院北町《とうじいんきたまち》56・1
☎075・465・8151
＊JR東海道本線ほか京都駅からバス
「一五年戦争」「現代の戦争」「平和をもとめて」の三つのテーマで構成される常設展示に、実物資料や写真・映像、戦時中の町屋の復元、シアターなどを設置している。

# 次回配本 二〇〇八年九月二五日頃発売予定

## 第10巻 徳川の国家デザイン

江戸時代（一七世紀）

水本邦彦
（京都府立大学教授）

### 徳川政権による国家の枠組みづくり

戦国時代に終わりを告げ、全国を統一する政権を樹立した江戸幕府の始まりを描く。

●徳川日本の「日本国民」は、国家による身分編成の枠組みのなかで、武士や町人、百姓など身分ごとに分かれて住み働き、それぞれが各自の「身分」に徹して分相応に生きることを最高の価値としていた（はじめにより）。

●家康もまた、秀吉と同様に禁教と貿易振興を政策としたが、家康政権にとっては、朝鮮出兵で破綻した秀吉の侵略型路線を修正し、安定した国家間外交と国家管理の貿易体制を樹立することが、焦眉の急となっていた（第四章より）。

『江戸図屏風』（国立歴史民俗博物館蔵）には、寛永10年代、徳川家康・秀忠・家光と徳川政権3代を通じて、城と町づくりの完成をみた江戸の町が描かれる。

【目次の一部】



●**編集後記**　９巻目をお届けします。初めてお目にかかるとき、英語が苦手な私は、恐る恐る待ち合わせ場所に赴きましたが、あにはからんや、私よりも巧みに日本語を話されるトビ先生に安心した思い出があります。さて本巻は、日本語はもちろん、絵画資料を読み解くに巧みな先生ならではの目のつけどころにあふれた、画期的な一冊です。目から落ちる鱗にご注意ください。（芳）

対馬《つしま》藩がはじめて朝鮮から生の朝鮮人参を取り寄せ、幕府に献上した。幕府はこの人参を、江戸城中の庭園である吹上《ふきあげ》と小石川薬園の試験農場に移植したが、根付くことはなく、栽培は失敗した。吉宗はその後も再三にわたり、生の朝鮮人参を献上するよう対馬藩に命じたが、すぐには栽培化に成功しなかった。

その背景として、朝鮮との貿易に依存するしかない対馬藩と、日本への最大の輸出品が朝鮮人参である朝鮮にとって、日本国内で朝鮮人参が栽培されることはひじょうに困った事態であるという両者の事情を考慮すべきかもしれない。また、当時は朝鮮の書物を日本へ輸出することは禁じられていた。それは正徳《しょうとく》元年（一七一一）に来日した朝鮮通信使一行が、大坂で『懲毖録《ちょうひろく》』という朝鮮の書物が売られているのを見つけたのがきっかけであった。『懲毖録』というのは、壬辰《じんしん》・丁酉倭乱《ていゆうわらん》（文禄《ぶんろく》・慶長《けいちょう》の役《えき》）のときの朝鮮国王宣祖《ソンジョ》の側近柳成龍《ユソンリョン》が、豊臣秀吉《とよとみひでよし》の朝鮮侵略について著わした書物であるが、元禄《げんろく》年間に訓点《くんてん》・ルビをつけ、貝原益軒《かいばらえきけん》の序を添えて日本で刊行されて広く読まれていた。朝鮮は、国防にかかわる国家機密と見なしていた『懲毖録』の和刻本が大坂の書店に置かれていたことに驚き、以後朝鮮の書物の日本輸出を禁じたのである。

そこで吉宗が輸入品の国内生産のための情報収集に利用したのが、長

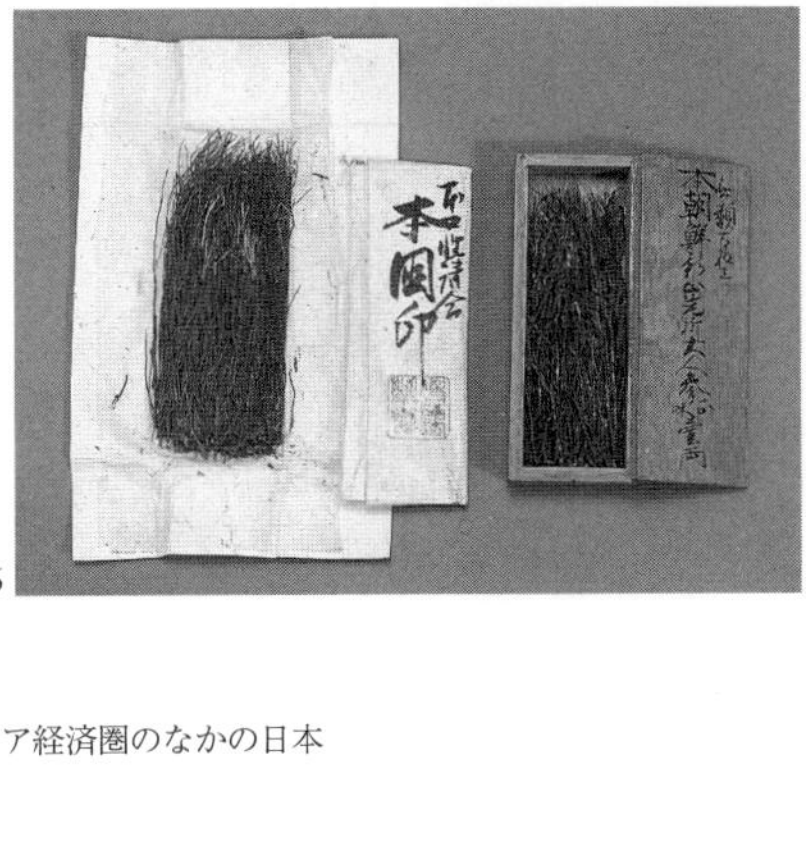
16

**◉珍重された朝鮮人参**
朝鮮人参は、不老長寿・精力回復などの効能があるとされ人気だった。写真は、新潟県の薬局に保管されていた、当時の朝鮮人参。

崎を訪れる中国人商人であった。享保一一年には、彼は長崎奉行と唐通《とうつう》事《じ》に命じて、中国人商人に人参・サトウキビの栽培法や砂糖の製法に関する情報を収集させるようにした。これに対し中国人商人は、朝鮮人参を栽培する遼東《りょうとう》の丘陵部の住民は、外の者には固く口を閉ざして話したがらないので、なんの情報も得られないだろうと述べているが、砂糖については、次回までに情報を入手しておくと約束した。

翌一二年五月に入港した廈門《アモイ》の商船の船長は、黒砂糖と白砂糖の精製技術について、詳細な説明を提供すると同時に、サトウキビ栽培の技術の概要も説明しているが、その内容はおそらく実行に移すには不十分だったようである。

吉宗と幕府による、日本全国と海外をも巻き込んだ積極的なサトウキビ栽培技術の探究、そして中国からの情報提供により、鹿児島（薩摩《さつま》）藩はサトウキビ栽培に関する独占状態を放棄せざるをえなくなった。吉宗は琉球《りゅうきゅう》からサトウキビの苗を取り寄せることを命じ、鹿児島藩士落合《おちあい》孫《まご》右《え》衛門《もん》を江戸に呼び出し、浜御殿《はまごてん》と江戸城内でサトウキビの実験的栽培を命じた。同時に、吹上御苑の薬園吏岡田丈助に精製法の習得を命じた。さらに、武蔵《むさし》の国の二か所と駿河《するが》、そして長崎でサトウキビの実験的栽培を命じた。これにより、御領内（幕府直轄地）でさまざまな土壌と天候の組

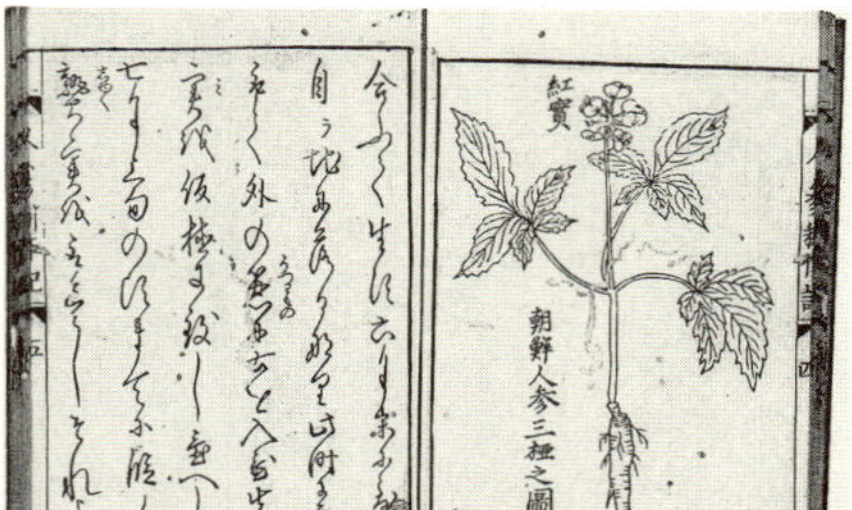


17

◉『人参耕作記』
江戸の本草学者の田《た》村《むら》藍水《らんすい》が、幕府から朝鮮人参の種子を与えられて栽培した成果を記したもの。藍水は平賀《ひらが》源内《げんない》の師としても知られる。寛延元年刊。

み合わせによる実験が可能になったのである。

吉宗はこの実験をほかの者にゆだねることなく、みずから指揮した。そして、小姓《こしょう》磯野政武に命じて、サトウキビの樹液の精製方法をいろいろ試させた。磯野の努力は、享保一二年（一七二七）に一四・五貫《かん》（五四・三七五キログラム）の黒砂糖生産に結びついたのである。

この吉宗のサトウキビ栽培の成果は、すぐに、ほかの御領そして大名領に苗を配布することによって、全国的に広がっていった。さらに延享《えんきょう》元年（一七四四）、吉宗は過去二〇年間に紅葉山文庫《もみじやまぶんこ》に集積された中国の地誌と類書から収集された、サトウキビ栽培に関する知識を手引書としてまとめるよう命じた。そしてその後の一〇年間、幕府は全国に役人を派遣し、技術者の実践的経験から得られた砂糖製造の技術を各地に広めた。日本を輸入依存から解放するのに十分な量の砂糖を安定して国内栽培するのに、この先半世紀を要することになる。

小石川養生所肝煎《こいしかわようじょうしょきもいり》後見人をつとめた小川顕道《おがわあきみち》は、文化《ぶんか》一〇年（一八一三）には江戸に流通する砂糖の七〇パーセントが国産だと推定している。この数字を鵜呑《うの》みにはできないが、少なくとも吉宗の政策の成功を証言していることは間違いない。つまり、外国の材料と技術を駆使して輸入の主要品目であった砂糖の自給が可能となり、日本を輸入依存から

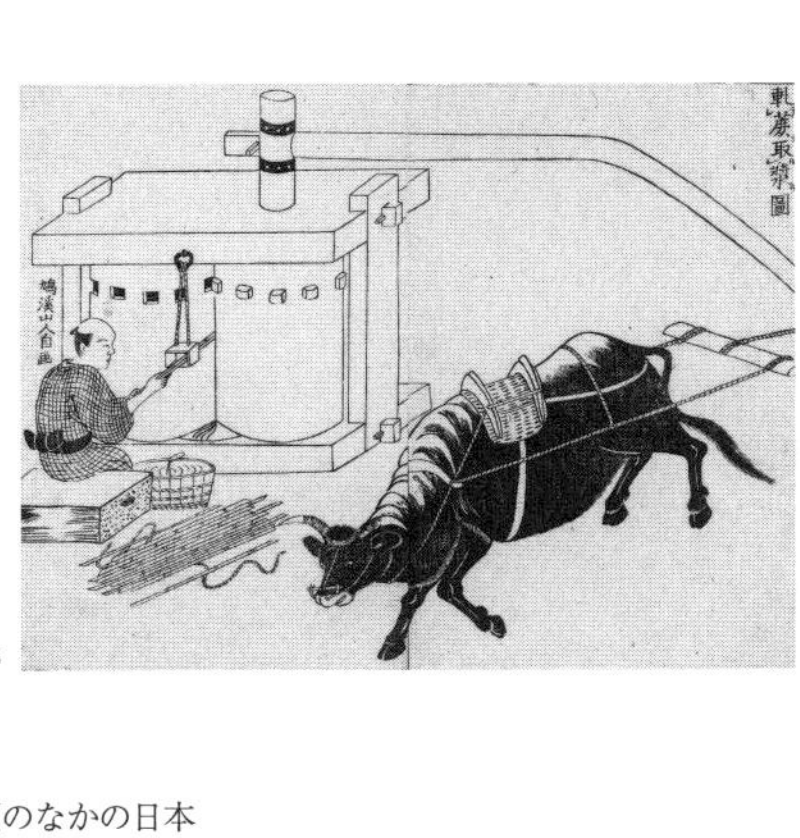

18

**◉砂糖の製造**
平賀源内の『物類品隲《ぶつるいひんしつ》』（宝暦一三年刊）には、サトウキビの栽培方法と砂糖の製造方法が書かれている。図は、牛を利用してサトウキビの茎を搾っている光景を描いたもの。

解放したのである。そしてこれは、生《き》糸《いと》や朝鮮人参などそのほかの輸入品についても、同じく当てはまることであった。

徳川吉宗が推進した政策は、書物の輸入に象徴される情報の移入にせよ、あるいは輸入品の国産化のために企図された農産物とその栽培方法、製品精製にかかわる技術の移入にせよ、体系的な国家プロジェクトとして遂行されたことには注目しなければならない。そして、「鎖国」下にありながら内実は貿易依存状態にあった日本は、吉宗の努力によってなしとげられた国内産業の発達と、それがもたらした品質・価格両面における国際競争力の上昇という成果を生み出し、一九世紀を迎えるころには、消費財の貿易依存体質からの脱却に成功していたのである。

**中国からの輸入白砂糖量**

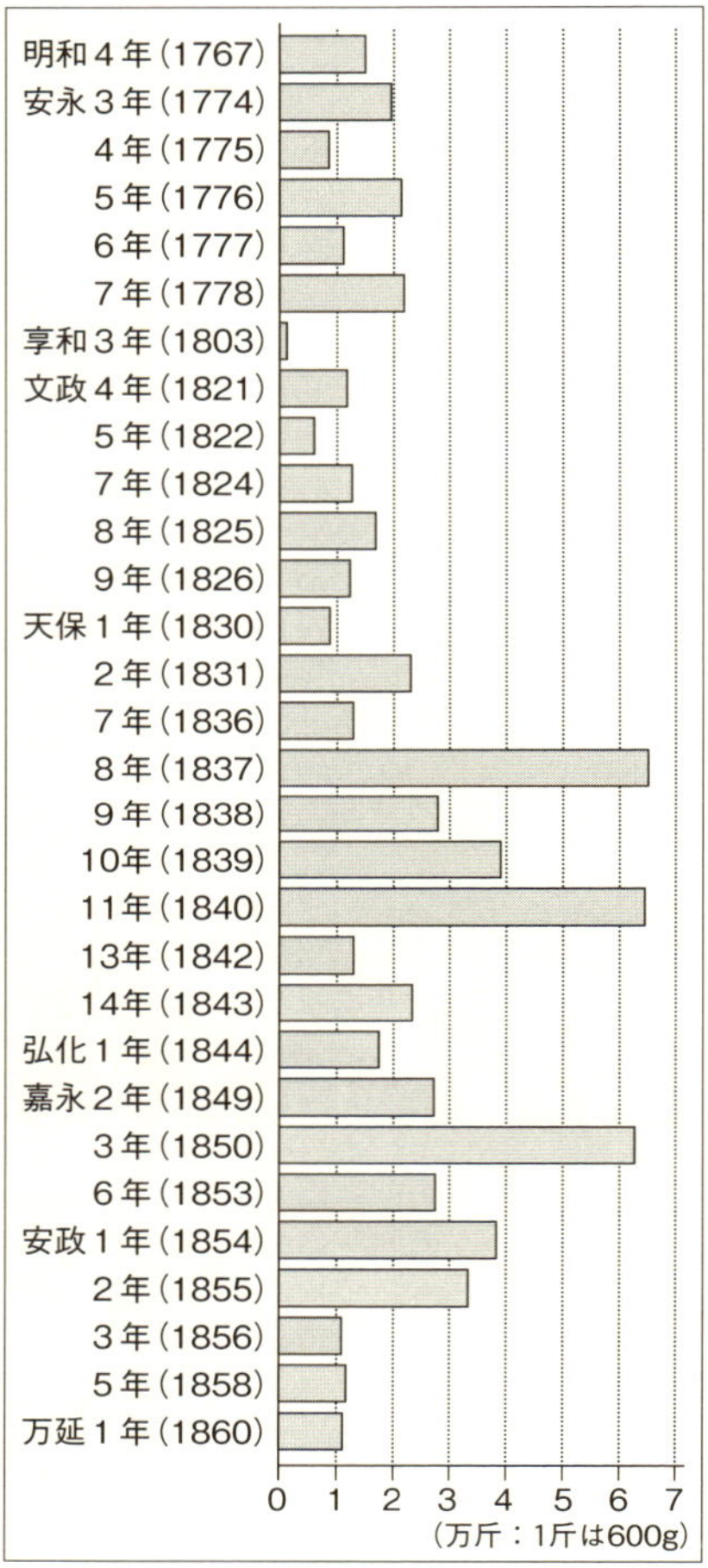


●**琉球が輸入した白砂糖**
琉球は砂糖を日本に輸出していたが、黒糖は製造できたが白糖はつくれなかったため、中国の白糖を輸入して輸出用にあてた。（真栄平《まえひら》房昭《ふさあき》「琉球貿易の構造と流通ネットワーク」より作成）

第四章

# 描かれた異国人

# 唐のかなたから

## 日本人の異国認識

筆者は、日本列島を取り巻く世界が、列島文化においてどのように想像され、描かれてきたかという問題を長年研究してきた。とくに近世の列島文化における異国認識、すなわち日本人は朝鮮や中国、琉球《りゅうきゅう》、そして東南アジアなどを、どのように理解し、絵画や文学・パフォーマンスなどに表現してきたかについて興味をもち、研究の中心テーマとしてきた。

たとえば、これまでにも触れたように、江戸時代の日本の人々の大部分にとって朝鮮通信使は、「異国人」を自分の目で見る、一生に一度といっていいチャンスであった。そのため朝鮮通信使が来日すると「朝鮮物ブーム」が起こるほどであって、そうした関心を通じて、その姿を絵に描いたり、浄瑠璃《じょうるり》や歌舞伎《かぶき》などの戯曲のテーマに取り上げたり、異国人を各地の祭りのパフォーマンスに取り入れたりするなど、さまざまなかたちで、日本人がイメージする「異国」「異国人」が構築され、表象されていくようになった。

異国・異国人をどのようにイメージするかという問題は、それと対照される日本・日本人のイメージをいかに構築するかという問題でもある。そして「近世」という時代区分のなかで考える場合には、近世における自己と他者を弁別する表象のあり方が、それ以前・それ以後のあり方とどこが共通し、どこが異なるのかを明らかにする必要がある。

そういう目で日本の絵画史料をみてみると、ある奇妙な現象に気がつく。それは、近世以前の一六世紀なかばごろまでは、大陸との交流があったにもかかわらず、日本と特定できる場所を舞台として、異国人と断定できる人物を描いた作品がひじょうに少ないことである。

一一世紀頃から複数制作された『聖徳太子絵《しょうとくたいしえ》伝《でん》』のいくつかにみられる、百済《くだら》から来日した使者が駱駝《らくだ》などを太子に献上する場面、新羅《しらぎ》の間諜《かんちょう》（スパイ）二人が捕らえられて太子の前でひざまずいて拝礼をしている場面、そして蝦夷《えみし》の使者が同じような姿勢と似たような服装で描かれている場面、あるいは一三世紀後半の文永《ぶんえい》・弘安《こうあん》の役《えき》を描いた『蒙古襲来絵《もうこしゅうらいえ》巻《まき》』（一三世紀末成立）の蒙古軍といった例もあるが、それにしても数えるほどしかない。

なお、鑑真和尚《がんじんわじょう》を描いた『東征伝絵《とうせいでんえ》巻《まき》』（一三世紀末成立）など、来日した僧を描く例もあるが、僧侶については、その独特の髪型や服装から、「僧侶」という独立したカテゴリーで認識され、表象されていて、絵画表現のうえで「日本人」「異国人」という区別はなかった可能性があるので、ここでは異国人を描く例からは除外して考えたい。

1

◉捕らえられた新羅の間諜
聖徳太子の生涯を描いた『聖徳太子絵伝』に登場する異国人。対馬《つしま》で捕らえられたスパイは後ろ手に縛られ、殿上の太子と対面する。

もちろん、長い歳月の間に火災や震災、戦災などで散逸した作品はあるに違いない。たとえば、そういう「日本の内地にいる異国人」を描いた絵に関する記述が『枕草子《まくらのそうし》』にあるのだが、そこで言及されている絵そのものは今に伝わっていない。そういう可能性を考えても、これほど少ないということは、注目に値する事実だと思われる。

その一方で、外地である中国を想像して、その地に「漢人」を描いた例や、あるいは一二世紀末制作の『吉備大臣入唐絵巻《きびだいじんにっとうえまき》』のように、中国を舞台に日本人と異国人をひとつの絵のなかで表現することは、比較的よくみられるのである。

それが近世に入ると、異国人を日本と特定できる場所に描くケースが、いきなり増えてくる。それはなぜであろうか。その背景として考えられるのが、一六世紀のいわゆる「南蛮人《なんばんじん》」との遭遇《そうぐう》である。そこで、南蛮人との遭遇前の日本人の異国認識と、それが南蛮人との遭遇によってどのように変化したかをみていきたい。

## 唐のかなた「天竺」

ヨーロッパ人（南蛮人《なんばんじん》）と出会うまでの日本人は、世界のすべてを「三国」と呼ばれる枠組みの中でとらえていた。すなわち、全世界は「我朝《わがちょう》（あるいは本朝）」、「震旦《しんたん》（あるいは唐《から》）」、「天竺《てんじく》」という三国から成り立っているという考え方である。「我朝」とはもちろん日本のこと、「震旦（唐）」は今でいう「中国」の意というよりも、朝鮮をも含めた「東アジア全体」の国と人々を指していた。

それに対して「天竺」は、ふつう「インド」を指すようにいわれるが、宗教的にはブッダの国であり、位置的には唐のかなたに位置している。「唐」と「天竺」の間には、距離的にだけでなく、文化的にも、大きな隔たりがあると認識されていた。天竺とは、唐を越えたすべての国を指す、いわば「越唐」とでもいうべき存在だったのである。

いうまでもなく、中国や朝鮮半島、あるいは渤海《ぼっかい》や蒙古《もうこ》など、大陸と日本列島の間には、古くから絶えることなく、人々が往来していた。日本からは、小野妹子《おののいもこ》・吉備真備《きびのまきび》のような遣隋使《けんずいし》・遣唐使《けんとうし》、円《えん》仁《にん》・栄西《えいさい》らの求法僧《ぐほうそう》の入唐《にっとう》・入宋《にっそう》などといったかたちで、つねに中国へ渡っていた。

大陸からの来日も、同じように頻繁であった。朝鮮半島、とくに百済《くだら》や高句麗《こうくり》からの渡来人や、中国・朝鮮からの外交使節、仏教の伝道師、貿易商人、そして「蒙古襲来」のような襲撃集団としてなど、広義の「唐」からの異国人来日は絶えなかった。

一方、「天竺」との間には、そのような交流はほとんどなかった。渡唐した遣唐使の官僚や入唐の僧侶

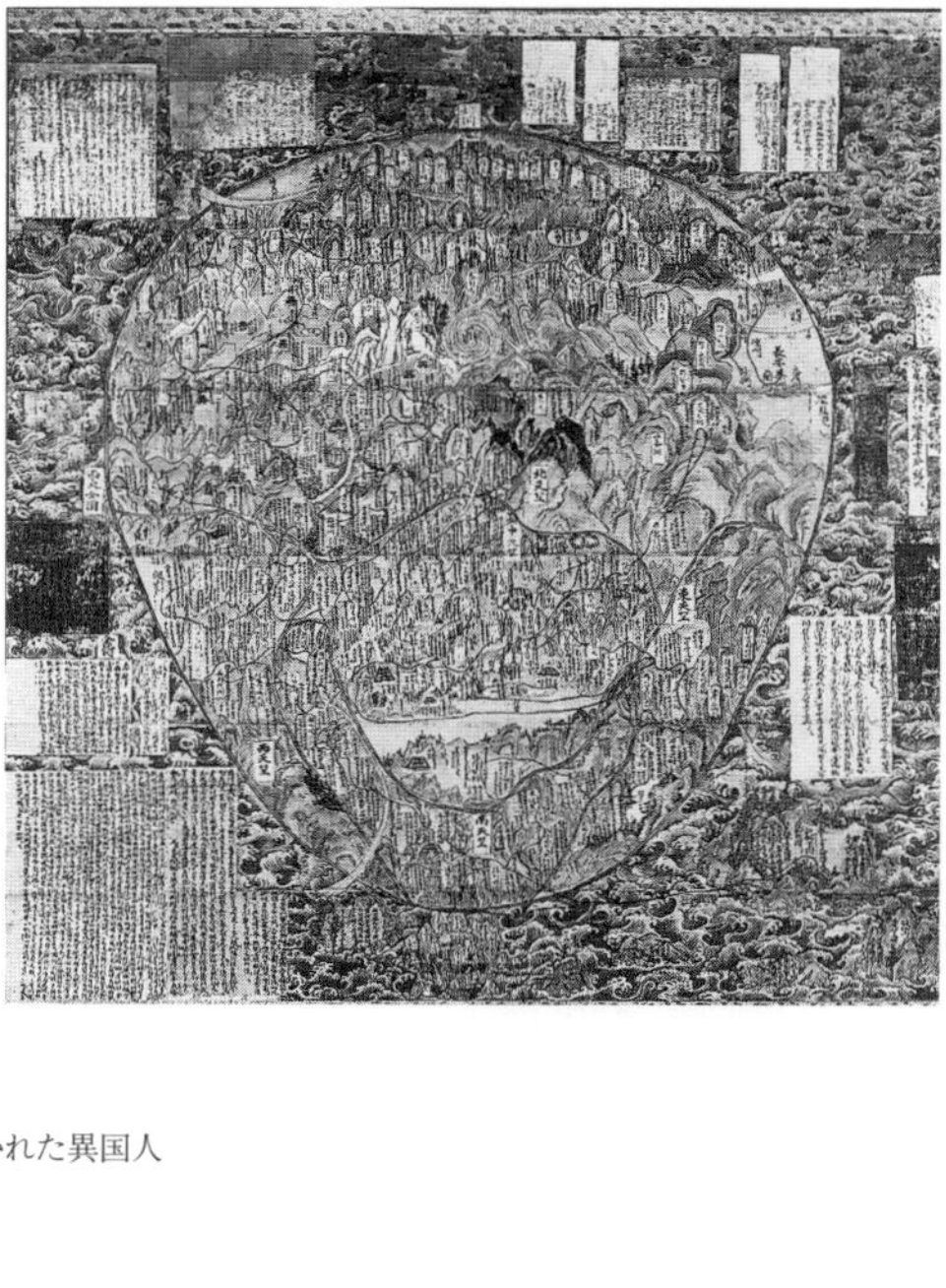

2

◉五天竺図
右上方に日本の一部が、下半分には中央に中天竺、周囲に東西南北の天竺が描かれた仏教的世界図。一四世紀なかばに描かれたとされ、現存する五天竺図では最古のもの。

たちは、シルクロードの終点であり、国際都市でもあった長安《ちょうあん》（西安《シーアン》）の都で、天竺など西域の僧侶や貿易商人などを目にする機会はあったはずである。現に円仁の『入唐求法巡礼記《にっとうぐほうじゅんれいき》』など、当時の記録にも、そういう形跡は残されている。

しかし、実際に天竺にまで行き、そこから帰ってきた日本人はいなかったのではないだろうか。入唐求法僧として貞観《じょうがん》四年（八六二）に渡唐した真如《しんにょ》（高岳《たかおか》親王）も、さらに天竺をめざして南下したが、志なかばで貞観七年に羅越《らえつ》国（現在のマレー半島西端）で死去している。

「天竺」から来日した例もきわめて少なく、古代においては、天平《てんぴょう》八年（七三六）に来日し、天平勝宝《しょうほう》四年（七五二）に東大寺《とうだいじ》大仏開眼導師《だいぶつかいげんどうし》となった、インド出身の僧菩《ぼ》提僊那《だいせんな》くらいしか見当たらない。その後は、室町《むろまち》時代まで時間が飛ぶ。一五世紀に畿内に根拠をおいて日明《にちみん》貿易に携わった楠《くず》葉《は》西忍《さいにん》は、一四世紀後半に来日して三代将軍足利義満《あしかがよしみつ》に仕えた天竺貿易商人と日本人の間に生まれた子であったとされている。

つまり、日本人にとっての「天竺」は、「我朝」が直接接触をもつ機会がほとんどなかった国である。三国のひとつではあったが、「異国」の唐のかなたにある、いわば「異界」であったということができるだろう。

したがって、日本人にとって現実の世界は、日本と唐という二つだけだったことになる。日本人のコスモロジー（世界観）も、日本か唐かという二分法から成り立っていた。そして日本人以外のすべての者は、ひとくくりに「唐人」と認識されたのである。

### 「天竺」から来たポルトガル人

日本人が最初に出会ったヨーロッパ人は、一般に一五四〇年代に到着したポルトガル人とされている。日本人はすでに一五世紀後半から東南アジアに航海していたし、それ以前にゴアまで到達した日本人もいたので、もっと早い時期にヨーロッパ人と出会っていた可能性は十分ある。だが、日本の地に南蛮人《なんばんじん》が登場してくるのは、たしかに一五四〇年代からのことである。

この時期は、一五二二年のマゼランによる世界一周航路の成立が象徴するように、世界各国が船によって結ばれる新しい時代を迎えるという、世界的な画期であった。一般には「大航海時代」といわれるが、筆者は、各国の出会いが文化的な衝突を巻き起こしたことから、「大遭遇時代」と呼びたいと思う。この「大遭遇」が、日本の近世の到来をもたらしたともいえるだろう。

天文《てんぶん》一八年（一五四九）にフランシスコ・ザビエルが鹿児島に上陸してキリスト教を伝えてから、ポルトガル人を中心とする南欧の人々の来日は本格化する。一五六〇年代からは、ポルトガルの商船がしばしば日本の港を訪れるようになった。その船には、ポルトガル人だけでなく、さまざまな肌の色をした、文化的にも民族的にも多彩な船員が乗っていた。彼らは、ポルトガルの地球規模の活動圏の象徴であり、そして世界中にキリスト教が普及していることを示す存在でもあった。

そしてザビエルをはじめとするイエズス会士は、日本各地で宣教活動を行ない、永禄《えいろく》四年（一五六一）には、京都に「南蛮寺《なんばんじ》」と呼ばれる教会を建立したといわれる。これは、勢力拡大中の異国人がザビエルの来日から一〇年あまりで、日本文化の中心地に拠点を築いたことを意味する。

こうして「我朝《わがちょう》」に進出してきたポルトガル人たちをはじめて見た日本の人々は、さぞや驚いたことだろう。これまで三国（実際には日本と唐の二国）という認識に安住していた彼らにとって、カピタン（船長）や、国籍混淆《こんこう》の船乗り、そしてイエズス会士たちなど招かれざる客が、異形・異類の最たるものにみえたとしても、不思議ではない。

寛永《かんえい》一六年（一六三九）に刊行された『吉利支丹物語《キリシタンものがたり》』には、当時の日本人の驚きが、つぎのように記録されている。

神武《じんむ》天皇より百八代の御門後奈良《みかどごなら》の院の御宇《ぎょう》にあって、弘治《こうじ》年号（一五五五～五八）のころ、南蛮の商人船に、はじめて人間のかたちに似て、さながら天狗《てんぐ》とも、見越《みこ》し入道《にゅうどう》とも、名のつけられぬものを一人わたす、よくよくたづねきけば、バテレンというものなり、先そのかたちを見るに、鼻のたかき事栄螺殻《さざえがら》のいぼなきを吸いつけられたるに似たり、目の大きなる事は、眼鏡《めがね》を二つ並べたるが如《ごと》し、眼の内黄也。頭小さく、足手の爪長く、背の高さ七尺《しゃく》あまりありて、色黒く、鼻赤く、歯は馬の歯より長く、あたまの毛鼠色にして、額の上におかべ杯を伏せたる程の月代《さかやき》を剃り、物いう事かつて

3

◉京都南蛮寺
京都四条坊門《しじょうぼうもん》に建てられた南蛮寺のたたずまいを残す唯一の絵。三階建ての教会堂のかたわらにはバテレンが立つ。天正一五年（一五八七）の秀吉《ひでよし》の伴天連《バテレン》追放令により、建物は壊された。

聞こえず、声は梟《ふくろう》の鳴くに似たり。諸人こぞって見物道をせきあえず。

そして、これまで聞いたことのない「梟の」ような言葉を話す異国人を、日本人は当初、「天竺人《てんじくびと》」と呼んだ。これには修道士たちも面食らったようで、来日したイエズス会のコスメ・デ・トレス神父は、一五五一年のザビエルあての手紙で、「我々のことをチェンシクス（天竺人）というこの日本人達」とわざわざ書き記している。

日本人でも唐人でもない南欧人は、「唐のかなた」である天竺からきたと認識するしかなかったのだろう。しかし日本人が彼らを受け入れるにつれ、「南蛮」という名称に変わる。「南蛮」とは、もともとは中国における周囲の異民族に対する蔑称《べつしょう》（「四夷《しい》」）のひとつであった。

こうして、「我朝」と「唐」以外の異国を認識することによって、日本人の世界観は、一挙に変貌《へんぼう》を余儀なくされるのである。

**変化した世界観**

日本人は、当初、南蛮《なんばん》文化を積極的に受け入れた。南蛮船来の品々やキリシタンの教えに素直に魅力を感じたのが大きな理由であろうし、また天正《てんしょう》の末（一五九〇年代初め）ごろまでは、南蛮文化の入り口にあたる九州にまで権力を及ぼし、南蛮の勢力を拒むような国家はなかったという事情もある。

風俗面をみても、南蛮流のズボンやマントなどのファッションが盛んになった。織田信長《おだのぶなが》や豊臣秀吉《とよとみひでよし》の南蛮好みは、有名である。祭りをはじめとする芸能においても、南蛮人などに扮《ふん》した風流《ふりゅう》が流行した。

慶長《けいちょう》九年（一六〇四）秋の秀吉の七回忌は、秀吉が建立した京都の方広寺《ほうこうじ》や、秀吉を神格化した豊国大明神《とよくにだいみょうじん》（豊国神社）の前で行なわれた。狩野内膳《かのうないぜん》作の『豊国祭礼図《ほうこくさいれいず》屏風《びょうぶ》』に描かれている熱狂した各町内の人々のなかに、「南蛮人」に扮したグループや、あるいは南蛮人が連れてきたアフリカ人やインド人を模したと思われる、顔を黒く塗った人たちが散見する。また、一七世紀初頭の慶長年間作と思われる『築城図屏風《ちくじょうずびょうぶ》』にも、南蛮人に扮した人たちが描かれている。

南蛮人をはじめとする異国人たちの姿そのものも描かれるようになった。それは、今日「南蛮風俗画」と呼ばれる、南蛮屏《なんばんびょう》風《ぶ》に代表される絵画群である。たとえば、一六世紀末の作と思われる狩野内膳の『南蛮屏風』（左ページ図版）は、左隻《させき》に遠い異国の地から日本へと向かう南蛮船を描き、右隻《うせき》には南蛮人が

4

●豊国踊で出番を待つ南蛮装束の人々
豊国大明神臨時祭礼に南蛮装束で参加している人々。当時の人々に異国趣味がもてはやされていた証だろう。（『豊国祭礼図屏風』）

●南蛮屏風の典型例
右隻には日本に到着した南蛮船と南蛮人を、左隻には異国の港を出港する船を見送る様子を描く。南蛮屏風は描き方で三種類に類型化できるが、これは第二類型。第一類型は第二類型の右隻の内容を左右に分けて描き、第三類型は左隻に異国の館を描く。（『南蛮屏風』右隻部分）

日本に上陸してからを描く。右隻を見ると、一六世紀後半の日本の町中に、想像画とは思えないほど精妙に、多様な外国人を描いているのである。

ここで日本の港や町中に南蛮人たちが描かれるようになったことは、重要な変化である。先に述べたように、それまでは、日本を舞台に異国人を描くことがほとんどなかったのに対し、これ以降は、日本の地にさかんに異国人が描かれていくようになっていくのである。この変化は、日本国内においてそれまで見えていなかった他者が、はじめて目に見える存在になったことを示しているということができるだろう。

だが日本という舞台には、ポルトガル人・スペイン人といった南蛮人だけでなく、アフリカ人、インド人、東南アジア人など、新参の異国人が続々と出現した。そうなると、日本人と異国人の区別だけでなく、異国人同士の区別をする必要性も生じてくる。それはたんに絵画制作上の問題ではなく、日本人のアイデンティティにもかかわる問題であった。

というのは、それまで「三国」（実際には日本と唐の二国）と

5

いうかたちで認識していた世界が、いきなり多くの国からなる世界に変わったわけであり、それを認識するには新しい世界観が必要となるからである。そして世界観が変われば、他者認識（＝自己認識）も変更せざるをえない。すなわち日本人は、それまでは日本か（朝鮮を含めての）唐かという単純な二分法に基づいた世界観でよかったのが、新たな世界観と、それに伴う新たな他者認識・自己認識を構築していかなければならなくなったのである。

一六世紀の南蛮人との遭遇は、日本人にそれまでの世界観の変化を求めるとともに、アイデンティティ危機をももたらしたといえる。

## 三国から万国へ

日本人に求められた世界観の変化は、「三国」から「万国」への変化と呼ぶことができるだろう。もはや三国という単純な考えは消滅し、万国の人々、つまり無限に近い国々という考えが生まれたわけである。そして万国と対比して自分たちを位置づけていくためには、万国を細分化して認識する必要が生じてくる。

そのような試みの跡は、一七世紀初頭から一七世紀なかばにつくられた二系統の世界地図にみることができる。

ひとつは、世界地図の周囲に万国に住む人々を標本的に描いた図像を羅列した、手描きの地図である。ヨーロッパの作品をもとに、日本で制作されたもので、大屏風に描かれたものや、日本地図と対《つい》になるものなど、いくつかの種類がある。

そのなかのひとつ、一七世紀初頭につくられたと思われる『世界地図《せかいちず》屏風《びょうぶ》』は、レパント沖の海戦（一六世紀後半の、オスマン朝海軍とスペインなどの連合艦隊との戦闘）を描いた図と対をなし、ヨーロッパを世界の中心とした地図があり、その下隅に、一六か国の人物像を配している。日本は世界地図の片隅にかろうじて掲載されているが、一六か国の人物像のなかには描かれていない。

一方、同時期の一六一〇年代につくられたと思われる『万国絵図《ばんこくえず》屏風』では、やはりヨーロッパを中心とした世界地図の両端に、四二か国の人物が描かれた。ほとんどが男女のカップルで、「日本人」「中国人」「ダッタン人」なども登場するが、彼らはいちばん下に置かれている。おもしろいことに、ここに描かれた平安美女風の日本人女性には、伝統的な日本の絵画表現にはありえない癖毛《くせげ》がきれいに施されている。これはヨーロッパの目で見た日本人の描き方であり、この絵の作者は、自国人を描くのにもヨーロッパの粉本《ふんぽん》（手本）を模写したものと思われる。

これらの地図には、万国に対する意識はうかがえるが、地図の描き方についても、人物の描き方についても、ヨーロッパの手本をそのままに

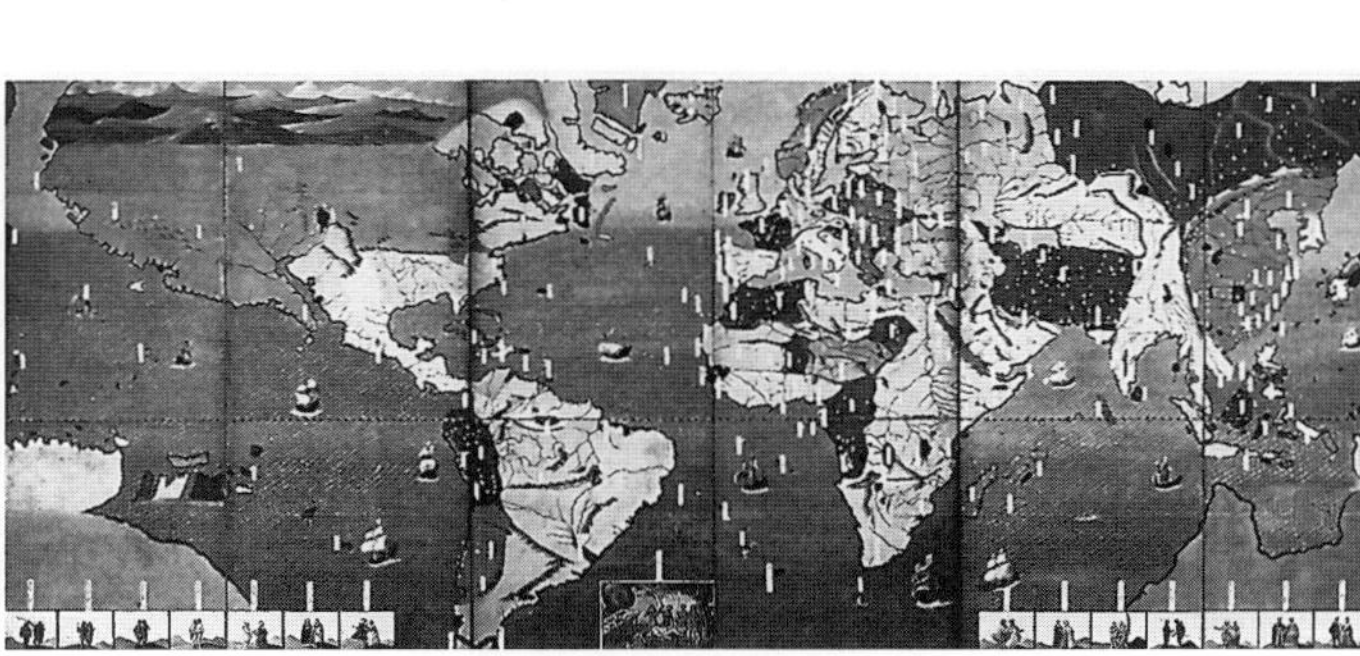

6

◉『世界地図屏風』
一七世紀初めにオランダで出版された世界地図を簡略化して描いた屏風。

踏襲するだけで、日本人的な視点は入っていない。

それに対して、もうひとつの系統の世界地図として、正保《しょうほう》二年（一六四五）に長崎でつくられた『万国総図《ばんこくそうず》』という題の地図がある。これは木版印刷によるヨーロッパ型地図としては日本最初のものである。中国で熱心に布教したイエズス会士のマテオ・リッチが一七世紀初頭に、地図の中心をヨーロッパからアジア・中国に変更して制作した世界地図が日本に伝わり、それを受けて日本で制作される世界地図も、この長崎版『万国総図』のように、世界の中心に東アジアと日本を据えている。

この地図と対になっているのが、縦八・横五の升目に区切られた枠の中に世界四〇か国の「人類」を描いた、一般に「万国人物図」と呼ばれている人物一覧図である。図の上の題辞を見ると、その国々のさまざまな人類の標本であり、「人品差別《しゃべつ》」に資するものとして描かれている、という言葉がある。「差別」というのは「識別」という意味で、つまりこの地図と人物図を見れば、世界各国の人々がどこに住み、どのような人間であるかがわかる、ということである。そして、「格物致知の一助」（人々に関する知識を得るための助け）として、これをつくったともいっている。そこには、世界に広がる多種多様の「人類」を描くことで、「万

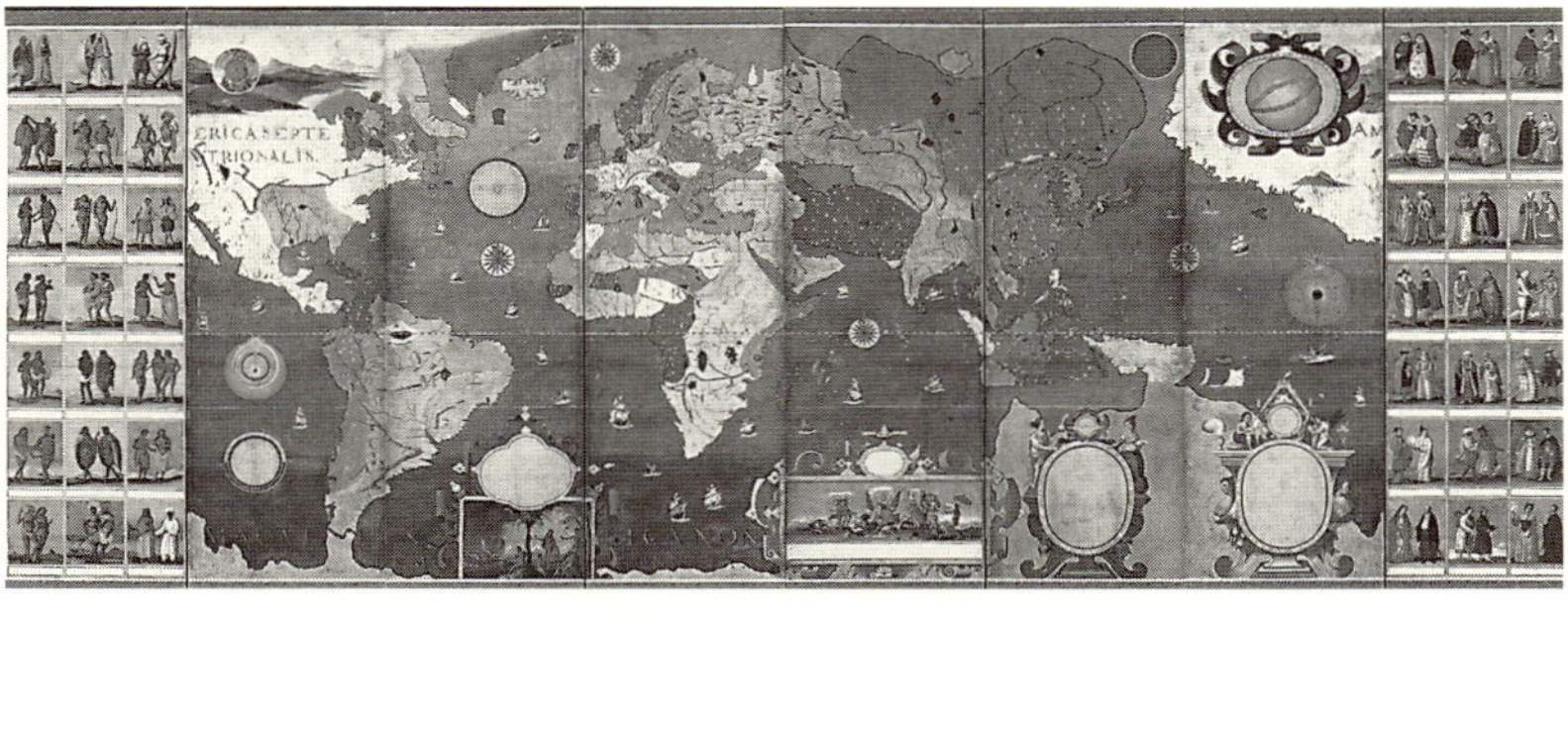

国」の人々は同じ類に属するという認識の芽生えもうかがえ、それについての体系的知識を日本人に与えようという意図が明確に存在する。「人類の発見」ともいえよう。

そしてこの「万国人物図」には、ヨーロッパ的視点から日本的視点への移行がみられる。『万国絵図屏風』に描かれた四二か国の人々は、衣服と装飾品、肌の色、ポーズのとり方を目安にして、ヨーロッパ人を頂点に置き、白い肌できちんとした衣装を身にまとったヨーロッパ人から、トルコ人やペルシャ人といったヨーロッパ人になじみの非キリスト教徒へ、そしてアジア人へと移っていく。日本をはじめとする東アジアの人々は、文明化した人々の最後に位置している。それに対して、正保の「万国人物図」では、これとは対照的に、日本人は第一位に位置されている。日本人だけでなく、中国など東アジアの国々も、ヨーロッパ人より上の、最高位に位置づけられている。そして日本人の描き方も、ヨーロッパの手本どおりではなく、日本人の目から見た、日本風表現の要素が増えている。

正保「万国人物図」の人物配置の仕方は、今日の知識からみれば決して体系的とはいえないが、逆にいえば、当時の日本人が自分たちなりの理解に基づいて、万国の人々を分類し、自分たちを位置づけようとしたものだということができる。そして正保「万国人物図」は、版によって内容に微

7

**◉異国情調あふれる屏風**
八人の王侯騎馬図とパリ、ローマなど二八都市の景観図を描いた「王侯・都市図」の右隻と対《つい》をなす。世界図の両端に四二か国の男女を描き分ける。左はそのなかの日本人。（『万国絵図屏風』左隻）

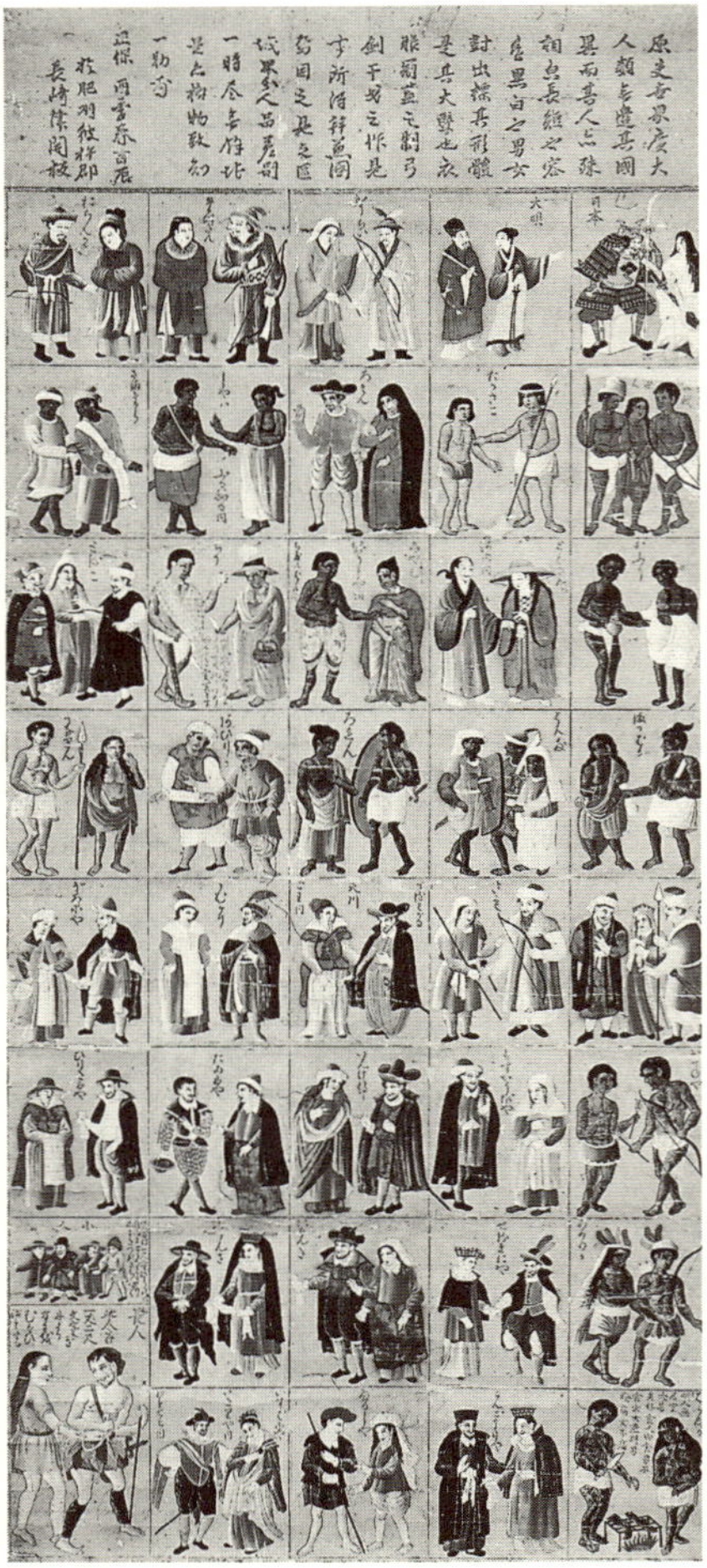

8

◉人物一覧図
「世界図」と「万国人物図」とが対《つい》で描かれた『万国総図』のなかで、日本でつくられたもっとも古いもののひとつ。当時のヨーロッパの例に倣い、世界図を刊行する際には、こうした各地域の人々の様子を描いたものとセットで作成された。

妙な差はあるものの、一七世紀後半に至るまで、長崎だけでなく、京都、江戸などでも出版されつづけた。こうした絵図を通じて、「万国」という概念は社会へ浸透していったのである。

なお、一七世紀後半以降、中国で以前からさかんに刊行されていた「類書《るいしょ》」と呼ばれる百科事典類にみられるような、百科全書主義が日本でも盛んになってくる。その流れのなかで正徳《しょうとく》三年（一七一三）に刊行されたのが、中国の『三才図会《さんさいずえ》』を模した『和漢《わかん》三才図会』（寺島良安《てらじまりょうあん》編）である。これまでの『万国絵図屏風』や「万国人物図」が扱う国が四〇とか四二だったのに対し、『和漢三才図会』においては、じつに一七六もの「外夷」の人物が描かれている。「万国」の広がりぶりがうかがえるだろう。

# 南蛮から唐人へ

### 南蛮人の退場

こうして日本人は、南蛮人《なんばんじん》との出会いによって、「三国」から「万国」へという世界観の変換を余儀なくされたのだが、その一方で、天正期《てんしょう》を過ぎた一六世紀末になると、南蛮を描く美術は急速に衰退し、慶安期《けいあん》（一六四八〜五二）のころまでには、ほぼ完全に姿を消していく。

そのおもな理由は、天正一五年（一五八七）の豊臣秀吉《とよとみひでよし》の九州征伐によって、中央の国家権力が九州にまで手をのばし、さらにその直後、「伴天連《バテレン》追放令」が発布されたからである。これを境に、日本の民衆が実際にどう思っていたかはともかく、国家権力のキリシタンに対する拒絶反応は高まっていった。ザビエルが来日して四〇年たらずで、キリスト教は「邪法」として禁圧され、キリシタンの国々との関係は断たれはじめた。

ただ、秀吉自身は「伴天連追放」を命ずる一方で、貿易は継続しており、キリシタン弾圧は徹底されていなかった。秀吉自身、好んで南蛮装束を身にまとっていた。だが、徳川《とくがわ》の世になると、慶《けい》長《ちょう》一七年（一六一二）にキリスト教が禁じられ、慶長末期から元和《げんな》・寛永《かんえい》期になると、弾圧がいよいよ厳しくなる。家康の七回忌にあたる元和八年（一六二二）秋には、キリシタン五五名が処刑されるという「元和大殉教」のような悲惨な事件も起きた。

そして、一六四〇年頃までに完了したポルトガル人追放（いわゆる「鎖国政策」）によって、キリシタンに関係した言説自体も禁じられてゆき、「南蛮」と称する風流《ふりゅう》はもはや危険な遊びとなり、南蛮人に扮《ふん》するパフォーマンスもしだいに消滅していった。

その過程で興味深いのが、当初唐《とう》のかなたの「天竺《てんじく》」から来た人と認識されていた南蛮人が、なぜか「唐人」と呼ばれるようになっていくという現象である。

たとえば『豊国祭礼図《ほうこくれいさいず》屏風《びょうぶ》』では、明らかに南蛮装束を着けた人々が描かれているにもかかわらず、彼らは「唐人」と呼ばれていた。豊臣氏を滅ぼした徳川家康《いえやす》も、元和二年に世を去ると、東照大権現《とうしょうだいごんげん》として神となり、久《く》能山《のうざん》・日光《にっこう》はじめ、各地の「東照宮」で祀《まつ》られるようになった。家康の七回忌も、御《ご》三家《さんけ》など徳川方の大大名の城下町に建てられた東照宮で、盛大な祭礼が行なわれているが、それらを記録した絵画でも、「南蛮」とおぼしき風流が、「唐人」と呼ばれている例がある。

そして一〇数年後の寛永《かんえい》一二年（一六三五）、伊勢国《いせのくに》津の八《はち》幡宮《まんぐう》が落成した際、藩主の藤堂高次《とうどうたかつぐ》が盛大な祭礼を命じたようである。その様子を描いた『津《つ》八幡宮祭礼絵《はちまんぐうさいれいえ》巻《まき》』にも、同様に「唐人」の名で「南蛮」風流が描かれている。

9

©Spencer Collection, The New York Public Library, Astor, Lenox and Tilden Foundations

●祭りの南蛮装束
津の八幡宮祭礼を描いたもっとも古い絵巻とされる、江戸時代前期の『津八幡宮祭礼絵巻』には、さまざまな南蛮装束で町中を練り歩く人々が描かれている。これは、分部《わけべ》町の南蛮装束。

さらに元禄《げんろく》初期（一六九〇年代）に、長崎から江戸まで二回ほど往復したオランダ商館勤務のドイツ人医師エンゲルベルト・ケンペルも、道中で出会う少年たちに「唐人売買《トーシンバイバイ》」と呼ばれ、「中国人よ、売りたい商品はあるか」と声をかけられたが、それはドイツでユダヤ人に対して呼ばれる名称に似ている、と記している。

もちろん、「南蛮」という呼称そのものがなくなるわけではないのだが、南蛮人が消えていくなかで、「唐人」は異国人の総称となっていったということができるだろう。

**描かれることのなかった朝鮮人**

南蛮人《なんばんじん》の姿が、絵画や舞台、祭礼の練物《ねりもの》などから消え去っても、日本人の異国への興味は失われなかった。日本を舞台に異国情調あふれる風物を描く趣味は継続し、勢いを増していった。追放された南蛮人にかわって新しく描かれるようになったのが、朝鮮・琉球《りゅうきゅう》などの人々であった。

ただ、ここで注意しておきたいのが、それ以前の絵画において、朝鮮人は「唐人《とうじん》」と区別して描かれることがまったくといっていいほどなかったということである。『聖徳太子絵伝《しょうとくたいしえでん》』に登場する新羅《しらぎ》の間諜《かんちょう》や百済《くだら》の使者は、一般の「唐人」と図像学的にまったく区別はできないし、『蒙古襲来絵巻《もうこしゅうらいえまき》』の蒙古軍には当然朝鮮軍も含まれていたはずだが、両者はまったく描き分けられていないのである。

これは、「我朝《わがちょう》」以外はすべて「震旦《しんたん》」であり、中国も朝鮮も区別なく「震旦」のうちという三国意識に基づくものかと思われるが、東アジアの多彩な異国人とかかわりあいをもちつづけたのにもかかわらず、日本人は絵画においては彼らの姿を区別せず、みなまとめて「唐人」として扱ってきたのである。

たまたまではあるが、南蛮人が日本に到来した時期は、後期倭寇《わこう》の活動などもあって、日本と東アジア大陸の近隣諸国（明《みん》・朝鮮）との外交面での関係がもっとも疎くなっていた時代だった。明の「海禁」政策の主要な目的は、日本との関係を断つことであった。その後一五九〇年代に入って豊臣秀吉《とよとみひでよし》による朝鮮侵略が行なわれた際、日本人は、自分たちと朝鮮人の違い、あるいは朝鮮人の特徴に気づいていただろう。捕虜として不本意ながら日本に連行された数万人ともいわれる朝鮮人の姿は、当然日本人の目に触れ、記録にも残された。

しかし、日本の絵師たちは、朝鮮人と中国人とをうまく識別することができなかった。朝鮮人と中国人を識別するコード、つまり絵画的な約束事が存在していなかったからである。

南蛮人が到来するまで、日本人と異国人（唐人）を区別する

10

**◉同じようにみえる蒙古軍の容貌**
日本側の主要人物には名前・年齢が記され、容貌もリアルに描かれているのに対して、蒙古軍を描く際には、細部にこだわって人物を描き分けようとしているようにはみえない。（『蒙古襲来絵巻』）

ために成立していたもっとも基本的なコードは、襟《えり》口・肩口・袖《そで》口などにつける襞飾《ひだかざ》り（フリル）であった。『聖徳太子絵伝』を見ると、太子に拝謁する蝦夷《えみし》の使者や新羅の間諜たちが、フリルをつけた姿で表わされている例がある。彼らが太子やそのほかの「日本人」とは異なる「唐人」であることが、このフリルによって示されているのである。

絵画だけではなく、室町《むろまち》時代に起こった能・狂言などでも、「吾人《ごじん》（日本人）」と「唐人」が同じ舞台に出る場合、フリルなしが日本人、フリル付きが唐人という約束事が決まっている。日本人にとって、フリルは唐人のしるしだったのである。

ところが興味深いことに、一五四〇年代以降に日本に上陸したポルトガル人のファッションで、もっとも目立ったのも、襟のフリルだった。フリルはルネサンス時代のヨーロッパで流行が始まり、日本にはじめてきたポルトガル人も、窮屈そうなフリルを首に巻いていた。もちろん日本人はポルトガル人の特徴のひとつとしてそのフリルを認識した。フリルは南蛮人を示すコードともなったのである。『洛中洛外図屏《らくちゅうらくがいずびょ》風《うぶ》』にもみられるように、日本人は南蛮人を描く際に、さっそくフリルを活用している。

11

◉蝦夷のフリル
一〇歳の聖徳太子が蝦夷を鎮撫《ちんぶ》する場面で、右に座っている蝦夷の使者の襟口に、フリルと思われる描写がみられる。（『聖徳太子絵伝』）

こうしてフリルは異国人全般を示すコードとなり、江戸時代に南蛮人が消えてからも、朝鮮人や琉球人を含む広義の「唐人」コードとして、さかんに利用されるのである。

## 南蛮人か、朝鮮人か?

南蛮人《なんばんじん》の退場と入れ替わるように、外交使節団として日本を訪れた朝鮮人が、絵画に描かれるようになっていく。しかし、これまで独自のコードで描かれることのなかった朝鮮人を描くコードが定まるのには、半世紀ほどの時を要した。

朝鮮通信使を描いた絵画史料として、もっとも早い例と思われるのは、元和《げんな》期の一六二〇年前後に描かれたと思われる、ニューヨークのバーク・コレクション所蔵の『洛中洛外図屏風《らくちゅうらくがいずびょうぶ》』一隻本《いっせき》（以下、バーク本と略す）である。そのなかに、朝鮮通信使と思われる異国人グループが二か所に描かれている。ひとつは、内裏に向かって行進する行列、もうひとつは、方広寺《ほうこうじ》（大仏殿《だいぶつでん》）の境内に遊ぶ一行である。どちらも朝鮮通信使のようだが、異なる要素も目につく。

まず内裏に向かう行列を見ると、輿《こし》に乗っている人物はたし

12

◉方広寺に立ち寄る朝鮮通信使
行列のルートに方広寺が含まれるようになったのは、耳塚の前を通らせようという幕府の思惑《おもわく》による。（『洛中洛外図屏風』バーク本）

かに正使のようである。行列の人々の服も朝鮮らしいともいえるが、服の襟《えり》や袖《そで》あたりには、「唐人《とうじん》」コードのフリルがふんだんに施されている。また、彼らがかぶる冠帽子も、素材は朝鮮のもののようだが形はむしろ南蛮帽子に近い。さらに、通信使が持つ清道旗《せいどうき》や形名旗《けいめいき》を示す旗印がなくて、かわりに南蛮人のしるしである十字架を掲げており、先頭の旗を掲げている二人はイルマン（神父を補佐する修道士）風の髪型である。

つぎに方広寺の一行を見てみると、マント、ズボンなど明らかに「南蛮」装束の二人が主人公となっているが、彼らの顔は南蛮風ではなく、日本人や朝鮮人と大きく変わらない。一方、それを取り巻く従者たちの装束は、下半身は南蛮ズボンとボタス（高靴）に似せた足袋、上半身はフリルのついた「唐人服」であり、さらに髪型はサントゥという朝鮮男子の髷《まげ》と、イルマンを思わせる五分刈りの頭が混在している。なお、バーク本と同一工房で、おそらく同時期に制作された『洛中洛外図屏風』（林原美術館所蔵）には、方広寺の異国人のみが描かれている。

バーク本は、元和三年（一六一七）の朝鮮通信使を描いたと

13

◉内裏に向かう通信使一行
行列の隊列は通信使の体をなしているが、服装の細部には、通信使らしからぬ「フリル」などがみられる。（『洛中洛外図屏風』バーク本）

思われる。第一章で触れたように、そのときの通信使（正確には回答兼刷還使《かいとうけんさつかんし》）は幕府の思惑《おもわく》によって方広寺を強制的に見物させられているので、ここで描かれているのは朝鮮通信使として間違いないだろう。だが、内裏に向かう行列も方広寺の一行も、朝鮮通信使そのものの要素もみられるものの、唐人要素や南蛮要素が混在している表現となっている。

寛永《かんえい》一一年から一二年（一六三四～三五）作と思われる歴博《れきはく》本《ぼん》『江戸図屏風《えどずびょうぶ》』や、狩野探幽《かのうたんゆう》が寛永末期に描いた『東照社縁起絵巻《とうしょうしゃえんぎえまき》』にも、朝鮮通信使の行列が描かれているが、ここにおいても、唐や南蛮の要素が持ち込まれ、さらには武官《ぶかん》が韃靼人《だったんじん》のように描かれるなど、複数の習俗や装束が混ぜ合わされた表現となっている。

これらの絵画史料は、南蛮人や唐人と区別された、絵画における朝鮮人独自のコードがまだ確立されていなかった一七世紀前半における、絵師の苦心の跡を示している。美術史家のエルンスト・H・ゴンブリッジによれば、画家は「彼らが見たものを描くというより、描くものを見る」という。前例のないもの、見慣れないものを表現しようとする際、見慣れたもの、すなわち従来の表現から出発し、目の前にあるものを、自分の見た粉本《ふんぽん》にあわせて見て描く、ということである。

14

●韃靼人のように描かれた武官
寛永一三年の通信使一行の日光社参の様子を描くが、細部には韃靼人風や、唐・南蛮の要素も入り込んでいる。（『東照社縁起絵巻』）

朝鮮通信使を描こうとした絵師たちも、はじめて朝鮮人を描くにあたって、すでに成立していた唐人や南蛮人のコードを借用するしかなかったわけである。さまざまな要素の混在はその結果であり、彼らの描いた絵は決して写実的なものではない。だからといって絵画史料としての価値は少しも下がらないであろう。むしろこれらの作品は、「朝鮮人」コード確立に向けた模索を示しているということができるのである。

### 朝鮮人コードの確立

一七世紀前半の日本の絵師たちによる朝鮮人コード確立に向けた模索の成果は、筆者のみたところ明暦《めいれき》元年（一六五五）の通信使を描いたとされる『朝鮮通信使歓待図《ちょうせんつうしんしかんたいず》屏風《びょうぶ》』にはじめて認められる。

そこには、帽子や服装、靴などの表現において南蛮人《なんばんじん》や韃靼《だったん》人《じん》の要素の混在はみられない。すなわち、馬の尾やたてがみで編んだ帽子、長裾の上着、ゆったりしたズボン、短い靴などといった朝鮮人の服飾上の特徴が描かれているのである。もちろん、厳密に比べれば現実の朝鮮通信使の服装どおりではない部分もあるので、ほんとうの意味で写実的に描いたとはいえない

15

◉写実的に通信使が描かれた屏風
東福門院《とうふくもんいん》の遺品として、京都泉涌寺《せんにゅうじ》に伝わる屏風。通信使の描き方が比較的しっかりしている。筆者は狩野益信《かのうますのぶ》。（『朝鮮通信使歓待図屏風』）

のだが、朝鮮人を朝鮮人として描こうとする姿勢は明確である。

また、正使が乗る輿《こし》を日本人が担いでいるように描いているのも現実どおりである。通信使行列では、本来正使などの乗る輿は日本人が担ぐことになっているのだが、なぜか『江戸図屏風《えどずびょうぶ》』歴博《れきはく》本《ぼん》や『東照社縁起絵巻《とうしょうしゃえんぎえまき》』などでは、朝鮮人が担ぐように描かれていたのである。

朝鮮人を朝鮮人として描こうとする意識は、先ほど紹介した世界地図からも見てとることができる。ヨーロッパ製の地図をもとに日本でつくられた『万国絵図屏風《ばんこくえずびょうぶ》』では朝鮮人が描かれていないのに対して、正保《しょうほう》二年（一六四五）につくられたいわゆる正保「万国人物図《ばんこくじんぶつず》」には、「かうらい（高麗）」人が描かれていたのである。ただしそれは、中国の「類書《るいしょ》」をもとに描いたもので、現実の朝鮮通信使を描いた屏風類とは系統が異なる。それでも、一七世紀なかばには朝鮮人を中国人などと区別して描く意識が確立してきていることを示していると思われる。

朝鮮人を朝鮮人として描くということは、朝鮮人を認識するということだが、その際には日本人との対比において認識する場合が多かった。自分たちと異なる点が相手の特徴として認識されるとともに、相手と異なる点が自分たちの特徴として認識されるようにもなる。たとえば履き物を見てみると、朝鮮人が靴を履くのに対して、日本人が履くのは草履《ぞうり》や草鞋《わらじ》であり、裸足《はだし》のこともあった。その違いはやがて、「靴を履いているのは朝鮮人、草履を履いているのは日本人」という、両者を区別する絵画上のコードとして成立していくのである。

**◉琉球人と朝鮮人の描き分け**
右が宝永七年の琉球使節の記録画で、左が翌年の朝鮮通信使の記録画。日本人の類似性と、琉球人と朝鮮人の描き分けが見てとれる。

また、近世において朝鮮通信使と類似した存在として語られるものに琉球《りゅうきゅう》使節がある。そこで、両者が絵画上区別されていたかをみてみよう（下図版）。一七世紀までは、琉球人を描いたことが確実な絵画史料は存在しない。宝永《ほうえい》七年（一七一〇）の琉球使節の来日時に、幕府が鹿児島（薩摩《さつま》）藩に命じてつくらせた記録画がおそらく初見と思われる。

翌年、朝鮮通信使が来日した際に、同じく幕府に記録画の作成を命じられた対馬《つしま》藩は、鹿児島藩から前年の琉球使節の記録画を借りて作画した。両者を比べてみると、日本人についてはほとんど同じように描かれているのに対して、朝鮮人と琉球人は別ものとして描かれている。宝永七年の段階で、朝鮮人と琉球人とを描き分ける絵画コードが成立していたことがわかる。

だがおもしろいことに、一方ではこうして描き分けられる朝鮮人と琉球人が、その一方では等しく「唐人《とうじん》」とも呼ばれるようになっていくのである。朝鮮通信使や琉球使節の行列は「唐人行列」と呼ばれたし、朝鮮人のことを「ちやうせん唐人」などと呼ぶ例もある。

南蛮人と違ってつねに日本人の前に姿を現わしていた朝鮮人や琉球人も「唐人」に吸収されていくことは、「唐人」の引力を感じさせる。

16

17

## 「毛唐人」の誕生

### ひげをなくした日本人

近世に「唐人《とうじん》」が外国人一般を指す言葉になったことを先に述べたが、それに関連して興味深いのが、「毛唐《けとう》」「毛唐人」という言葉である。現在でもおもに白人に対する蔑称《べっしょう》として残っていて、筆者も「毛唐」と呼ばれた経験があるのだが、この言葉が誕生したのも近世なのである。

身体の大小や形状、肌色や体毛の濃淡といった特徴は目につきやすいために、個人や集団のアイデンティティを構築したり、他者の異質さを認識したりするうえで重要な要素のひとつとなっている。そして頭髪やひげは、そのなかでももっとも目立つ特徴である。すなわち「毛唐」「毛唐人」という言葉は、相手が自分たちの社会・文化に含まれる存在か否《いな》かという認識を、「毛」によって行なっていることを示している。そこで、近世において日本人が「毛」についてどのような認識をもっていたかをまずみていきたい。

古代から安土桃山《あづちももやま》時代までの日本では、成人男子はひげをたくわえるのが一般的だった。また、戦国時代ごろまでは、男子の髪型は、のばした頭髪を束ねて、烏帽子《えぼし》で覆う習わしであった。

戦国末期から江戸時代初頭にかけても、「男伊達《おとこだて》」を誇る男性は必ずひげをたくわえるものだった。ひげがはえにくい男性は、紙を蠟《ろう》で固め、墨や鉄で黒くした「作り髭《ひげ》」をわざわざ用意して、顔につけていた。豊臣秀吉《とよとみひでよし》は、「はげねずみ」のあだ名を付けられたように毛髪に恵まれておらず、作り髭だけでなく、鉄漿《かね》で黒く塗った作り眉毛《まゆげ》までつくらせた、といわれている。

この時期の男性にとって、「ひげ」がいかに重要だったかを示している狂言がある。『髭櫓《ひげやぐら》』は、もともと応仁《おうにん》（一四六七〜六九）のころの狂言らしいが、現在残っているのは安土桃山時代のテキストである。天皇の即位式である大嘗会《だいじょうえ》を行なうにあたって、「犀の鉾《さいのほこ》（木でつくった鉾）」を持つ役を「大髭」の男にやらせようということになって、主人公の男性が「とかく某《それがし》ほど大髭なる者はない」と朝廷に認められて、犀の鉾の役を仰せ付けられた。

喜んだ男性は家へ帰って妻に自慢するが、妻は困った顔しか見せない。ただでさえ家計が苦しいのに、大嘗会に出るとなると衣装をそろえたり、世話になった人を接待したりと、経費がかかるからである。そこでやめさせようと、「つねづねわらわもむさくろしゅう思うておりまする。さいわいなことでござる、その髭を剃《そ》ってしまわせられい」というが、夫は納得できず、「この髭を誰《た》が髭じゃと思うか。もはや天下《てんが》の髭じゃ」と、「天下」を名目に断わる。そして夫は、反対する妻がすきをねらって勝手に剃ることを予測して、髭を守るために小さな櫓をこしらえてもらうのである。

その風潮は江戸時代初期まで残っていた。しかし、江戸幕府が安定した長期政権となり、泰平の世となるに従い、日本男児からひげはすたれていく。それをよく示すのが、天皇の肖像画である。黒田日出男《くろだひでお》が指摘するように、一七世紀前半の正親町《おおぎまち》・後陽成《ごようぜい》両天皇のころまでは、ひげが描かれているのに対して、そのあとの後水尾《ごみずのお》天皇のころから、肖像画からひげが消えていく。黒田は、この風俗の変化を「『有髭《ゆうし》』の中世から『無髭《むし》』の近世へ」という。そしてこれは、明治時代になるまで続くのである。

一七世紀前半にひげが消えていく背景には、当時の社会情勢があった。天下泰平の時代になると、戦場で功名をあげる機会がなくなった浪《ろう》人《にん》が世の中にあふれた。これらの浪人は、泰平で退屈しているかぶき者の旗本《はたもと》などとともに、江戸や各地の城下町で、喧嘩《けんか》などに明け暮れ、治安上の問題となっていった。浪人たちの多くはむさ苦しいひげや、額・鉢《はち》をいっさい剃らない「総髪《そうはつ》」をしていた。彼らにとって、ひげや総髪は、新体制に屈さない、抵抗的姿勢の象徴だったのである。

幕府は、こうした風潮に厳正に対処した。すでに一七世紀初頭の慶《けい》長《ちょう》・元和《げんな》期あたりから、治安・風俗統制の一環として、朱鞘《しゅざや》や長い太刀《たち》とともに、総髪や、鬢《びん》を極端に細く小さくして、額を広く剃る「大額《おおびたい》」が禁じられはじめた。元和元年（一六一五）、そして八、九年と、幕府は、泰平・治安に逆らうと思われる身なりや服飾品を細かく定めたが、それを見ると「鬚（あごひげ）」「総髪」「大額」、そして髪を結ばない「撫付《なでつけ》」が数えられている。かわりに許された髪型は、頭の前や頂を完全に剃り落として、周辺部を残す月代《さかやき》と、後方の髪の毛を長く、まっす

18

19

**◉徳川将軍とひげ**
徳川二代秀忠《ひでただ》（右）まではひげがあるが、三代家光《いえみつ》（左）以降いったんひげが消えるのは、天皇と共通している。ただし、のちにひげが復活する将軍もいるのが興味深い。

ぐのばして油で固め、頭の上に載せる髷《まげ》であった。

各地の諸大名もすぐに、幕府の風俗統制に準じて髪型やひげに関する禁令を出し、領内を取り締まった。守らない者は、罰金を徴されるだけでなく、時には親指を切り落とすなどの残虐な体罰に処された。

こうして、一七世紀中葉までには、ひげや総髪は成人男性には禁じられ、素顔と月代が義務づけられていった。「月代・髷・ひげなし」の三点セットが、日本の「国風」を表わす身体的な特徴となったのである。

## 清の辮髪とひげ面

日本の新体制が、その統制力の象徴として、成人男性の髪型やひげを厳重に取り締まりはじめたのとほぼ同じころ、大陸では満州族（女真族《じょしんぞく》）が興《おこ》した清《しん》帝国が、さらに厳しく髪型の統制を実行した。

この新たな帝国は、中国東北部の遼寧《りょうねい》を制覇した一六二一年、遼寧の漢族に対して「薙髪令《ちはつれい》」を発布して、満州族の習俗であった辮髪《べんぱつ》を強制した。辮髪というのは、頭頂部付近を四角く残して前もまわりも髪を剃り、頭頂部から長くのばした髪を三つ編み（辮）にして後ろへ下げ垂らす髪型である。

以来、清が南進するとともに、支配下に収めた地域の漢族の住民に対し、つぎつぎと「薙髪令」

20

◉髷の流行
髷の型にも、時代によって流行があった。安永《あんえい》二年（一七七三）刊の『当世風俗通《とうせいふうぞくつう》』には、「時勢髪八體之図《ほんだふうはっていのず》」という、当時流行した本多髷《ほんだまげ》の一覧が載っている。

を発布し、彼らが清に服従したしるしを、いち早く目につくかたちでその身体に刻んだのである。儒教倫理を重視する漢族にとって、父母からの授かりものである身体や髪・皮膚などを損傷することは、不孝至極のことであったので、辮髪に対する抵抗は強かった。しかし、一六四四年の春、北京《ペキン》が陥落すると、中国大陸南部に残って抵抗する明の遺臣たち（南明《なんみん》）が支配する地域を除いて、辮髪を拒否する場はなくなった。その春、ドルゴン（順治《じゅんち》帝の摂政）は、漢族男子の辮髪を命じ、反対するだけで死罪とした。

一七世紀の東アジアにおいて形成されつつあった、江戸幕府と清帝国という二つの新しい支配体制は、時をほぼ同じくして、男性の身体のいちばん目につく頭という部分に、権力への服従のしるしを示させたのである。なお、朝鮮をはじめとして清に朝貢する諸国に対しては、清は辮髪を強制することはなかった。

日本と清が、男性に強《し》いたヘアスタイルは、ひどく対照的だった。片や月代《さかやき》、片や辮髪。日本が残す部分は、清が剃り、清が三つ編みにして垂らす部分を、日本は油で固めて頭に載せた。また清の男性は通常ひげをはやしていたが、日本ではひげは禁じられていた。そこでひげの有無という対照も生じた。

21

●明人の髪を切る清人
享保二年（一七一七）刊の『国姓爺《こくせんや》忠義伝《ちゅうぎでん》』では、征服した清人（満州族）が明人（漢族）たちの髪を切る場面を挿絵にしている。漢族への髪型の強制に日本人が関心をもっていたことを示す例といえるだろう。

その大きな差異は、日本でも、いち早く気づかれた。一七世紀なかばには、明の遺臣たちが福建《ふっけん》省一帯で清への抵抗を続けており、時に日本へ援軍派遣も求めた。長崎へは、清の支配下の地域からも、また清に抵抗する地域からも、貿易をめざすジャンク船がつぎつぎと入津した。それに対して、幕府が貿易の許可・拒否の基準としたのが、辮髪であったようだ。乗組員が辮髪をしているジャンクは、北狄《ほくてき》船として追い返され、乗組員が明風の髪型をしている船だけが許可となった。長崎のオランダ商館長も、「タルタル（韃靼《だったん》）風」に剃髪した南京人《ナンキンじん》が、今回だけ貿易を許されたが、二度と渡来することを禁じられたと、商館長日記に書き残している。

また朝鮮人も髪やひげをのばしていたので、髪型やひげは、日本人と清人・朝鮮人など広義の「唐人《とうじん》」とを区別する手段として、しだいに認識されていった。ただしひげについては、日本人も近世当初はのばしていたことから、区別があいまいだったようである。たとえば、『洛中洛外図屛風《らくちゅうらくがいずびょうぶ》』バーク本に描かれた朝鮮通信使と思われる異国人は、一人二人を除いては、ひげなしで描かれているが、町中の日本人の男性のほとんどは、ひげ面《づら》である。

寛永《かんえい》一三年（一六三六）に日光東照社《にっこうとうしょうしゃ》を訪れた朝鮮通信使を描いた『東照社縁起絵巻《とうしょうしゃえんぎえまき》』も同様に、見物人のなかにひげ面の日本人を描いているのに対して、行列の朝鮮人たちは、とりたててひげで特徴づけられておらず、ひげのない顔も多い。当時はまだ、必ずしもひげが朝鮮人、ひいては「唐人」の特徴として認識されていなかったのであろう。

## 辮髪への関心

日本人と清《しん》人の間の明瞭なひげや髪型の違いは、「唐人《とうじん》」を表わす絵画上の表現にも、しだいに取り入れられていった。

井《い》原西鶴《はらさいかく》の『好色一代男《こうしょくいちだいおとこ》』（天和《てんな》元年〔一六八一〕）を見てみよう。主人公の世《よ》之《の》介《すけ》は、国内の遊女を試したあげく、女性だけが住むという女護《にょご》の島《しま》のエキゾチックな女性を求めようとするが、その前に、長崎丸山《まるやま》の遊廓《ゆうかく》で遊んでから出帆することにする。丸山といえば、中国人も通う廓《くるわ》である。世之介が廓を歩いていると、「唐人」たちがやってくる。彼らの姿は、写実的に描かれてはいない。お決まりの「唐人服」に、異人であることを表わすために、帽子をかぶったひげ面《づら》で描かれている。世之介の大きな月代《さかやき》と、ひげのない顔とは、ひじょうに対照的である。

西鶴の『諸艶大鏡《しょえんおおかがみ》』（貞享《じょうきょう》元年〔一六八四〕）にも、極端に月代を剃った若旦那らしい男が、四人の遊女を連れて、丸山の遊廓で唐人の舞を楽しむ場面がある。舞台の上の唐人たちは、フリルのついた唐人服に帽子といういでたちで、とりわけその濃い眉毛《まゆげ》ととがったひげが目立っていて、若旦那の月代やひげのない顔との違いが強調されている。すでにひげが「唐人」の記号になっているのは明らかだ。

22

◉長崎丸山遊廓での世之介と唐人
ひげに唐人帽子という典型的な姿で『好色一代男』に登場する唐人。中国人が自由に振る舞えた時期の長崎の町ならではの描かれ方である。

ただ、西鶴の唐人たちはすべて帽子姿のため、髪型はわからない。清人は朝鮮人や琉球《りゅうきゅう》人と違って江戸参府が認められておらず、長崎を出ることがなかったので、長崎以外の人々は清人を見る機会はほとんどなかったと思われる。西鶴も同様だったろうし、当時はまだ辮髪《べんぱつ》の図像は上方や江戸までは広まっていなかったので、唐人を描くにあたって辮髪を描く術《すべ》がなく、従来の絵画の伝統的表現に従うしかなかったのだろう。

大坂の医師寺島良安《てらじまりょうあん》は、明《みん》末期の類書《るいしょ》『三才図会《さんさいずえ》』をもとにして正徳《しょうとく》三年（一七一三）に刊行した百科事典『和漢《わかん》三才図会』において、世界の人類を「異国人物」として分類しようとした。そのなかの「震旦《しんたん》」の人物を説明する良安が描いた挿絵には、そのひげ習慣を強調するように、髭（口ひげ）・髯（ほおひげ）・鬚（あごひげ）がはっきりと表現されている。

さらに「大清」の項目で「南京の民鬢髪《びんぱつ》を剃り、韃靼《だったん》の風俗を為し」と髪型に言及し、「韃靼」の項目で、「蒙古《もうこ》の風俗は項《うなじ》を剃り、額に至りて其の形を方にして髪を正中《まんなか》に留《と》む。之《こ》れを怯仇児と謂《い》ふ。如今は中国の民俗皆之れを習ふ」と、辮髪の習

23

◉『諸艶大鏡』に登場する唐人
『好色一代男』の後半をうけて、より現実的に展開する物語として描かれた『諸艶大鏡』。世之介が捨てた子の世伝《せでん》が聞いた遊里の話の体裁をとる。『好色二代男』の別名もある。挿絵は一代男と同じく、西鶴がみずから描いている。

慣に触れているのだが、辮髪は描かれていない。満州族の理髪習慣についてかなり詳しい知識をもっていた良安も、辮髪を描くことはできなかったわけである。

辮髪姿の唐人が、日本の絵画に現われるのは、一八世紀前半の享保《きょうほう》期に入ってからである。文錦《ぶんきん》堂《どう》、豊島屋《としまや》といった長崎の版元から、唐人屋敷のなかの「唐人」や、町を歩く「唐人」などのエキゾチシズムをテーマにした版画がつぎつぎと出されるようになった。いわゆる「長崎絵《ながさきえ》」である。文錦堂版の『大清人酒宴図』では、頭をむきだしにした唐人たちが、その辮髪姿を披露する。また豊島屋の『鬧花図《とうかず》』でも、ひげ・辮髪姿の唐人の男性たちがくつろいでいる姿を描いており、そのうちの二人は、辮髪が邪魔にならないように、髪を頭の上に巻いている。

それ以降、辮髪姿の唐人は、さまざまに描かれるようになる。たとえば『絵本異国一覧《えほんいこくいちらん》』（寛政《かんせい》一一年〔一七九九〕）は、世界五二か国の人類を類型家族として描き、それぞれの特徴を説明しているが、その「大清国」では親子五人の家族を描く。父親は帽子をかぶっているので髪型はわからないが、長男は辮髪姿で描かれている。

## 和藤内の月代、韃靼の辮髪

日本人と唐人《とうじん》の髪型の違いを、もっとも象徴的に用いたのが、近松門左衛門《ちかまつもんざえもん》が大当たりをとった『国性爺合戦《こくせんやかっせん》』であろう。正徳《しょうとく》五年（一七一五）に初演され、一七か月続演の長期興行となった。

『国性爺合戦』は、中国人の海賊・商人鄭芝龍《ていしりゅう》と、肥前平戸《ひぜんひらど》の港町の日本人女性（田川《たがわ》家の娘）との間に生まれた鄭成功《せいこう》をモデルにした人形浄瑠璃《にんぎょうじょうるり》である。主人公は、国性爺（史実としては「国姓爺」）、通称「和藤内《わとうない》」と呼ばれている。つまり「和」と「唐」の間という意味である。父親は「唐人」ではあるが、舞台上の和藤内は、剃《そ》った月代《さかやき》とひげなしの面によって明らかなように、「和」の美徳を凝縮した人物として描かれている。これに対し、一度清《しん》に降ったが、のちに和藤内と組む「五常軍《ごじょうぐん》甘輝《かんき》」は、「唐人髷《まげ》」と、胸までのびた濃いひげの人形である。

和藤内は、中国の明《みん》が北狄《ほくてき》・「韃靼《だったん》」である清に滅ぼされたと聞いて、明の再興を願って唐へ渡る。北京《ペキン》で殺害された明の最後の皇帝の子が、福州に引きこもっていた。この「南明《なんみん》」の帝王の臣下として明の復興を掲げる重臣に、和藤内の父芝龍がいる。唐に渡った和藤内は、忠誠心に富む現地人（唐人）を組織し号令して闘う英雄となる。

『国性爺合戦』でもっとも有名なのは、唐に渡った和藤内が、千里《せんり》が竹《たけ》で、母から授けられた伊勢《いせ》神宮のお守りと、彼の清い大和心《やまとごころ》と体力でもって、猛虎を退治する場面であろう。退治した虎の背中にまたがった和藤内は、逆臣・李蹈天《りとうてん》の部下たちに襲われるが逆に降参させ、従わせる。そこで、和藤内は、つぎのように命じるのである。

我《わ》が家来になるからは日本流に月代剃《さかやきそ》つて元服させ。名も改めて召しつかはんと。差添《さしぞ》への小刀はづさし、これも当座の早剃刀《はやかみそり》。母も手ン手に受け取つて。ならぶ頭の鉢の水、揉《も》むや揉まずに無理無体。かたはし剃るやら毀《こぼ》つやら。糸鬢厚鬢《いとびんあつびん》剃刀次第。また丶く間に剃り仕廻《しま》ひ、二櫛半のはらげ髪。頭は日本、髭《ひげ》は韃靼、身は唐人。
（「わが家来になるからは、日本流に月代を剃って元服をさせ、名前も変えて召し使おう」と、小脇差《こわきざし》や刺刀《さすが》を取り出し、これもこの場の剃刀と、それぞれを母もともに手に取って引き受け、並べる頭を鉢の水で、毛を揉んだり揉まなかったり、無理やりに片端から片方を剃ったり削ぎ落としたりしながら、糸鬢や厚鬢《あつびん》を剃刀の当て具合で、あっという間に剃り終えて、さっと櫛を入れるだけのばらけ髪にする。頭は日本、ひげは韃靼、体は唐人）

つまり、日本風の髪型になることが、日本人に従順になる証《あかし》なのである。

その少しあとの場面では、清側の五常軍甘輝が、「一戦に追つて追ひまくり。和藤内が月代首ひつさげて来たらん」と宣言する。これは、和藤内が日本を発《た》つ前に言った「韃靼頭の芥子《けし》坊主《ぼうず》。捻《ね》ぢ首筒《くびつつ》抜き追つ伏せ。切り伏せ」というせりふに対応したもので、ここでも互いの髪型が、比喩《ひゆ》的な役割を果たしている。

24

**●和藤内、虎を制し、唐人を手下とする**
近松門左衛門作の浄瑠璃『国性爺合戦』。唐に渡った主人公の和藤内は虎を退治し、さらに唐人たちの月代を剃り、手下とした。

『国性爺合戦』は「天下一統のはやり」となり、絵番付・絵本の挿絵・絵馬・祭礼のパフォーマンスなどにも取り込まれていった。たとえば、大坂の竹本座《たけもと》での初演直後から、飛騨高山《ひだたかやま》などの各地の祭礼において、屋台《やたい》の演目や付け祭りなどに取り入れられたようだ。高山の場合は、どの場面だったか明らかでないが、仙台の祭礼番付など、現存する史料から判断すると、やはり「虎退治」の場面が主題となることが多かったようである。また虎退治を大絵馬《おおえま》に描かせ、神社に奉納した事例も、山口・福井・栃木など、全国各地にみられる。

こうして、月代の和藤内と、彼に従うひげ面《づら》の唐人たちを対照的に描く『国性爺合戦』の名場面を通じて、月代やひげを、日本人と他者（唐人・韃靼人）とを区別するシンボルとする意識は、ごくごく短期間に、民衆の間に浸透していったのである。

なお『国性爺合戦』には、女性はほとんど登場しないが、数少ない女性の登場場面のなかに、こんなエピソードがある。和藤内の母が甘輝将軍の館に抑留された場面（第三段）で、甘輝の侍女たちが、髪型と衣装から、この女は日本人だと気づく。

25

◉絵馬に描かれた虎退治
和藤内の虎退治は人気を得て、さまざまなかたちで取り上げられた。これは、天満《てんまん》神社（福井県鯖江《さばえ》市）所蔵の絵馬を復元したもの。

「なんと日本の女子《おなご》見てか。目も鼻も変《かわ》らぬが、をかしい髪の結ひ様《やう》、変つた衣装の縫《ぬ》ひ様」とある。そして近松は、唐人女の口を借りて日本女性の自慢をし、観客を気分よくさせるのである。

いや〳〵、とても女子に生れるなら。こちや日本の女子になりたい。なぜといや。日本は大きにやはらぐ大和《やまと》の国といふげな。なんと女子のためには。大きにやはらかなは好もしい国ぢやないかいの。ホウ有がたい国ぢやのと。目を細めてぞうなづきける。

## 「唐人の学び」

こうして辮髪《べんぱつ》・ひげ面《づら》という唐人《とうじん》のイメージが、日本人の間に定着するにつれて、さまざまな想像上の「唐人」が生まれるようになった。たとえば、商品名の頭に「唐」あるいは「唐人」という文字をつけて、唐人衣装を着た行商人にそれを売らせることによって、舶来品というエキゾチシズムを商品にまとわせたのである。舶来品のなかでも砂糖や人参などの薬種には、海のかなたより到来する高級品というイメージがあった。そのため、「唐人」「漢人」「三漢」「三韓」などを商品名に付けた薬や喉飴《のどあめ》が、広く出まわるようになった。

英一蝶《はなぶさいつちょう》の「飴売り」（左ページ図版）は、唐人衣装を身にまとった商人を描いているが、明らかに作り物の付けひげを紐《ひも》でつけているのがおもしろい。それによって、この絵に描かれた人物が、「唐人」そのものではなく、あくまでも「唐人」に扮《ふん》した日本人であることがわかる。もちろん草鞋《わらじ》は、「日本人」の決め手だが、ひげが偽物《にせもの》であるのも、ひとつのしるしとなった。

さらに「飴売り」は、「唐人」であることを強調するかのように、帯から巨大な「唐辛子《とうがらし》」の作り物をつり下げている。道具箱の上には、異国人を示す記号であるチャルメラが置いてあり、箱のからくり人形（これも、ズボンやボタン付きの胴衣など、異国人記号の塊である）も、チャルメラを吹いている。「飴売り＝唐人」という認識は広く定着しており、川柳《せんりゅう》にも「飴売りだよと、唐人へ指さして」とある（『誹風柳多留《はいふうやなぎだる》』）。

このように唐人に扮することは、「唐人の学び《まね》」と呼ばれた。早くから祭礼において南蛮人《なんばんじん》に扮したパフォーマンスがみられたように、日本人は、唐人のイメージを仮装というかたちで表現することを好んで行なったのである。

超人的な技芸を披露《ひろう》する曲芸師や軽業《かるわざ》師も、日本人が模倣する唐人のイメージのひとつであった。「唐人と曲芸・軽業」という連想は中世からあったが、南蛮人の出現によって、今度は南蛮人と曲芸・軽業が結びついた。初期南蛮屏風に描かれた「黒船」、たとえば、狩野内膳《かのうないぜん》の『南蛮屏風《なんばんびょうぶ》』の船上をよく見る

26

**◉唐人姿の飴売り**
人目をひくためか、実際に唐人に扮した飴売りがいたのであろう。琳派《りんぱ》の画家、鈴木其一《すずききいつ》にも同主題の絵が残っている。（『一蝶画譜《いっちょうがふ》』）

と、舳《へ》先《さき》から突き出した遣出《やりだし》で逆立ちする人や帆《ほ》桁《げた》の端からぶら下がる人たちがたくさんいることに気づく。これらの軽業を演じる人たちは、肌の色が黒く表現されている。

「唐人と曲芸・軽業」という連想は、寛永《かんえい》期にさらに定着した。寛永一二年（一六三五）、三代将軍徳川家光《とくがわいえみつ》の願いにより、朝鮮は「馬上才《ばじょうさい》」という馬を使った曲芸をする人々を江戸に派遣した。その芸は城外の馬場《ばば》先《さき》で披露された。その後、馬上才の曲芸団は、朝鮮通信使のたびに日本へ派遣され、庶民もめずらしがって楽しんでいたようである。江戸へ行く途中に通信使が泊まる京都などでも、馬上才の稽古《けいこ》は見物の対象となり、浮世絵師もその様子を描きはじめた。たとえば菱川師宣《ひしかわもろのぶ》は、「朝鮮人馬上才」の浮世絵を残している。元禄《げんろく》末の京都のガイドブック『宝永華洛細見図《ほうえいからくさいけんず》』でも、本圀寺《ほんこくじ》境内で曲芸の稽古をする馬上才たちの様子が描かれている。

こうして曲芸・軽業の世界でも、そのイメージの担い手は、南蛮人がしだいに消滅して、唐人がふたたび主流となっていった。たとえば、元禄八年（一六九五）に美具久留御魂神社《みぐくるみたまじんじゃ》（大阪府富田林《とんだばやし》市）に奉納された大絵馬《おおえま》に、朝鮮通信使の船団が淀川《よどがわ》をさかのぼ

27

●南蛮船に遊ぶ軽業師たち
マストから下がる綱などを利用してパフォーマンスに興じる軽業師たち。目を凝らして見ると『南蛮屏風』のいずれにも登場していることに気づく。（狩野内膳筆『南蛮屏風』右隻部分）

る様子を描いたものがあるが、その一隻一隻の屋上には、軽業を演じているかのような朝鮮人たちがいる。

そして説経節《せっきょうぶし》『愛護の若《あいごのわか》』（寛文《かんぶん》元年（一六六一）刊）の挿絵を見ると、山王権現社《さんのうごんげんしゃ》へと進む奇術師は、帽子の下はひげ面、その下に襞《ひだ》飾り（フリル）を首に巻いている。下半身を見てもズボンを穿《は》いているが、しかし、履き物は草履《ぞうり》である。やはり日本人による「唐人の学び」なのである。

## 「毛唐人」

髪の毛とひげによって、日本人と唐人を見分ける約束事が広まっていく過程をみてきた。ここで注目したいのが、その約束事が広まる過程で、「毛唐人《けとうじん》」という蔑称《べっしょう》が生まれてきたことである。

「毛唐人」は、現在でもおもに白人を指す「毛唐」という蔑称として残っているが、最初からその意味で使われていたわけではない。まず、「毛唐人」という言葉が、いつごろから使われるようになってきたかをみてみよう。

28

◉馬上才に見入る武士たち
朝鮮通信使による馬の曲乗りである馬上才も、人気の演目であった。描かれているのは、寛延元年（一七四八）に披露された、第一〇回朝鮮通信使によるものとされる。（『馬上才図』）

慶長《けいちょう》八年（一六〇三）刊行の『日葡辞書《にっぽじしょ》』は、外国人を指す多くの日本の言葉を収録しているが、「毛唐」や「毛唐人」はない。日本イエズス会の神父たちが編纂《へんさん》したこの辞書は、外国人を指す語にとても敏感なのだが、その『日葡辞書』が採録していないということは、おそらく、その当時は、まだその語が成立していなかったとみてよいだろう。ちなみに、オランダ人などを指す「紅毛《こうもう》」も、そこには収録されていない。

「毛唐人」の文献上の初見は、管見のかぎり、寛文《かんぶん》五年（一六六五）の浄瑠璃《じょうるり》『宇佐八《うさはち》まんのゆらい』である。そのなかで、新羅《しらぎ》退治に出かける神功皇后《じんぐう》が、こう宣言する。

君栄聞あつて。さやうに、神通《じんつう》を得たる。毛唐人《けとうじん》。臣の力にて、打つ事は。叶《かな》ふまし。王威を以《も》つて。退治せんとの宣旨にて。忝《かたじけなく》も自ら、弓矢を。帯し給ひて。時の至を待ち給ふ。

（自分は神のお告げを受けて力を得た。「毛唐人」は、家臣の力では倒すことはできない。王威をもって退治すべしと命令を下し、みずから弓矢を身に帯び、出陣のときがくるのを待っている）

この場合の「毛唐人」は、王化《おうげ》に屈しない異人、すなわち三韓《さんかん》の敵のことである。「毛唐人」は最初は、欧米人ではなく、隣の半島・大陸の人々（つまり「唐人」）を指していたことになる。ここで重要なのは、浄瑠璃はあくまでも語りの世界であるということだ。語りにおいては、観客が聞いてわかる言葉でなければ通じないはずであるから、この浄瑠璃の初演時にはすでに、「毛唐人」という語が、世間一般で通用していたに違いない。

その半世紀後に大流行したのが、先に紹介した『国性爺合戦《こくせんやかっせん》』である。そこでは、和藤内《わとうない》が、敵の大将・甘輝《かんき》の門番たちに向かって、「ヤイ毛唐人。うぬらが耳はどこについて何と聞く」と叫ぶ場面がある。さらに「五常軍《ごじょうぐん》甘輝といふ髭唐人《ひげとうじん》はわぬしよな。天にも地にもたつたひとりの母に縄かけたは」と、「髭唐人」という言葉も使っている。

すでにみてきたように、この時代には、月代《さかやき》を剃《そ》らない髪とひげ面《づら》は、唐人・外国人のシンボルとして定着していた。そして、『国性爺合戦』は和の意識を高揚させ、中国の凋落《ちょうらく》ぶりをただす物語としてつくられている。唐人に、わざわざ「毛」「髭」という言葉をつけ、彼らの特徴を強調することによって、侮蔑《ぶべつ》の響きをもたせている。

さらに半世紀下った一八世紀後半の明和《めいわ》・安永《あんえい》期になっても、「毛唐人＝中国人」という言説はまだ盛んだった。たとえば明和七年（一七七〇）の平賀源内《ひらがげんない》の『神霊矢口渡《しんれいやぐちのわたし》』では、「なまぬるき毛唐人の引事《ひきごと》。今敵へ降《くだ》つて」と、明らかに満州族の支配に屈した中国人を指している。大田南畝《おおたなんぽ》も、同じく明和七年の『寝惚先生文集《ねぼけせんせいぶんしゅう》』において、偽漢文体の架空の作者を「毛《け》唐陳奮翰《とうちんぷんかん》」と名付けている。

29

**◉怒って唐人の特徴を叫ぶ和藤内**
怒りのあまり、毛だの、ひげだのを頭に付けて、敵の大将甘輝を罵倒《ばとう》する和内藤。ことさらに強調される差異が明らかなシンボルを物語る。（『国性爺合戦』）

だが、同じ時期に毛唐人の意味は、広がりを見せはじめる。明和四年の川柳《せんりゅう》に「毛唐人、裸になるに小半時《こはんとき》」という句がある。廓《くるわ》で遊ぶオランダ人が、ボタンが邪魔で、服を脱ぐだけでも「小半時」(三〇分)もかかる、と笑ったものだ。ちょうど「唐人」が洋の東西を問わず外国人全般を指す言葉となったように、「毛唐人」も、西洋人を指す言葉へと広がっていった。

### 毛深くなる「毛唐人」

以上みてきたように、毛唐人《けとうじん》という言葉は、外国人が日本人より毛が濃いという認識から、生まれたものではない。「毛」が、日本人と外国人を分別するシンボルとして定まったことから生まれたのである。

ただし、ひげなし・月代《さかやき》の毛髪の少ない姿が、日本人の典型として定着していくに従って、それと対照的に、絵画や祭礼パフォーマンスにおける唐人像は、ますます毛深く、毛むくじゃらになっていた。寛延《かんえん》元年(一七四八)版の石川豊信《いしかわとよのぶ》による浮世絵『煙芸唐人《えんげいとうじん》』は、煙管《キセル》の煙で『唐詩選《とうしせん》』の七言絶句の一行を書くシーンを描いている。ここで描かれた「唐人」は、眉毛《まゆげ》・髭(口ひげ)・髯(ほおひげ)・鬚(あごひげ)、どれも豊かで、指先や手の甲にまで毛がはえているさまは、まるで禽《きん》獣《じゅう》のようにみえる。これこそ真の「毛唐人」といえるかもしれない。

中国人だけでなく朝鮮人もまた、極端に毛深い「毛唐人」として描かれることがあった。文化《ぶんか》八年(一八一一)の朝鮮通信使の主要な人員を、幕府が命じて描かせた『文化度朝鮮通信使人物図巻《ぶんかどちょうせんつうしんしじんぶつずまき》』

である。このときの通信使は対馬《つしま》で接待され、江戸の将軍たちは面会していなかったことからこの図巻がつくられたと思われるが、そこでは少童を除いてどの人物も人並みはずれた眉毛やひげをたくわえており、四〇年後のペリーを描いた図を予感させる。「唐人」の「毛」は、あくまでも記号にすぎないから、「現実」を離れてしまったのである。

また、葛飾北斎《かつしかほくさい》が曲亭馬琴《きょくていばきん》の『椿説弓張月《ちんせつゆみはりづき》』の口絵として描いた図は、ひげなし・月代の日本人と「毛唐人」の対照を大いに利用して効果をあげている。これは、保元《ほうげん》元年（一一五六）の保元の乱のあと、島流しになったあげく、ついに琉球《りゅうきゅう》王家の祖先となったとの伝説がある源為朝《みなもとのためとも》の話である。口絵は、為朝と現地の琉球人が弓を引っぱりあう場面を描くが、為朝の生きた時代を考えれば、ひげをたくわえて兜《かぶと》か烏帽子《えぼし》をかぶっているのが本来の姿のはずだ。しかし北斎は、

30



◉シンボルを身にまとう唐人
唐人を識別するシンボルとして、毛深く、ひげが濃いという認識が浸透すると、特徴づけのためことさらに毛やひげが強調して描かれるようになる。（『煙芸唐人』）

日本の英雄である為朝を月代をきれいに剃《そ》った、ひげのない姿で描く。これに対して、琉球人の裸の身体は、頭から足の先まで毛むくじゃらである。琉球人も「毛唐人」なのであった。

幕末に奄美《あまみ》大島《おおしま》に流されていた西郷隆盛《さいごうたかもり》も、琉球人の意味で、「毛唐人」を用いている。安政《あんせい》六年（一八五九）二月に、大久保《おおくぼ》利通《としみち》にあてた手紙のなかで、「此《この》けとふ（毛唐）人の交如何《まじわりいか》にも難儀《なんぎ》しごく、気持も悪敷《あしく》、唯残生可恨《うらむべき》儀に御座候《ござそうろう》」と述べている。

こうしてみてくると、「毛唐人」という言葉には、相手を侮蔑するとともに、自国の誉れを強調する意識が込められているようだ。本章の冒頭で述べたように、近世日本は南蛮《なんばん》との遭遇によりアイデンティティの危機に直面した。「我朝《わがちょう》」＝日本のアイデンティティを再構築するには、対照となる他者の新たな「逆刻印」が必要であった。「毛唐人」は、日本と清《しん》の、まったく正反対だった髪・ひげに関する習慣やそれを規制する支配体制から偶然に生み出された言葉だった。だが、毛髪というもっとも目立つ身体的特徴における違いに根ざしていたことから、「毛唐人」という言葉とそこに込められた意識は、アイデンティティの言説に広く深く根を下ろしていったということができるだろう。

31

●立派なひげの朝鮮通信使
正使・副使をはじめ、通信使一行の表情を巧みにとらえて描いた肖像画のなかの一点。堂々たるひげをたくわえた顔は威厳すらも漂う。（『文化度朝鮮通信使人物図巻』）

第五章

# 朝鮮通信使行列を読む

# 行列の時代

## 娯楽としての朝鮮通信使行列見物

日本の近世を特徴づけるキーワードのひとつに、「行列」がある。諸大名が江戸と領地を往復する参勤交代《さんきんこうたい》行列が定期的に行なわれ、百万石の加賀《かが》金沢《かなざわ》藩などでは、家臣に伴う従者まで含めると、行列の人数は多いときで四〇〇〇〜五〇〇〇人に達するほどだった。各地の城下町も、大名の重臣たちが登下城する際には、それぞれの身分にふさわしい鑓持《やりも》ちなどの前触れと、乗り物の担ぎ手、警固の一行に包まれて移動していた。

また、江戸の山王祭《さんのうまつり》・神田祭《かんだまつり》に代表される町全体や各町内の祭りでも行列がみられ、各地の神社仏閣でも、年中行事の際には大きな行列が組まれることが多かった。近世は、「行列の時代」といっても過言ではないのである。

朝鮮通信使も、そんな行列の一種であった。三〇〇〜五〇〇名という大人数からなり、行列でなければ無秩序に陥りかねな

1

いということもあって、必ず行列を組んでいた。漢城《ハンソン》から釜山《プサン》までの陸路は、分割して行動することもあったようだが、釜山から対馬《つしま》、壱岐《いき》、藍島《あいのしま》、瀬戸内海を経て大坂までの船路は、数キロメートルにものぼる船行列で航行した。大坂に着くと今度は、河口で諸大名から調達された船に乗り換えて、淀《よど》まで船行列を組んで川をのぼった。そして淀から京都、京都滞在、京都から江戸（時に日光）までの陸路往復の間も、民衆の前に姿を現わすかぎり、行列を組んで行動することを基本としていた。琉球使節《りゅうきゅうしせつ》の場合も、規模は朝鮮通信使より小さいものの、基本的には同様であった。

当時の大多数の日本人にとって、異国人を見るのはめったにないことだった。一六三〇年代を過ぎ、キリシタン弾圧・ポルトガル追放が完遂されてからは、長崎や対馬・薩摩《さつま》・松前《まつまえ》を除いて、人々が異国人に接する機会は、朝鮮通信使や琉球使節、オランダ商館長の江戸参府や、異国人が日本に漂流してきた場合に限られた。ただオランダ商館長の場合、その人数は四人だけで、しかも彼らは駕籠《かご》に乗っており、直接見ることはできなかった。朝鮮通信使や琉球使節の行列は、異国人を自分の目で見る貴重な機会であり、遠方からでも見物に出かける、娯楽の一種となっていった。

とくに朝鮮通信使の場合、天和《てんな》二年（一六八二）までは七年から一七年という短い間隔で計七回来日したが、一八世紀になると四回だけで、三〇年近く間隔があくこともあり、一生に一回あるかないかという状況になった。享保《きょうほう》一九年（一七三四）生まれの上田《うえだ》秋成《あきなり》は、寛延《かんえん》元年（一七四八）、明和《めいわ》

●大人数の大名行列
百万石を誇った加賀金沢藩の大名行列は、人数も並はずれたものであった。ひと晩の宿泊費は今の金額で二億円ともいわれている。（『加賀藩大名行列図屏風』）

元年（一七六四）と、二回朝鮮通信使を見たことを自慢していたが、「三度は見る事のならぬ事じやさうな」と思っていた。実際、文化《ぶんか》六年（一八〇九）に没した秋成には、三度目の機会はなかった。明和度のつぎの朝鮮通信使は、四七年後の文化八年までなかったのである（しかもそのときは対馬止まりであった）。

### 行列の原理

行列というのは、ただ多くの人が列をなして同じ方向に進むだけでは成立しない。そこには共通のアイデンティティやあらかじめ決まった目的地、そして一定のコースなどが必要となる。そして行列には、さらに「見ル・見セル・見ラレル・見セラレル」という、「四見《よみ》の原理」があると筆者は考えている。

朝鮮通信使行列を例にして考えてみよう。見物人は朝鮮通信使行列を「見ル」ために沿道に集まるが、同時に朝鮮通信使も、見物人や周囲の町並みを「見ル」。実際、朝鮮通信使は日本観察が使命のひとつであり、通信使が来るたびに、ひとりないしは数人が、必ず見聞録をしたため、復命報告の性格も兼ね合わせた書物を残しており、そこに彼らの見たも

2

のを詳細に記述している。

そして、見物人自身がどこまで自覚しているかは別として、幕府は通信使に「見ラレル」ことを当然意識しており、あとで述べるが見物のマナーを細かく規制するようになった。さらに、通信使の通る街道や町並み、宿泊所などを事前に整備したり、見られたくない看板の取りはずしを命じたりするなど、日本および日本の社会・文化を都合よく外へ向かって「見セル」ことをつねに考えていた。通信使は、現実そのものを「見ル」というよりは、幕府が「見セル」ことを望んだものを「見セラレル」わけである。

また朝鮮通信使の側も、自分たちが「見ラレル」ことを意識しており、朝鮮を代表する存在として、自分たちを「見セル」ことも意識しているわけである。彼らを派遣した朝鮮政府も、彼らを「見セル」わけだが、幕府の側も、通信使を幕府に呼び寄せた力、すなわち「幕府の武威が異国に及んだ」ことの証《あかし》として、通信使を、朝廷・公家衆や諸大名、そして庶民の見物人に「見セル」ことをつねに意図していた。

たとえば、寛永《かんえい》二〇年（一六四三）に朝鮮の仁祖《インジョ》太王が、三代将軍徳川家光《とくがわいえみつ》の世子家綱《いえつな》の誕生を祝うために朝鮮通信使を派遣した。その使節一行の大行列が、江戸へ赴く途中で京都に滞在していたとき、公家の九条道房《くじょうみちふさ》はみずからの感想を、「これ、将軍の武力はすでに異国に及び、然《しか》るに、この如《ごと》く、慶びの時、使いを送る」と、日記に記している（『道房公記《みちふさこうき》』六月十四日条）。将軍権力の「御《ご》

◉淀川をさかのぼる通信使船団
大坂から淀へと向かう、朝鮮通信使の上判事《じょうはんじ》を乗せた川御座船《かわござぶね》。この船を先頭に、お供の船を従えた水上の大船団を、多くの人々が見物した。（『天和度《てんなど》朝鮮通信使上判事第一船図』）

威光《いこう》」が海外にも輝き、それを恐れ、かつそれを慕い、将軍家の祝い事があるたびごとに、このように異国の王が使者を送る習わしであるらしい。道房は大行列を見て、そう思ったようである。幕府の思惑《おもわく》どおりのものを道房は「見セラレ」たわけである。

このように、朝鮮通信使が整った「行列」として日本の海陸を往来するのは、もっぱら権力がその「御威光」を放つための、格好の手段として演出されたものであった。ここでいう権力とは、使節を招聘《しょうへい》し、異国人を見物人に「見セル」幕府はもとより、使節を送り、みずからの威光を異国に「見セル」朝鮮政府、朝鮮との仲介役を果たすことでみずからの重要性を「見セル」対馬《つしま》藩など、二重にも、三重にも考えられる。

そして、これらの権力が示そうとするメッセージは、幕府と朝鮮政府の立場が異なることからもわかるように、しばしば相矛盾するものであった。朝鮮通信使行列とは、まさにさまざまな思惑が交錯する場だったのである。

### 行列の構造

朝鮮通信使の行列は、どのような構造をしていたのだろうか。行列を描いた図巻《ずかん》や、行列の次第

3

●整備される町並み
朝鮮、琉球からの使節を迎えるのに、通行する宿場では数か月前から道路や屋根などが整備された。図版は琉球使節に備えて、作業にいそしむ様子。（『琉球画誌《りゅうきゅうがし》』）

を記した記録類を見てまず気づくのが、道中でも江戸市中でもつねに、警固と案内を担当する対馬《つしま》藩の警固隊が行列を包むかのように囲んでいることである。警固以外にも、通信使が持つ旗を支えたり、輿《こし》を担いだりする日本人もいて、朝鮮通信使よりはるかに多い日本人が行列に同行していた。

たとえば、天和《てんな》二年（一六八二）に江戸まで進んだ朝鮮通信使は総勢三六二名なのに対し、日本側は、「宗対馬守《そうつしまのかみ》は騎馬五十騎を召し連れまいり、弓五十張《ちょう》、鉄砲五十挺《ちょう》、長柄《ながえ》五十筋《すじ》、雑兵《ぞうひょう》千七百程《ほど》」ともいわれた。正徳《しょうとく》元年（一七一一）の図巻を見ると、人数比でいうと日本人五、六人に朝鮮人ひとりぐらいの割合で、「朝鮮人行列」というより、日本人の行列のなかに朝鮮人が少し入り交じっているかのような描かれ方である。

これは朝鮮通信使に限った話ではなく、琉球使節やオランダ商館長の場合も同様だった。寛政《かんせい》八年（一七九六）の琉球使節が、高輪《たかなわ》の鹿児島（薩摩《さつま》）藩邸から出立する様子を記録した『琉球人登城並上野御宮参詣《りゅうきゅうじんとじょうならびにうえのおみやさんけい》行列《ぎょうれつ》』を見ると、冒頭に、「△此印薩州、○此印琉球人」と、記号を説明したうえで、行列の次第を書きとめている。「△」を先頭にして、「△」に前後・左右を囲まれた「○」が、目立つ。琉球人もまた、担当

4

●琉球使節の登城行列
宝永七年（一七一〇）の琉球使節の記録画。朝鮮通信使と同様、琉球使節も隊列を組んで行列した。このときの使節は、琉球から四か月あまりで江戸に到着している。

の鹿児島藩の警固によって包み囲まれていたわけである。

　オランダ商館長の場合、元禄《げんろく》四年（一六九一）のオランダ商館長オウトホールンの江戸参府に随行したドイツ人医師、エンゲルベルト・ケンペルの『江戸《えど》参府《さんぷ》旅行日記《りよこうにっき》』（下の図版）に描かれた行列を見てみると、参府するオランダ人四人に対し、それを先導、案内する日本の警固・通《つう》詞《じ》・人足らが、一〇〇人近くいる。「旅行に必要な馬や荷物を運ぶ人足をあり余るほど（日本側が）提供してくれ、オランダ人一人一人に、四人の従者または警護の者を付けてくれる」と、のちにケンペルが『日本《にほん》誌《し》』（一七二七年〈享保《きょうほう》一二年〉刊）に書いているように、オランダ人のまわりに、幕府側が過剰なほどの警固を張り巡らしているのである。

　のちほど触れるように、幕府は行列を警固させるだけでなく、細かい触書《ふれがき》や警固動員によって、見物人の風俗・行動も厳しく統制していた。だとすれば、異国人を包んだこの厳重すぎる警固隊の動員は、見物衆の割り込みや暴力などを防ぐためというよりは、むしろ幕府や対馬・鹿児島藩といった日本側の権力が、自分たちが「来朝」した異国人を制御し従えている、というかたちを「見セル」ためのものと思われる。

　したがって実際の朝鮮通信使行列を見ていても、まず先導をつとめる

5

◉オランダ商館長の江戸参府
右上が先頭。馬に乗った同心が先導し、商館長は駕籠《かご》で運ばれていく。長崎を出て江戸まで、多くの日本人の警固に守られながら、一行の旅は続く。

◉四人の清道旗持ち
天和二年（一六八二）の通信使を描いたと思われる絵巻。本来は六人の清道旗持ちが四人しかいないなど、省略がみられる。（狩野《かのう》常《つね》信《のぶ》筆『朝鮮通信使行列絵巻』）

対馬藩の家老以下の家臣たちや藩の儒者・医師など日本人が一〇〇人以上登場して、そのあとにようやく、朝鮮人が現われることになる。最初の朝鮮人は、「清道旗《せいどうき》」を立てる六名の騎士。「清道」とは道を清める意味で、朝鮮国王からの「国書」が通る道を清める露払いの役であった。そのあとに昇龍《しょうりゅう》と降龍《こうりゅう》を描いた、国王のシンボルである「形名旗《けいめいき》」を立てる騎士二名が続く。

また行列のなかには、道中絶えず行進曲を奏でる一〇〇名あまりの楽隊もいた。その楽隊の楽器などは日本人にとってめずらしく、「異国」や「唐人」のシンボルにもなった。楽隊に交えて、「馬上方《ばじょうほう》」または「馬上才《ばじょうさい》」という、特殊な曲馬の武芸を将軍に披露《ひろう》する役の二人もいる。

行列の本体は、なんといっても朝鮮国王が将軍にあてた国書や「別幅《べっぷく》」（贈与品）の品々と、それを届ける正使・副使・従事官の「三使」であるが、その本体も、こうした一七〇から一八〇名の朝鮮人の前衛に先導されてやっと現われてくることになる。朝鮮の国王と日本の将軍との間を結ぶ国書は、龍頭柄《りゅうずがら》の輿に収められて、日本人に担がれ、朝鮮の「輿添士《こしぞえし》」四名に守られて進んでいく。この国書こそが、まさに朝鮮通信使の「通」わせる「信《まこと》」であり、江戸城で将軍の「御叡覧《ごえいらん》」に供され

6

る音信であり、とくに敬意を払われる対象であった。

また三使の前には、それぞれの世話をする「少童《しょうどう》」（「小童」）がいる。日本の小姓《こしょう》に相当する、良家の若い男子であるが、まだひげもなく、髪も束ねて後ろに垂らしている。この女性と見まがうような美少年たちは、華やかな衣装を着ていることもあって、異国人のなかでもさらに目立つ存在であった。

こうして彼らは、行列を組んで江戸へ参府し、江戸城へ登城・下城し、江戸から帰国するその間つねに、日本人の「警固」に囲まれていたのである。

**描かれた朝鮮通信使行列**

人々の関心を集めた朝鮮通信使行列は、さまざまなかたちで絵に描かれた。幕府や諸大名が参考資料や備忘のためにつくらせた「記録画」や、鑑賞用の屛風《びょうぶ》・絵巻、さらには行列見物の流行にあわせて増えたガイドブックなど、まさに多種多様である。

こうした絵画は、朝鮮通信使を研究するうえで重要な史料となることはいうまでもない。だが、その際に気をつけないといけないことがある。それは、それらの絵は必ずしも事実に即した写実的なものとは限らないということである。

たとえば正徳《しょうとく》元年（一七一一）に、江戸在留中の朝鮮通信使の行列の記録画の作成を幕府が対馬藩《つしま》に命じた。参向道中・登城・下城・帰国道中の四点セットだったが、幕府は記録画の完成を急いでおり、四点とも通信使が江戸を発《た》つ前に献上する必要があった。そこで対馬藩は、鹿児島（薩摩《さつま》）藩が作成した、前年宝永《ほうえい》七年（一七一〇）の琉球使節の様子を描いた記録画を鹿児島藩から借用し、それをもとにして通信使が江戸を出発する前に完成させたのである（２０９ページ参照）。

また屏風や絵巻では、見物人や行列を取り囲む警固の日本人が描かれないこともある。近年その存在が明らかになった、久隅守景《くすみもりかげ》筆の『朝鮮通信使行列図屏風《ちょうせんつうしんしぎょうれつずびょうぶ》』をみてみよう。久隅守景は狩野探幽《かのうたんゆう》門下のひとりで、一七世紀なかばから後半に活躍した。この屏風は、守景の活躍時期と、守景の落款《らっかん》・印章の変遷からみて天和《てんな》二年（一六八二）の朝鮮通信使を描いたものと思われるが、本来は数百人からなる通信使の行列をそのまま描くのではなく、いくつかの重要な小人数《こにんずう》のグループに焦点を絞って、一扇一扇に配置している。これは、通常の屏風や絵巻が行列の連続性や人数の多さに着目して描いているのに比べて、ひじょうに対照的である。

そしてさらに特徴的なのが、本来なら周囲を警固している日本の武士たちや荷物を担ぐ人足たち、さらには見物人や背景などをいっさい描かずに、朝鮮

7

©Lee Family Collection

◉屋輿に乗る朝鮮通信使の正使
多くの朝鮮人に担がれて、屋輿《やこし》に乗る正使。担いでいる人々の上着にボタンが付いているのは、オランダ人の服装と混同したためだろうか。（久隅守景筆『朝鮮通信使行列図屏風』）

通信使だけを描いている点である。これは、見物人や警固の日本人を描いてしまうと肝心の通信使が目立たなくなることから、あえてそれらを無視して、いわば見せ場だけに絞って描いたものと思われる。

しかしそれ以外にも、通信使行列をありのままに描かない場合が多い。これまでに何度も触れた『江《え》戸《ど》図《ず》屏風《びょうぶ》』歴博本《れきはくぼん》を例にすると、正使の前に当然なければならない国書の輿《こし》を描いていなかったり、正使・副使・従事官の三使がいるはずなのに二使しか描いていなかったりしている。さらに、本来は日本人が担ぐはずの輿を朝鮮人が担いでいるように描いてもいる。構図など作画上の事情によるものなのか、あるいは絵師が現実の通信使行列を見ていなかったからなのか、理由はいくつか考えられるが、いずれにせよ行列の構造についても現実どおりに描いていないのである。

またガイドブックは、朝鮮通信使見物の流行にあわせて多数刊行されるようになった。だがガイドブックはその性質上、朝鮮通信使を実際に見物する前に人々の手に届いていないといけ

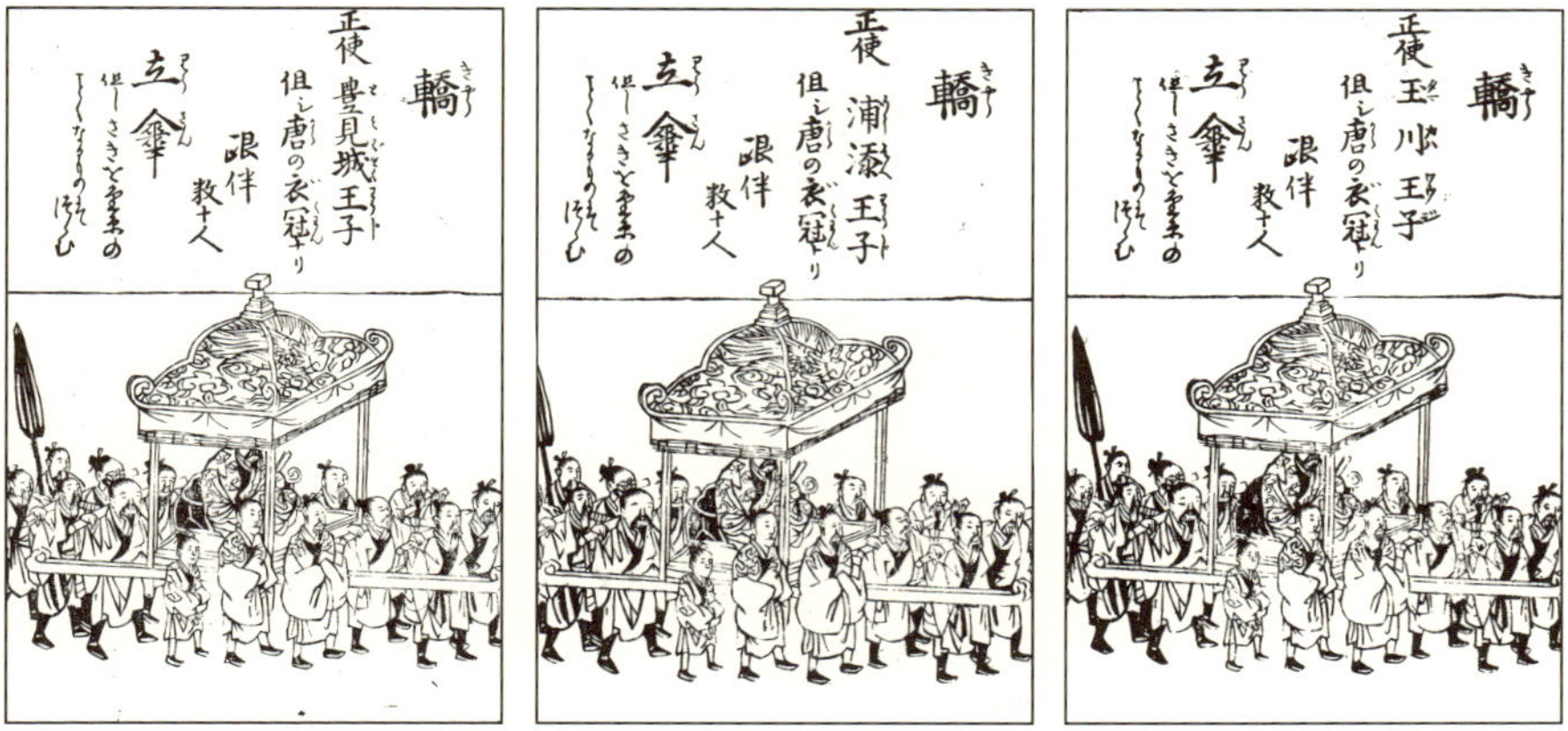

8

ないため、実際の通信使の来日を待っている余裕はなかった。そこで、通信使の情報や挿絵などは、前回の通信使来日の際のガイドブックや、やはり同様に刊行されていた琉球使節に関するガイドブックのものを流用して作成することが多かった。つまり、ガイドブックに描かれている朝鮮通信使行列も、現実の行列を描いたものではないのである。

**◉使いまわすガイドブックの絵柄**
左から、天保《てんぽう》三年（一八三二）、同一三年、嘉《か》永《えい》三年（一八五〇）の、琉球使節のガイドブック。正使の名前を替えるだけで、図版は同じものを流用して制作された。

## 見物人の作法

異国から来日した使節を見物する人たちは、逆に異国人たちからは「見ラレル」存在でもあった。見物人の振る舞いは、国や将軍の体面にもかかわっていた。そこで幕府は、見物人の振る舞いに規制を加えざるをえなかった。

見物人の作法にはじめて規制が加えられたのは、いつごろのことかは定かではない。寛永《かんえい》元年（一六二四）の朝鮮通信使（回答兼刷還使《かいとうけんさつかんし》）側の記録によると、品川《しながわ》から江戸市中までの道のりに「観光の男女は、左右を塡《み》ち塞《ふさ》ぐ。喧《けん》を禁ずる将官が、杖を持ち林立する」（姜弘重《カンホンジュン》『東槎《とうさ》録《ろく》』仁祖《インジョ》二年十二月十二日条）とあり、杖を持った町名《まちな》主《ぬし》たちが立ち並んで、喧嘩《けんか》、騒ぎなどの「形儀能《ぎょうぎよう》」くない振る舞いを、幕府がすでに抑えようとしていたことがうかがえる。だが日本側の史料では、明暦《めいれき》元年（一六五五）の朝鮮通信使の江戸到着の前日、一〇月朔日《さくじつ》に幕府が「覚《おぼえ》」を発したのが、管見のかぎり幕府による最古の規制である。

一、…（各町の）月行事《がちぎょうじ》早天《そうてん》より前後の木戸に附《つ》き居り、喧嘩口論これなき様申し付くべく候《そうろう》、勿論《もちろん》火の用心、切々其町々相触れ申すべき事、

一、朝鮮人通り候節、二階にて見物仕《つかまつる》まじく候、…

一、朝鮮人通り候刻《とき》、ゆびさし笑ひ申すまじく事、

一、辻橋の上にて見物不仕《つかまつらず》候様に申し付くべく候、右庇《ひさし》より外にて見物仕まじく候、いかにも形儀能、無作法にこれなき様に申し付くべき事、

一、庇へさしき仕出で候わば、畳の下みえ申さず候様…

（『通航一覧《つうこういちらん》』）

喧嘩や騒ぎがないように努めること、二階や辻・橋の上からの見物をしないこと、朝鮮通信使が通るとき、指さしたり、笑ったりしないことなどを定め、見物衆が行儀よく、無作法なく見物するように、各町の当番名《な》主《ぬし》が木戸の脇《わき》に付き添い、監視するように申し付けられた。

このような規制が出されるということは、逆にいえば見物人たちはそういう「不作法」をしてい

9

◉通信使見物の作法

朝鮮通信使見物の際は行儀よくするよう細かなお触《ふれ》が出されたが、『江戸図屏風』には、規制に従わない見物人も描かれている。

たことになる。彼らの振る舞いは、朝鮮通信使・琉球使節の行列を描いた絵画史料のなかにも見ることができる。

まず『江《え》戸《ど》図《ず》屏風《びょうぶ》』歴博本《れきはくぼん》を見ると、青山幸成《あおやまよしなり》の屋敷とお堀の間に座して見物する人たちは、「形儀能」く、静かに見守っているが、橋のたもとの左側に群集する見物人の男女ひとりずつと城内の武士六人は、「指さし」などの振る舞いをしている。第一章で詳しく触れたように、『江戸図屏風』は寛永元年、三代将軍徳川家光《とくがわいえみつ》の将軍就任直後に「襲職祝」として迎えられた三回目の朝鮮通信使（回答兼刷還使《かいとうけんさつかんし》）の行列が江戸城に登城する様子を描いたものと考えられるので、このときはまだ規制はなかったのかもしれない。

だが、一七世紀の終わりごろの作と思われる『洛中洛外図屏風《らくちゅうらくがいずびょうぶ》』今井《いまい》町本《まちぼん》では、淀《よど》から陸に上がって、二条城《にじょうじょう》のほうへ赴く朝鮮通信使の行列が京都の道を通る様子が描かれているが、そこにも、すでに禁じられているはずの「指さし高笑い」する見物人や辻での見物姿が、随所に見いだせる。また、『洛中洛外図屏風』高岡本《たかおかぼん》では、辻や橋の上からはもちろん、川の中に立って見物する人も描かれている。絵師が空想で描いた「絵空事」かもしれないが、そうではなく禁じられた作法をする見物人

10

◉作法が乱れた見物風景
京の町を進む朝鮮通信使の行列を見物する人々をよく見ると、指さし笑う人など、不作法な様子が描かれている。（『洛中洛外図屏風』今井町本）

が現実にいて、それを写実的に描いた可能性もあるだろう。明暦・天和《てんな》（一七世紀後半）以後に出された「覚《おぼえ》」や「触《ふれ》」を見ると、しだいに規制が細かい点にまで及んでいっているが、どこまで効果があったかは疑わしい。むしろ、いくら規制しても実効がないために、どんどん細かい規制が出されたのかもしれない。

また朝鮮通信使側も、日本の見物人の不作法に気がついてはいたが、それに対して必ずしも悪感情をもったわけではないようだ。享保《きょうほう》四年（一七一九）来日の朝鮮通信使の製述官（作文官）申維翰《シンユハン》は、その記録『海游録《かいゆうろく》』のなかで、「ときどき小児が泣き、娘が笑う。娘が笑うときは必ず画紋《がもん》のある帨《てぬぐい》を以《もっ》て口を掩《おお》う」動作に気づいたが、「その笑い声は瑯然《ろうぜん》として、細きこと、あたかも鳥の声のようだ」と、好意的な印象を述べている。

このように、外交の行列は、幕府にとっては日本およびその社会秩序を、外国からの国賓《こくひん》に誇らしげに「見セル」場であるが、行列を「見ル」人々にとっては、めずらしい異国情調を自分たちなりに楽しむ場でもあったのである。

11

◉お触に抗い楽しむ見物人
細かな見物に関するお触が出される一方で、見物する人々は、お触を気にすることなく、素直に異国情調を楽しんでいたのだろう。（『洛中洛外図屏風』今井町本）

# 浮絵のなかの朝鮮人行列

**いわゆる『朝鮮人来朝図』**

次ページに掲げたのは、羽川藤永《はねがわとうえい》と名のる絵師による、『朝鮮人来朝図《ちょうせんじんらいちょうず》』と呼ばれる色鮮やかな肉《にく》筆画《ひつが》である。富士山と江戸城の外壁を遠・中景として、異様な服装や顔つきの人々が、行列を組んで江戸市中を行進し、左右・前景には、無数の月代姿《さかやき》の男、島田《しまだ》結いの女の見物人たちが、町内の店の座敷や、軒下の桟敷から、行列見物を楽しんでいるシーンが描かれている。

この絵は、一九七〇年代から、朝鮮通信使を研究する人々の間で話題となり、中・高等学校の教科書にも朝鮮通信使の図版として紹介されるようになり、日本国内でかなり広く知られるようになってきたものである。また、近世に中国経由で日本に入ってきた遠近法の技法を導入した作品（日本では「浮絵《うきえ》」と呼ばれた）のひとつとしても、有名である。

絵には、左下に「羽川藤永筆」という落款《らっかん》と印章があるだけで、由来を物語るものはいっさい記されていない。そこでこの絵が収められていた収納箱を見ると、つぎのように書かれた紙が蓋《ふた》の内側に貼《は》られている。

孝慈院殿御愛翫之浮絵

理性院尼江賜ヒ理性院尼ヨリ
光俊ニ賜フ　宝暦四年甲戌年五月

収納箱と作品が当初からセットになっていたという確証はないが、それを否定する要素もないので、記述に従えば、「孝慈院《こうじいん》殿」が「愛翫《あいがん》」した「浮絵」を、宝暦《ほうれき》四年（一七五四）に「理性院尼《りしょういんに》」を経由して「光俊《こうしゅん》」が賜わったとある。孝慈院殿というのは、いわゆる御三卿《ごさんきょう》のひとつ、田安《たやす》家の初代宗武《むねたけ》の息子小《こ》次郎《じろう》のことである。御三卿というのは八代将軍徳川《とくがわ》吉宗《よしむね》の子孫が分家したもので、宗武は吉宗の次男であり、将軍家の「家族」としての扱いを受けた。この小次郎は、宝暦三年に九歳の若さで亡くなっているので、この絵はそれ以前に描かれたことになる。

理性院尼については詳しいことはわからないが、あるいは小次郎の面倒を見た乳母《めのと》かもしれない。光俊は、小次郎の墓がある上野《うえの》寛永寺《かんえいじ》（東叡山《とうえいざん》）の子院

12

●羽川藤永筆『朝鮮人来朝図』
朝鮮通信使の行列の様子を写実的に描いたものと、これまで思われていたが、細部を子細に検討するにつれて、ほんとうの通信使を描いたのではなく、別の可能性が指摘されるようになってきた。

である凌雲院《りょううんいん》の大僧正《だいそうじょう》のことである。また、箱の底にもうひとつ別の貼り紙がついており、そこには光俊が延暦寺《えんりゃくじ》に戻るときにこの絵を持ち去ったと書いてある。

一方、小次郎が存命中の寛延《かんえん》元年（一七四八）に、江戸時代に入って一〇回目の朝鮮通信使が来日していた。このときの朝鮮通信使は、延享《えんきょう》二年（一七四五）に九代将軍となった徳川家重《いえしげ》の襲職祝いのためのもので、約三九〇人の朝鮮通信使が、五月から六月にかけて延べ二三日間江戸に滞在している。

絵を見ると、前景に置かれている樽《たる》に「本町《ほんちょう》二丁目」と書かれていることから、江戸城を出て、常磐橋《ときわばし》を渡って左に行き、右折して本町一丁目・二丁目と進む行列が、十軒店《じっけんだな》を左折していく、という場面を描いている。これは寛延元年の朝鮮通信使の登・下城コースと一致している。また行列の前衛には、朝鮮通信使行列を先導する徽章《きしょう》である「清道旗《せいどうき》」や「形名旗《けいめいき》」が描かれている。

これらのことから、この絵は、寛延元年の朝鮮通信使来日の直後に、その通信使を描いたものと見なされてきた。先ほども触れたが、朝鮮通信使の来日は絵に描かれることも多く、また祭りの練《ねり》物《もの》（行列）として朝鮮人などの「唐人《とうじん》」を模した仮装行列なども行なわれた。とくに寛延元年度の朝

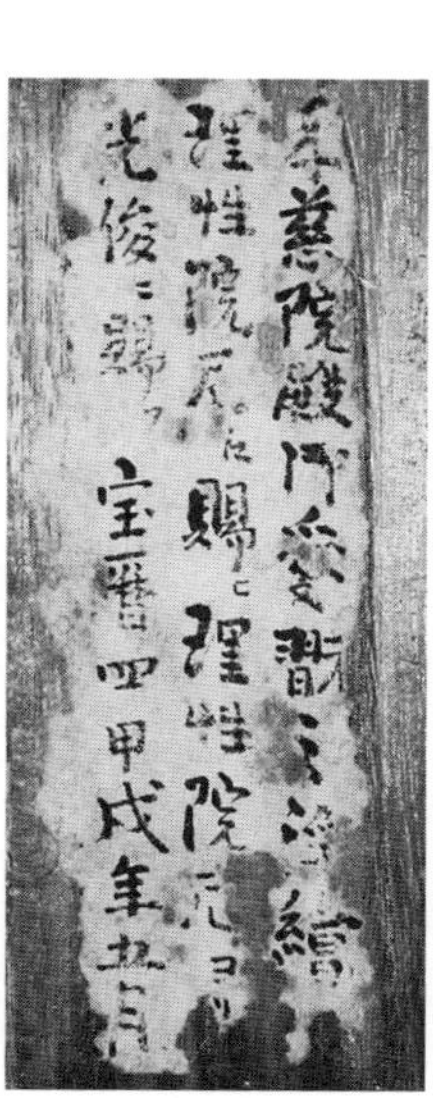
13

◉収納箱に貼られていた出自を語る紙
絵の作者、描かれた年代などを探る際には、収められていた箱の情報も重要になる。それゆえ、箱のすげ替えも起こるので、結論づけるにはいろいろな側面から考える必要があるが、藤永の収納箱に添付されていた紙に記された情報は貴重である。

鮮通信使の場合は、その後数年間にわたる朝鮮物ブームが起きている。田安家が小次郎のために朝鮮通信使の絵を描かせたとしても不思議はないのである。

### 謎の絵師「羽川藤永」

『朝鮮人来朝図《ちょうせんじんらいちょうず》』について考えるうえで、続いて問題となるのは、「羽川藤永《はねがわとうえい》」と名のる絵師はいったい誰なのかということである。というのは、藤永は神戸市立博物館蔵のこの肉筆画のほかには、藤永の絵を版画にしたと思われる、『朝鮮人行列図《ちょうせんじんぎょうれつず》』という東京国立博物館蔵の松方《まつかた》コレクションの一枚以外に、現在確認できる作品がひとつもないという、謎めいた絵師なのである。

江戸時代の浮世絵師の経歴をまとめた『浮世絵類考《うきよえるいこう》』から、羽川藤永と彼の師匠と思われる羽川珍重《ちんちょう》の記事を見ると、羽川藤永については「谷中《やなか》の感応寺《かんのうじ》の天井の龍と天人はこの人の筆なり」とあって、師匠のところにも同じ記事があるが、それ以外は何も知られていない。絵を残しているので実在の人物ではあるだろうが、経歴などは、まったくわからないのである。藤永は、同時代の記録にはいっさい浮上してこない、ほとんど知られていなかった存在のようである。

そんな無名の絵師と思われる藤永が、徳川《とくがわ》一門の田安《たやす》家から絵の注文を受けているのは不思議なことだ。ある程度の知名度をもった絵師でなければ、御三卿《ごさんきょう》という将軍家に近い人物が絵を注文するはずがないからである。そう考えると、実際には有名な絵師が、あえて別名で描いたという可能性もあるのではないだろうか。

羽川藤永の絵をもとにしたと考えられる版画は、長い間奥村政信《おくむらまさのぶ》の作品だとされてきた経歴があり、以前は東京国立博物館の図録にも奥村政信の作品として掲載されていた。政信は、元禄《げんろく》期（一六八八～一七〇四）に生まれ、明和《めいわ》期（一七六四～七二）まで活躍した絵師であり、瓢箪《ひょうたん》印の絵草紙屋《えぞうしや》、奥村源六《げんろく》の主人でもあった、名だたる存在である。そして「浮絵《うきえ》の元祖」と自称し、自作の浮絵にはたいてい「浮絵元祖奥村政信筆」との落款《らっかん》を施している。だが、この作品には「奥村源六板元《はんもと》」とあるだけで、どこにも「奥村政信」のサインはない。したがって奥村源六が板木を彫って板行したものではあっても、政信の絵とはいえない。

一方、下の図版ではわかりにくいが、版画の左端の柱を目を凝らしてよく見ると、そこに「羽川藤永道信書」という文字が読める。わざわざ板木にそう彫ってあるということは、藤永の描いた絵を板元の奥村源六が版画にしたと考えるべきではないだろうか。

なお、羽川藤永の作品として、『朝鮮人来朝図』と同様の構図の肉筆画《にくひつが》で、「羽川藤永筆」という落款と印章がある個人蔵

14

**◉もう一枚の藤永筆『朝鮮人行列図』**
先に紹介した肉筆の藤永作品に構図的に類似するもの。需要にこたえるためか、ほぼ同じ絵柄をこちらは版画で刷っている。

の作品が紹介されることがある。だが筆者のみたところでは、絵の技法・描き方も明らかに劣るうえに、落款や印章も異なり、その位置も違っている。同じ作者の手になる作品とは考えにくいのである。

それから、筆者はこの『朝鮮人来朝図』というタイトルにずっと違和感を抱いてきた。それは「来朝」という言葉に、日本を宗主国、朝鮮を属国と見なしての朝貢使節というニュアンスが感じられてならないからである。だが朝鮮の場合、日本に対して「朝貢」をしているという意識は、いうまでもなくなかった。『朝鮮人来朝図』には題簽《だいせん》はついておらず、収納箱にも、蓋《ふた》に「浮絵」という二文字が墨書してあるだけで、当初の題名は明らかでない。そして、同じ藤永の絵をもとした版画のほうは、本来の題名は『朝鮮人浮絵』であり、「来朝」という文字はない。肉筆画のほうも、日本を中心とした「日本型華夷意識《かいいしき》」が感じられる『来朝図』というタイトルは、やめたほうがよいのではないだろうか。

### 浮絵の系図

いわゆる『朝鮮人来朝図《ちょうせんじんらいちょうず》』の特徴は、先ほども述べたように、「浮絵《うきえ》」と呼ばれる幾何学的遠近法（透視図法）を駆使している点である。この

15

16

17

●もう一枚の肉筆画との款記比較
図右が藤永筆とされるほぼ同じ構図の肉筆画だが、同じ絵師の手になるとは思えない。図中が藤永、図左がもう一枚の作品の款記（サイン）だが、明らかに別物。

ように科学的な遠近法に至るまでにも、擬遠近法と呼ぶべき絵、または遠近法への模索と思われる絵がすでに描かれている。伝奥村政信《おくむらまさのぶ》による下町の祭りを描いた絵（次ページ）をまずみてみよう。

この絵は技法から判断すれば、浮絵と呼ぶには明らかに失敗作といえるかもしれないし、浮絵への模索ともいえる。作者は「浮絵の元祖」奥村政信と伝わり、江戸下町の祭礼行列の様子を描いたもので、おそらく一七三〇年代後半から四〇年代初めの享保《きょうほう》末から元文《げんぶん》期ごろの作品と思われる。先頭の山車《だし》は、『国性爺合戦《こくせんやかっせん》』の千里《せんり》が竹《たけ》での和藤内《わとうない》の虎退治人形であるが、その上で太鼓をたたいている人の帽子と肩口にフリルがついている点に注目したい。日本の絵画のひとつの約束事（コード）である、異国人や異界人にはフリルをつけて、その「異」なることを表現するという伝統から判断すると、この太鼓をたたいている人物は唐人《とうじん》であるということになる。

つぎに前景から中景に目を移すと、鼓《つづみ》と喇叭《らっぱ》（あるいはチャルメラ）で音楽を奏でながら、木戸をくぐり町内に入ろうとする唐人姿の楽人二人が行列の先頭に見え、彼らに続いて、右奥へと続く屋根越しにのぞかれる幟《のぼり》、三日月形の鑓先《やりさき》、輿《こし》の屋根が描かれている。「清道《せいどう》」と書かれた幟は朝鮮通信使行列の先頭をきる清道旗、鑓は偃月刀《えんげつとう》という通信使行列につきものの武器であり、輿は通信使の使者たちが乗るものをかたどっている。

このように朝鮮通信使の行列を模して、参加者が朝鮮人に扮《ふん》した行列を、下町の祭礼行列に、さりげなく取り入れているというわけである。こうした一種の仮装行列は、全国各地の祭礼に広くみられるパフォーマンスになっていったと思われる。

この絵の場所がどこかは特定できないが、遠景に見える山と五重塔は、上野《うえの》寛永寺《かんえいじ》と考えるのが自然なので、その位置関係から考えると、おそらく浅《あさ》草《くさ》・猿若《さるわか》町の盛り場あたりを描いているととるのが妥当だと思われる。

これは拙《つたな》い遠近法によるものだが、同様に遠近法の消失点にあたる位置に山を配置した絵を今度はみてみよう。鳥居《とりい》清広《きよひろ》による『新年の駿河町《するがちょう》』と呼ばれる年賀絵である。これは擬遠近法として富士山を消失点に置き、町内の棟や軒の線が、江戸城の城壁越しに、富士山へと鑑賞者の目を引く工夫は、のちの羽川藤永《はねがわとうえい》にヒントを与えたと考えても差し支えはないだろう。左右の店は、暖簾《のれん》からわかるように、三井《みつい》越後屋《えちごや》の呉服屋と両替屋である。厳密にいえば富士山は消失点ではないが、いわば精神的な消失点として富士山を配置しているわけである。江戸城の城壁の石組みがあり、「初夢明《はつゆめあけ》の駿河町」と書かれて

18

◉遠近法の試みがみられる祭礼行列図
洋風の遠近法を取り入れた浮絵の元祖、奥村政信筆とされる作品。下町の祭礼を描いたものだが、朝鮮通信使行列を模した出し物が取り入れられていることがわかる。

いることからも、描かれた場所は容易に特定できる。

これを見てから羽川藤永の肉筆画に目を移してみると、消失点としての富士山、江戸城など、たしかに『新年の駿河町』に共通する点があるが、こちらは前景にはかなり繁盛した町内を描き、奥から鑑賞者に向かって行進する行列を主題にした内容となっている。町内の奥、行列の後尾の上に、江戸城の外堀に面した城壁の石組みと、その上に植えられている松の姿がみられ、そのさらに奥の遠景に、雪笠をかぶった富士山がそびえたっている。最前景には立ち見の見物人が並び、左右の座敷や桟敷にも、通信使の記録で「蟻聚《ぎしゅう》」と称されたほど多くの見物人が、異国人姿の行列を祭り気分で楽しそうに見守っている。

行列の前衛は、昇龍《しょうりゅう》が雲の間を飛ぶ図柄の巨大な幟（形名旗《けいめいき》）と、「清道」幟（清道旗）二本とが描かれており、伝奥村政信による版画の奥に描かれている「清道」幟と重なる。清道旗・形名旗は、朝鮮通信使行列を先導する徽章《きしょう》の二つにあたる。また、奥の角を曲がったところにある常磐橋《ときわばし》も、通信使たちは常盤橋から江戸城を出るのが恒例なわけであるから、この絵は一見すると、江戸城から下城する朝鮮通信使たちの行列を描いたものと思えるのである。

19

◉鳥居清広筆『新年の駿河町』
鑑賞者の目を富士山へといざなう構図で、遠近法をめざした作品であろう。平面的な浮世絵に奥行き感を持ち込んでいる。

## 朝鮮通信使を描いたのか

これまで、いわゆる『朝鮮人来朝図《ちょうせんじんらいちょうず》』が朝鮮通信使を描いたようにみえることを述べてきたが、ここで思い出してほしいのが、先ほど見た浮絵《うきえ》への模索と思われる伝奥村政信《おくむらまさのぶ》筆の祭礼行列図である。そこでは、朝鮮通信使行列を模したパフォーマンスが描かれていた。そこで今度は、鳥居《とりい》清信《きよのぶ》による、一八世紀前半の『唐人行列絵図《とうじんぎょうれつえず》』と題された絵を取り上げてみたい。

題は「唐人行烈（列）」となっているが、描かれているのは朝鮮人行列である。詳しく見てみると、ひげをたくわえていない「唐人」（朝鮮人）が描かれているのがわかる。しかし、朝鮮王朝時代の朝鮮においては、成人した男性はひげを剃《そ》らないし、頭髪も刈ることはない。儒教思想においては、ひげも頭髪も、親から授けられた身体髪膚の一環であり、粗末に切り落とすことはできないからである。

この絵のように、ひげをたくわえていない朝鮮人がいるということは、この人たちはおそらく朝鮮人に扮《ふん》した日本人だろうと思われる。さらに和服姿で、鉢巻頭をあらわにして月代《さかやき》を剃

20

●鳥居清信が描いた祭礼行列

一七～一八世紀に活躍した浮世絵師、清信の作品。鳥居派の初代として活躍し、とくに役者絵に長《た》けた。（『唐人行烈絵図』）

っている人が紛れ込んでおり、しかも彼らは揃《そろ》いの衣装を身にまとっている。これらは、ある町内がお祭りのときにお揃いの衣装をつくらせて、祭りに出たものと考えられる。したがってこの絵図は、「唐人行烈」とはいうものの、じつは日本人が朝鮮人を演じている祭りの扮装パフォーマンスを描いたものと理解すべきだろう。つまり朝鮮人行列にみえても、祭礼行列であって、ほんとうの朝鮮人とは限らないことがあるわけである。祭りの唐人行列についてはのちほどあらためて触れるが、たとえば江戸の「天下祭り」といわれた山王祭《さんのうまつり》や神田祭《かんだまつり》にも、唐人行列が多くみられる。

そうだとすると、羽川藤永《はねがわとうえい》の『朝鮮人来朝図』や『朝鮮人行《ちようせんじんぎよう》列図《れつず》』に描かれた光景が、はたしてほんとうに来日した朝鮮通信使のものなのか、大いに疑問がわいてくるのである。疑問点のひとつは、藤永が描く「朝鮮人」たちの肩口や袖《そで》にフリルが描かれていることである。これまでに何度も触れたが、フリルは異国人・異界人を示すための絵画やパフォーマンス上のコードであった。現実には当時の朝鮮人の服にはフリルなどついてはいなかったので、フリルは、日本人が朝鮮人などの「唐人」を演じていることを示しているのである。

そうしたことをふまえて、藤永の作品のなかに描かれてい

21

◉フリルと白粉
藤永筆の『朝鮮人来朝図』の屋輿《やこし》に乗る人物の衣装にはフリルが描かれ、顔は白粉を塗った稚児のようにみえる。

る、屋輿《やこし》に座る主役に注目してみてほしい。主役の彼は、通信使としては「正使」という位の人物になるが、正使は、壮年の朝鮮高級官僚（文官）がつとめるものであり、国家・国王の威厳を海外に印象づける、大役である。むろん、ひげのない男につとまるわけがない。通信使行列を記録画として描いた作品や、当時の通信使を描いた肖像画などを見ても、正使は必ず、ひげ姿で描かれている。明暦《めいれき》元年（一六五五）の朝鮮通信使を描いたと思われる狩野益信《かのうますのぶ》の『朝《ちょう》鮮通信使歓待図屏風《せんつうしんしかんたいずびょうぶ》』、天和《てんな》二年（一六八二）の朝鮮通信使を描いたと思われる久隅守景《くすみもりかげ》の『朝鮮人行列《ちょうせんじんぎょうれつ》図屏風《ずびょうぶ》』、正徳《しょうとく》元年（一七一一）に狩野常信《つねのぶ》が描いた正使趙泰《チョラ》億《オク》の肖像画などが、よい例である。

ところが、藤永が描いた正使は、ひげをたくわえていないだけでなく、どちらかといえば、白粉《おしろい》をした稚児《ちご》が朝鮮の使者を演じているようにみえる。「白粉をした顔」と、「襟や袖口についているフリル」は、どちらも祭りの場でパフォーマンスとして唐人を演じる日本の稚児を表現するコードであ

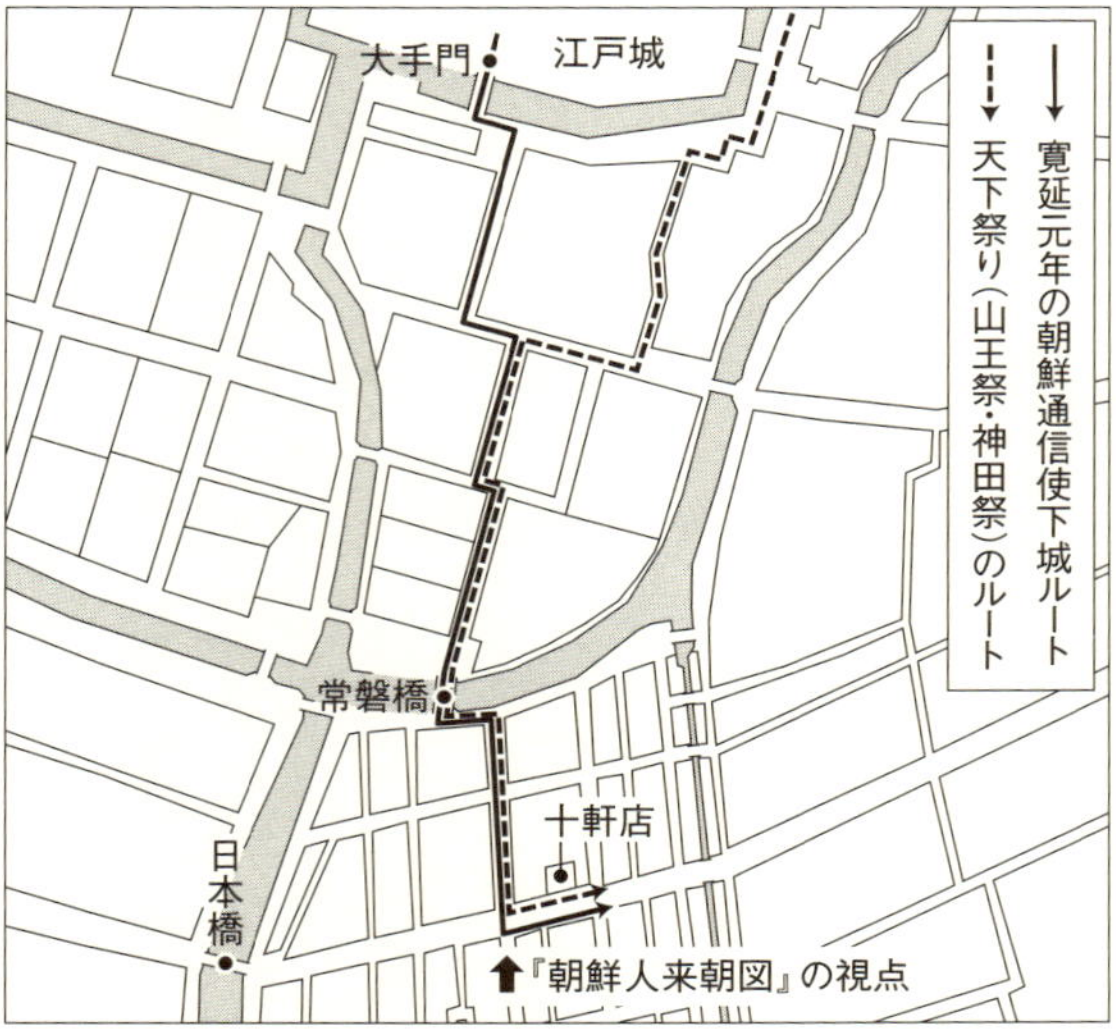


◉共通していた朝鮮通信使と祭りのルート
寛延元年の朝鮮通信使が江戸城から下城した際に通った、常《とき》磐橋《わばし》から本町《ほんちょう》、そして十軒店《じっけんだな》へというルートは、天下祭りの神田祭・山王祭が通るルートでもあった。

り、それを見るだけで、当時の人々は「祭りの唐人」と読みとることができたわけである。

こうした点から、当初は朝鮮通信使を描いたと思われていた藤永のいわゆる『朝鮮人来朝図』は、近年では祭礼行列の唐人行列を描いたものであるという見方が有力となってきている。実際のところ、朝鮮通信使の登下城ルートと天下祭りの祭礼行列のルートは共通しており、祭礼行列は「本町二丁目」も練り歩いたのである。また先ほども述べたように、寛延《かんえん》元年（一七四八）の朝鮮通信使来日時にはその後何年にもわたって朝鮮物ブームが起きているので、田安宗武《たやすむねたけ》が朝鮮通信使そのものではなく、その後の祭礼行列を描かせたとしてもおかしくはない。

**多様な類似作品が語ること**

羽川藤永《はねがわとうえい》のいわゆる『朝鮮人来朝図《ちょうせんじんらいちょうず》』について、もうひとつ興味深いのは、この肉筆画《にくひつが》によく似た構図の類似作品が数多く存在することである。その数は、筆者がこれまでに確認しただけで、軸装の肉筆画・木版刷りの版画をあわせて、一〇数点にも及んでいる。なぜこのように大量の類似作品が伝わっているのだろうか。

この点について筆者はこれまで、藤永の肉筆画を「原画」とし、その原画が人気となってつぎつぎに類似作品が描かれていったと考えて、その系統立てなどを試みていた。ところが、本巻の執筆が大詰めを迎えた二〇〇八年二月に、新出の類似作品が岡山県立博物館で初公開されたのである。これは池田家の所蔵品のなかに含まれていたもので、筆者も急遽《きゅうきょ》その絵を実際に見て検討する機会を得た。下にその図を掲載したが、一見して藤永の肉筆画とは異なる点が多いことがわかるだろう。たとえば、①行列が行列らしからぬ「群れ」という感じの雑然さである、②見物人は左側の辻の番所脇《わき》に少数で、斜めの竹矢来《たけやらい》で規制されている、③左右の建物の高さが異なっている、④やや上から眺めている視点なのに、見えないはずの軒下の蔀《しとみ》が描かれている、⑤江戸城の城壁や富士山が描かれていない、などといった点が相違点としてあげられる。

ただ、ここで詳しく論じる余裕はないが、ほかの類似作品のなかにも同様に②～⑤の要素をもつものが複数ある。この作品の出現によって、藤永とは異なる系統の存在が大きくクローズアップされてきたので、藤永の肉筆画を「原画」と見なしてきた筆者の考えには修正が必要になってきた。

類似作品はこのように今後も発見される可能性が高く、それによって藤永の肉筆画についての考え方や系統立ても、また変更を余儀なくされるかも

22

**◉藤永作品に類似の行列図**
藤永の肉筆画の構図に類似した作品はいくつかあるが、これは新出の一点。整然とした藤永作とは異なり、行列の雑然とした臨場感が漂う。

しれない。したがって現時点では、類似作品にはいくつかの系統があることが想定される、と述べるにとどめておきたい。

ただ、藤永の肉筆画と類似作品とを比較すると、よく似た作品でも細部に異同が多いことがわかる。作品によって辻番の人数がひとりだったり二人だったり、犬が寝ていたり起きていたりいなく

23

24

◉実際の行列と思われる二作品
これらの二点では、正使・副使にひげがあり、衣装にも、異人を描くときの決まり事であるフリルが描かれていない。こうしたことから考えると、構図的には藤永の肉筆画に類似しているが、これらは実際の朝鮮人行列を目のあたりにし、それらを写実的に描いたのではないかと思われる。藤永の肉筆画とこれらの写実的な作品群の、どちらが先に描かれたのかということについては、これからも検討を続けたい。

なったり、などいろいろあって興味は尽きないのだが、なかには作品について考えるうえで重要となる点もある。たとえば類似作品のなかには、正使や副使をともにひげ面《づら》として描き、服にもフリルを描いていないものが複数存在する（天理図書館蔵の二作品、そして「羽川藤永」の落款のある個人蔵の肉筆画など）。したがってこれらは、藤永の作品とは対照的に、祭りではなく現実の朝鮮通信使を描いたものだと判断することができる。

　細部の異同に関して、とくに興味深い点を、もうひとつ取り上げたい。それは、黒田《くろだ》日《ひ》出男《でお》が指摘した樽《たる》と手桶《ておけ》の問題である。藤永の肉筆画を見ると、画面左下の辻番の後ろに辻番の帯までの高さの巨大な樽があって、その上に小さな手桶が載っている。類似作品の多くも、同様の表現をしている。その一方で、大きな樽がなくて小さな手桶と柄杓《ひしゃく》が店一軒一軒の前に置かれている作品もある。

　一軒一軒の前に手桶を置くのは、祭り行列が通る前に水を打って、埃《ほこり》を押さえるためである。寛延《かんえん》元年（一七四八）以前は、通信使の場合も一軒一軒の店の前に小さな桶を置いて、行列が通る前に水を打つようにしてあった

25

◉西村重長筆『浮絵御祭礼唐人行列図』
通信使の行列に際し、町での対応が指示され、変更もみられた。それを参考に絵を読み解いていっても合点がいかない作品もある。

のが、寛延元年の通信使の際に、それは無用という触《ふれ》が出て、四斗樽《と》に変わったのである。だとすると藤永の肉筆画は、行列の内容は祭りの朝鮮人行列だが、町の整備は寛延元年の通信使そのものをふまえており、ここに描かれているのは本来ありえない光景だともいえる。さらに西村《にしむら》重長《しげなが》筆の『浮絵《うきえ》御祭礼唐人行列図《ごさいれいとうじんぎょうれつず》』という作品を見てみると、一軒一軒の前に手桶が置かれているのに加えて、道の奥には四斗樽も描かれている。これなどはどう判断したらよいのだろうか。どうやら藤永の肉筆画とその類似作品は、一筋縄では解明を許さない、謎に満ちた存在のようである。

# 祭りのなかの朝鮮人行列

## 祭りに取り込まれた朝鮮通信使

これまでにもみてきたように、近世の祭りのなかには、朝鮮通信使を模した行列（唐人《とうじん》行列）が取り込まれているケースがひじょうに多い。祭りの山車《だし》や練物《ねりもの》には、そのときに流行しているものや、伝説・物語などといった、人々に広く知られたものが取り上げられることが多かった。「唐人行列」

が祭りに取り込まれているということは、それだけ通信使が注目を集める存在だったことを示している。

朝鮮通信使などの仮装唐人がいつごろから祭りに取り込まれていったのかは定かではないが、遅くとも一七世紀なかばごろまでには定着していったことは間違いないだろう。寛永《かんえい》後期から慶安《けいあん》期（一六四〇年代）ごろの江戸の山王祭《さんのうまつり》の様子を描いたと思われる『天下《てんか》祭礼図《さいれいず》屏風《びょうぶ》』（『江戸《えど》天下祭図《てんかまつりず》屏風《びょうぶ》』）を見ると、山王権現《ごんげん》（現在の日枝《ひえ》神社）を出発した祭礼行列が麹町《こうじまち》御門から江戸城内に入り、城内を練り歩いて常盤橋《ときわばし》を渡って本町《ほんちょう》通りに出るまでが描かれているが、その左《さ》隻《せき》一・二扇の下部、竹橋《たけばし》御門から出てくる行列のなかに、朝鮮武官とおぼしき装束を模した一行がいる。そしてその行列を演じている町内を、「ミつたに町」（水谷町）と付《ふ》箋《せん》で示している。

山王祭と、神田明神《かんだみょうじん》（神田神社）の神田祭は、どちらも江戸を代表する豪華絢爛《けんらん》な祭礼で、両者ともに「天下祭り」と称され、江戸城に入って将軍の上覧を仰ぐようになっていった。当初は両祭りとも毎年行なわれていたが、年々華美になっていき氏子の負担が増したため、天和《てんな》元年（一六八一）以降はそれぞれの祭りが

26

◉祭礼に取り入れられた朝鮮通信使の行列
制作年度がある程度特定できる絵画作品に描かれた祭礼行列から、通信使の行列に模した出し物が祭礼に取り入れられた時期をおおよそ見当づけることができる。（『天下祭礼図屏風』）

隔年開催で、交互に行なわれるように変更された。この作品は、天下祭り（山王祭）の姿を伝える絵画史料として、今のところもっとも古いものと思われる。

なお、山王祭と朝鮮通信使の関係でよく紹介されるのが、『江戸《えど》名所図会《めいしょずえ》』（天保《てんぽう》七年〔一八三六〕刊）や『東都歳時記《とうとさいじき》』（天保九年刊）などに描かれている、麹町《こうじまち》が出す朝鮮人行列と張り子の象の練物である。象の張り子は、足に人間が入って動かす巨大なもので、享保《きょうほう》一三年（一七二八）に中国人が八代将軍徳川吉宗《とくがわよしむね》のためにベトナムから日本に連れてきて、翌年江戸に入った象を模したものと思われる。だが朝鮮通信使と象には関係はなく、どちらも「異国」というイメージで結びついて祭りに取り込まれたものと思われる。このように祭りの朝鮮人行列は、かたちとしては朝鮮通信使を模していても、そこに朝鮮通信使とは関係のないイメージや物語などが付加されることがあり、必ずしも朝鮮通信使そのものを意味しているとは限らないことがある。

朝鮮人行列は、江戸だけではなく各地の祭りに取り込まれていった。その姿は、たとえば文化《ぶんか》九年（一八一二）の土浦八坂《つちうらやさか》

27

◉山王祭に取り込まれた朝鮮通信使行列
朝鮮人に扮装した行列のあとを、中国からもたらされた象を模した作り物が続く。祭りにおけるこうした混同は、演出効果などの理由で、自然に取り込まれたと思われる。（『東都歳時記』）

神社《じんじゃ》（茨城県）の祭礼を描いた『土浦御《ご》祭礼《さいれい》之《の》図《ず》』や、文政《ぶんせい》九年（一八二六）の川越氷川神社《かわごえひかわじんじゃ》（埼玉県）の祭礼を描いた『川越氷川祭礼《さいれい》絵巻《えまき》』などによって知ることができる。朝鮮通信使が通らない土浦や川越の祭りに唐人行列が定着しているのは、天下祭りの影響もあったかと思われるが、通信使の人気がそれだけ高かったのと、そこにいくつもの異国・異界の物語を託すことが可能だったことが大きかっただろう。そういえば、第一章で紹介した、明暦《めいれき》元年（一六五五）の朝鮮通信使行列を江戸で見物した榎本弥左衛門《えのもとやざえもん》も、川越の塩商人であった。

**もうひとつの『神田明神祭礼絵巻』**

山王祭《さんのうまつり》と並ぶ天下祭りの神田祭《かんだまつり》の絵画史料としては、以前は『神田明神祭礼絵巻《かんだみょうじんさいれいえまき》』（神田神社所蔵）がもっとも有名であった。だがこれは簡素化された幕末の神田祭を描いたもので、朝鮮人行列も登場するが、正使と楽隊を中心にした約五〇人の小規模なものである。

寛政《かんせい》期以前の豪華絢爛《けんらん》な神田祭の姿を伝えるものとして、茨城県龍ケ崎《りゅうがさき》市歴史民俗資料館所蔵の『神田明神祭礼絵巻』がある。これは、一九九〇年代前半に筆者が黒田《くろだ》日出男《ひでお》と近世の祭礼についての共同研究を進めるなかで「発見」したものである。これ自体は模本で、原本は不明だが、写された原本の制作者の自序によれば、この絵巻は寛政五年（一七九三）に、寛政の改革以前の宝暦《ほうれき》から天明《てんめい》（一七五一〜八九）ごろのにぎやかだった祭りの姿を、

◉**神田祭での朝鮮通信使行列**
清道旗や輿など、実際の朝鮮人行列を忠実に再現したと思われる行列の様子である。こうした祭りを通して多くの人が追体験したのであろう。（『神田明神祭礼絵巻』）

「今の童に見せて」喜ばすために描かれたものだという。松平定信《まつだいらさだのぶ》による寛政の改革で華美が禁じられて、天下祭りの規模も縮小されてしまったのだが、この絵巻は縮小される前の祭りを描いていることになる。

そこで絵巻の中身を見てみると、神田祭は全部で三六番の番組があるが、この絵巻にはそのうちの二一番組しか描かれていない。自序によれば、神田祭のなかでも「名高き」ものだけを描いた、とのことであるが、幸いなことに、朝鮮人行列はその「名高き」ものに入っている。

その行列は、一一番の豊島《としま》町（現在の御茶ノ水《おちゃのみず》駅近く）による「朝鮮人来朝」で、清道旗《せいどうき》や国書を乗せた輿《こし》、正使の輿、馬上の副使などの朝鮮人を模した一行のほかに、警固の対馬《つしま》藩士と思われる仮装も加わった、総勢一六〇人に及ぶ大規模な行列である。実際の朝鮮通信使をかなり忠実に模しているといえるだろう。

そして詞書《ことばがき》には「祭礼に於《おい》てハ唐人《とうじん》の随一といふ」と書かれている。絵巻によれば、神田祭には豊島町以外にも、六番「蜀国五虎将軍《しょくこくごこしょうぐん》（三国《さんごく》志《し》の祭り）」、一九番「野馬台之詩《やばたいのし》（玄宗《げんそう》皇帝の祭り）」（入唐《にっとう》した吉備真備《きびのまきび》が、神仏の導きで難読な詩の読解に成功する話）、二八番「浦島《うらしま》」、三一番「三韓攻出陣《さんかんぜめしゅつじん》」などに、唐人や唐人行列が出てきている。そのなかでこ

28

の豊島町の行列が、もっとも評判が高かったということになる。

寛政年間の落語でも、当時朝鮮通信使と類似する存在と見なされていた琉球《りゆうきゆう》使節行列が江戸に入るのを見物してきた遊廓《ゆうかく》の客が、遊女に感想を聞かれて、「唐人」行列だから祭りのようなもので、豊島町の祭りの唐人のほうが立派だ、と答えており（『青楼育咄雀《さとそだちはなしすずめ》』）、豊島町の行列の評判を物語っている。

こうして朝鮮通信使を模した行列は、天下祭りをはじめとして多くの祭りに定着していったのだが、ひとつ注意したいのは、先ほども祭りの朝鮮人行列が必ずしも朝鮮通信使そのものを意味しているとは限らないことを指摘したが、それにもかかわらず、祭りの朝鮮人行列というと朝鮮通信使に由来するものと考えられがちなことである。たとえば三重県津市の八幡祭礼《はちまんさいれい》でも「唐人行列」が行なわれていて、朝鮮通信使行列を模したものとして、朝鮮通信使との関係で語られることが多い。

だが津は、朝鮮通信使が京都と江戸を往復する際の通り道ではない。一方、津の藩祖の藤堂高虎《とうどうたかとら》は、豊臣秀吉《とよとみひでよし》の朝鮮侵略戦争の際に出兵して、数百人の朝鮮人捕虜を連れて帰ってきている。そこで祭りをよく見ると、主役は朝鮮通信使の正使ではなく、朝鮮の大将軍であるので、朝鮮人捕虜とのつながりを考えたほうがいいだろう。また第四章でも紹介したように、江戸時代初期の津の八幡祭礼を描いたといわれる『津《つ》八幡宮《はちまんぐう》祭礼《さいれい》絵《え》巻《まき》』の唐人行列は南蛮人《なんばんじん》の姿をしており、当初は朝鮮人行列ではなかったようである。津の八幡祭礼の「唐人行列」は、朝鮮通信使と直接の関係はなかったと考えたほうがいいのではないだろうか。

## 歌麿が描いた唐人趣味

「美人画」で名高い喜多川歌麿《きたがわうたまろ》に、吉原《よしわら》の遊女たちの行列を描いた興味深い浮世絵がある。『見立唐《みたてとう》人行列《じんぎょうれつ》青楼《さと》仁和嘉《にわか》二の替わり』（寛政《かんせい》九〜一〇年〔一七九七〜九八〕作）という、歌麿が残した唯一の七枚続きの作品である。「にわか（仁和嘉・俄）」とは、さまざまな趣向を凝らした廓《くるわ》内のパフォーマンスのことをいう。

絵を見ると、新吉原仲《なか》の町《ちょう》茶屋衆の遊女たち三五人が行列を組んで、遊廓のメインストリートを練り歩いている。先頭の二人は、「情洞」の二文字を縦書きにした旗を掲げ、鑓持《やりも》ちや楽隊、昇龍《しょうりゅう》図柄の旗、鳳輦《ほうれん》（唐様《からよう》の乗り物）に乗った遊女が続く。そして最後に、馬上の花魁《おいらん》二人とそのまわりを取り巻く遊女たち。後景には、緩やかな曲線を描いた富士山が空にそびえたつ。

ここで繰り広げられているのは、「唐人行列」（朝鮮人行列）を模したとされる「唐人俄」というものである。吉原俄の沿革を詳しく述べた『吉原春秋二度《よしわらしゅんじゅうにど》の景物《けいぶつ》』によれば、寛政八年九月に唐人装束を着けた俄が行なわれた記録があり、歌麿が描いたのも、そのときの行列と思われる。

花魁たちの姿を見てゆくと、三つの異なったタイプが認められる。すべてのメンバーは、足に草履を履き、身は寛政期を代表する流行の着物で包んでいる。雉《きじ》の羽や花で飾られたとがった帽子をかぶる者と、無帽で柘植《つげ》の櫛《くし》や簪《かんざし》で飾った勝山髷《かつやままげ》をしている者がおり、帽子かぶりの女性たちが上級の遊女らしい。そして、馬上の二人と、鳳輦乗りのひとりが、この絵の主人公である。この三人は、派手な烏帽子《えぼし》のような冠をいただいている。かぶりものをいただく者たちは、みな唐人のしるしであるフリル付きの布を肩や腕に巻いている。

　鳳輦乗りの遊女が、朝鮮通信使の正使と見立てられているのは間違いない。三・四枚目にまたがって描かれている昇龍旗も、朝鮮通信使の徽章《きしょう》のひとつとして広く知られていた。現実の通信使の正使は、鳳輦には乗らないが、必ず大きな笠に覆われ輿《こし》に乗って担がれており、いちばん目立つ存在であった。また現実の朝鮮通信使行列の場合、先頭の旗に描かれる文字は「清道」だが、ここでは「情洞」の文字に変わっている。それは、廓が「情」を売りものにする女性たちの「洞窟《どうくつ》」という意味の駄洒落《だじゃれ》であろう。

　実際の朝鮮通信使・琉球使節の行列は、必ず大勢の日本人の警固に包まれており、乗り物や荷物を担ぐのも日本人の駕籠舁《かごかき》や人夫だった。歌麿の絵のなかでも、無帽の遊女たちが、随行の日本人を表わしている。帽子・冠といったかぶりものとフリルの有無が、唐人役と日本人役を見分けるしるしとして活用されている。

　ここで問題になるのは、歌麿の描いた吉原の「唐人俄」が、

29

Photograph©2008 Museum of Fine Arts, Boston.

◉**歌麿の手になる『唐人行列』**
美人画に長《た》けた、歌麿の手にかかると、通信使行列に独特のあでやかさが加味される。当代きっての浮世絵師が見立てに使うほど、祭礼の唐人行列は人気のある出し物であったのだろう。

朝鮮通信使そのものを見立てているのか、それとも山王《さんのう》・神田祭《かんだまつり》に定着していたパフォーマンスとしての「唐人行列」を見立てているのか、という点である。

天和《てんな》年間（一六八〇年代）に上方に始まった俄という芸能が、江戸に移り、吉原の年中行事として取り入れられたのは、一七六〇年代後半のことといわれる。その演目は、山王・神田の両天下祭りで行なわれた芸能をまねたものであったとされる。寛政の改革で、倹約が国是となると、祭りでも華美な出し物は禁じられたが、遊里だけは従わず、華麗な俄が続いたようである。となれば、歌麿が描いたのは、山王・神田の両天下祭りの「唐人行列」をまねた俄とみるのが自然であるかもしれない。

しかし、江戸時代の随筆『青楼年暦考《せいろうねんれきこう》』は、吉原俄の起源を明和《めいわ》四年（一七六七）としている。その三年前の明和元年には、朝鮮・琉球の両使節がそれぞれ盛大な行列をつくって、江戸を訪れている。また『明月余情《めいげつよじょう》』という三冊本には、吉原俄の演目には初期から唐人装束を着けた音曲があったことが記される。太鼓《たいこ》や腹《はら》太鼓、小鼓《こづつみ》の打楽器、チャルメラ・喇叭《らっぱ》・笛の管楽器、それにカヤグム（朝鮮琴）をもじった三味線を撥《ばち》で弾く弦楽器のグループが廓内を練り歩いたという。こうした経緯をたどってみると、吉原の唐人俄が、朝鮮通信使や琉球使節を直接まねて始まったという考えも捨てがたい。少なくとも、その話題が契機となっている可能性はある。

歌麿が廓のなかの「唐人俄」を描いたのは明らかであるが、その「唐人俄」が「唐人」そのものをまねたのか、祭りの唐人パフォーマンスをまねたのかは、そう簡単に判断できないのである。

いずれにせよ、美と情けを売りものにする遊女たちがいる吉原は、ある意味、江戸のなかでは「異界」であり、異人たちに扮《ふん》する「唐人俄」が似合う場所であった。そうした異国情調が、遊女たちの魅力をさらに引き出すことを、歌麿はよく知っていたようだ。

### 賄い唐人

祭りの唐人行列に必ずといっていいほど登場するのが、天秤《てんびん》ばかりや食料を手にして馬に乗る「賄《まかな》い唐人《とうじん》」である。朝鮮通信使一行が来日すると、基本的に日本を出るまでのいっさいの経費は幕府や諸藩がまかなった。三使（正使・副使・従事官）以下のトップクラスの外交官たちは、幕府や諸藩によるもてなしやご馳走があったが、身分の低い者たちは、米・味噌・野菜などが現物で支給され、それを自分たちで調理した。その際に、支給されたものを別の食料と物々交換することがあったことから、「賄い唐人」が生まれたようである。もちろん現実の朝鮮通信使には存在しない架空のキャラクターなのだが、絵画にはよく描かれている。

葛飾北斎《かつしかほくさい》の描いた、『東都名所一覧《とうとめいしょいちらん》』（寛政《かんせい》一二年〔一八〇〇〕刊）の「山王祭《さんのうまつり》」の賄い唐人を見てみよう。馬の鞍《くら》には、朝鮮

30

●北斎が描いた賄い唐人
江戸の名所を主題とした狂歌絵本『東都名所一覧』の一場面。人気のあるテーマのためか、色摺り絵本の豪華な本であった。

の名産品で薬として珍重された朝鮮人参《にんじん》に見立てたと思われる大根の束が下がっている。朝鮮人参は高価でなかなか入手できないので、大根で代用させたのだろうか。賄い唐人は、片手に天秤ばかりを持って、その「人参」を量り、売りさばこうとしている。現実の朝鮮通信使でも、持参した朝鮮人参を私的に売買するケースがあったようで、幕府はそれを問題視していた。こうした天秤ばかりを手にした賄い唐人は、よく見ると羽川藤永《はねがわとうえい》のいわゆる『朝鮮人来朝図《ちょうせんじんらいちょうず》』にも描かれている。

　賄い唐人は、日本と食習慣が異なる朝鮮人のシンボルとして用いられることもあった。今度は『土浦御祭礼之図《つちうらごさいれいのず》』（文化《ぶんか》九年（一八一二）作）を見てみよう。そこでは馬上の賄い唐人が、生きた鳥を食べている。祭りだから本物ではなく作り物だろうが、朝鮮人の「肉食」という食習慣を強調するように演じている。また英一蝶《はなぶさいっちょう》の『一蝶画譜《がふ》』（明和《めいわ》七年（一七七〇）刊）に描かれた賄い唐人も、馬の鞍から下げた籠《かご》の中に食材とする兎《うさぎ》や鶏を入れている。

　近世日本人も実際のところ肉類を食べなかったわけではないが、自己意識としては、自分たちは肉を食べない、清い存在であると考えていて、肉を食べる朝鮮人を自分たちと正反対の存

31

◉通信使仮装行列での賄い唐人
総勢二〇〇〇人を数えたという、土浦（茨城県）の八坂神社祭礼の行列でも、朝鮮人に扮した仮装はひときわエキゾチックにみえる。（『土浦御祭礼之図』）

在と見なしていたのである。

　たとえば、寛延《かんえん》元年（一七四八）の朝鮮通信使を描いた『朝鮮人来朝物語』には、「大坂本願寺《おおさかほんがんじ》津村別院厨房《つむらべついんちゅうぼう》の図《ず》」として、朝鮮人たちが羊を丸焼きにしたり、猪《いのしし》や猿を調理したりしている姿が描かれている。同じ寛延元年に、通信使の宿泊所となった品川の東海寺《とうかいじ》は、「宿泊した朝鮮人たちが、神仏への供物を用意する竈《かまど》で禽獣《きんじゅう》を煮たり焼いたりしたので、竈が不浄になってしまいもう使えない。迷惑なので幕府に新しく竈をつくる費用を出してほしい」と幕府に訴えているので、『朝鮮人来朝物語』に描かれたようなことが実際にあったことがわかる。

　これらをみると、肉を食べる朝鮮人は「不浄」で、われわれ日本人より文化レベルが劣るという偏見が、近世日本人の間にあったことがうかがえる。そしてこうしたイメージは、朝鮮を属国視しようとする幕府の思惑《おもわく》とも相まって、朝鮮通信使が来日するたびに繰り返し表現されることによって、増幅されていったのである。

32

◉通信使の行状を描いた『朝鮮人来朝物語』
右図の調理の様子のほかにも、耳塚《みみづか》に立ち寄る図、江戸で将軍に謁見《えっけん》する図など、朝鮮通信使一行が来日して体験・実行した行状に関しての貴重な絵が収められている。

第六章

# 通詞いらぬ山

——富士山と異国人の対話

# 異国から見える富士山

## ナショナル・シンボルとしての富士山

現在、富士山（富岳・富嶽）は日本だけでなく世界中においても、「日本」を象徴するものとしてもっとも広く認識されている、ナショナル・シンボルである。自然現象としての富士山は、幾万年となく繰り返されてきた火山活動により積み上げられてきた溶岩と火山灰などが重なってできあがった、一種の天与条件である。それに対し、人間が認識する富士山――シンボルとしての富士山は、たった数世紀の間に、文化の働きによって付与されてきた、さまざまな意味合いやメッセージの堆《たい》積《せき》の結果できあがった結晶であるといえよう。

しかしながら、富士山がいつごろ、そしていかなる言説過程を経て、列島各地の人々に「富士山＝日本」として通じる、国民や国土全体を具現し、象徴するナショナル・シンボルになったのか、そして、そのプロセスは政治・社会・宗教・イデオロギー的にどんな歴史的意味をもっているのかについては、十分に検討されてきたとはいえないのである。

筆者の考えでは、「富士山＝日本」という認識は、富士山を望む江戸が政治・文化の担い手になり、しかも参勤交代《さんきんこうたい》や商業・参詣《さんけい》・遊行《ゆぎょう》の旅などで東海道・中山道の往来が盛んになる近世日本の産物である。むろん、山部赤人《やまべのあかひと》が「布士《ふじ》」を詠じて以来（『万葉集《まんようしゅう》』）、古代中世の言説においても、富士山は名所・歌枕として語られ、詠まれたり描かれたりしてきた名山であり、修験道の霊場として信仰を集める霊山でもあった。だが、日本にとどまらず、国境を越えて「三国一」、すなわち世界一の存在となり、国の全域、全住民、そして政体のシンボルであり、さらには「守護の名山」といわれる守り神でもあるというイデオロギーが生まれたのは、近世以降の現象なのである。

一方、近世日本においては、富士山が異国にもその存在を知られ、異国人が富士山に心惹《ひ》かれるという言説がさまざまに創出・想像されている。筆者は、そうした富士山と異国人との交感を、富士山と異国人との間に交わされた「対話」と名付けているが、富士山をめぐるイデオロギーと、富士山と異国人との対話という言説とは、不可分の関係にあると思われる。

そこで本章では、富士山が列島全体に通じるナショナル・シンボルに膨れ上がり、イデオロギーのキー・タームとなっていった過程を、富士山と異国人との対話という側面に絞って検討したいと思う。そしてその対話に秘められているメッセージは何か、そのメッセージが文化や政治・イデオロギーに対してどういう働きをしたか、という二つの問題を明らかにしたい。

1

◉**北斎が描いた「来朝の不二」**
年代的に朝鮮通信使を実際には目にしていないはずの葛飾北斎《かつしかほくさい》も、通信使と富士山を一緒に描いている。（葛飾北斎筆『富嶽百景《ふがくひやっけい》』より）

## 富士山を眺める「唐の者ども」

一七世紀なかばから、版本による出版文化が発達し、文字の知識が各身分層の間に浸透していくなかで、日本の古典を上梓《じょうし》し、販売する動きが盛んになった。古典のみならず、古典を似せたりもじったりする書物も数多く出版されており、場合によっては「本物」より先に、こうしたパロディが上梓されるようなケースもあった。そうしたパロディのひとつに、寛文《かんぶん》九年（一六六九）に刊行された幽双庵《ゆうそうあん》作の『犬百人一首《いぬひやくにんいつしゆ》』がある。

『犬百人一首』をひもといてみると、歌題を可視化した墨摺《すみず》りの挿絵があり、その上の余白に、詠み人の名前と一首の歌が綴《つづ》られている。外国で生まれ育った筆者には、正月の歌カルタの経験はないが、ページをめくってみるうちに、すっかり『犬百人一首』に惹《ひ》かれてしまった。なかでも興味をもったのは、『伊勢物語《いせものがたり》』「東下《あずまくだ》り」の段を思い起こさせる図柄で、前景の三保《みほ》の松原越しに見える富士山の麓《ふもと》を、貴人の一行が街道を東へ向かって進むありさまが表現された一枚である。見た目は「東下り」の段だが、『犬百人一首』の歌は、作者が在原業平《ありわらのなりひら》ではないし、また本来の『百人一首』に採用された業平の歌が詠じている主題は、東下りや富士山ではないので、この絵とは関係ないだろう。『犬百人一首』のこの歌は、つぎのとおりである。

唐人公《とうじんこう》

ふじの山　唐《とう》の者ども　心あらば　今ひと旅の　深雪《みゆき》めでなん

富士山は、中国・朝鮮を含む「唐」（大陸、異国）の人々の心を動かす神秘的な力がある、と詠まれているのである。その「心」に倣って、絵をもう少し丁寧に読んでみると、一行の貴人は日本人ではなく、この歌で詠まれている「唐の者ども」そのもののひとりなのである。この「唐の者ども」が、馬の手綱を曳《ひ》く馬子《まご》（月代《さかやき》頭でひげのない日本の者）によって、東海道を案内されるシーンが表象されている。馬子は振り返って馬上の唐土《もろこし》貴人（唐冠束帯でひげ面《づら》）の顔に視線を合わせているが、貴人の後ろを歩く下官唐人のひとりは、雲の上から姿を現わす富士山を手で指し示して、残る二人の注意を引き、山をまさしく「愛《め》でる」姿勢を演出している。「唐の者ども」の「心」が富士山に打たれ、動かされているのである。

この『犬百人一首』で詠まれ、描かれている「唐の者ども」は、いかにして富士山を知り、その麓を通ろうとしていたのだろうか。要因のひとつは、徳《とく》川家康《がわいえやす》が天下をとってから、日本の政治的重心が畿内から関東・江戸へと移ったことである。これまで

2

◉唐人の心も動かす富士山の魅力
『犬百人一首』は、『小倉百人一首』のもじり狂歌集としては最古のもの。この場合の「犬」は、よく似ているが違っている意。挿絵も秀逸で、風俗史料として価値がある。

京都や大坂で接待されていた異国からの使節団は、江戸や駿府《すんぷ》（大御所《おおごしょ》となった徳川家康の居所《きょしょ》）へと行き先を変えた。

そして、江戸時代初期の慶長《けいちょう》一二年（一六〇七）から再開された、朝鮮との外交関係の要《かなめ》を担う朝鮮通信使（回答兼刷還使《かいとうけんさつかんし》）や、寛永《かんえい》一一年（一六三四）から始まる琉球《りゅうきゅう》使節が、『犬百人一首』が刊行された寛文九年までの六〇年あまりの間に、合わせて一〇回ほど江戸まで往復し、ここで描かれている名所を、行き・帰りともに通過していることも、もうひとつの要因である。

『犬百人一首』の「唐の者ども」が富士山の存在を事前に知り、麓まで来ることを志したとされているのは、むろん、朝鮮や琉球の使節が往来する現実と無関係ではあるまいが、言説としての富士山ともまた、深いかかわりをもっていると思われる。ここで描かれているシーンは、『伊勢物語』「東下り」の段そのものであるのだが、さらに掘り下げてみれば、謡曲の『富士山』は、唐土人が不老不死の仙薬を求めて唐土から富士（不死）山を訪ねるという設定であり、すでに室町《むろまち》時代のころから、富士山と異国人との対話が始められていたことがわかる。謡曲『富士山』はまた、秦《しん》の始《し》皇帝《こうてい》が不死の薬を求めて海中の蓬萊《ほうらい》などの三神山へ、徐福《じょふく》と三〇〇〇の童子童女を派遣したという、いわゆる徐福伝説の流れを汲《く》んでいるに違いないと思われる。

謡曲の『富士山』では、富士と「唐の者ども」の対話は想像の域を出ないものであったのが、江戸時代には現実の「唐の者ども」が来日し、富士山の麓を行き交うようになったのである。

「富岳遠望奇譚」

富士山が「唐《とう》の者ども」に知られるようになったさらにもうひとつの要因は、『犬百人一首《いぬひゃくにんいっしゅ》』からほぼ半世紀ほどさかのぼる言説のなかに求められる。

すでに触れたように、文禄《ぶんろく》元年（天正《てんしょう》二〇年（一五九二））開戦の文禄の役（壬辰倭乱《じんしんわらん》）は、豊臣秀《とよとみひで》吉《よし》による朝鮮侵略戦争だったが、その最前線で戦ったのが、小西行長《こにしゆきなが》率いる第一軍と加藤清正《かとうきよまさ》率いる第二軍であった。まず四月一二日（朝鮮暦一三日、以下同）に釜山《プサン》に上陸した行長軍は、翌一三日（一四日）釜山城《プサンソン》を、その翌日には東莱城《トンネソン》を陥落させ、首都の漢城《ハンソン》（ソウル）へと北上した。一方、行長軍は五日遅れて釜山に上陸したが、途中で行長軍と合流し、漢城へ向かった。翌月漢城を陥落させると、そこから二手に分かれて、行長は西北方向を攻め、平《ピョン》壌《ヤン》を手に入れ鴨緑江《アムノッカン》をめざしたが、清正は北東へ進み、咸鏡道《ハムギョンド》に入った。そして咸鏡道北部の会寧《ホエニョン》で朝鮮の王子二人、臨海君《イムヘグン》と順和君《スンホワグン》を生け捕りにして連行すると、朝鮮と満州の境界である豆満江《トマンカン》を越えて、女真《じょしん》族が住む兀良哈《おらんかい》（沿海州一帯）に入った。

『清正高麗陣覚書《きよまさこうらいのじんおぼえがき》』（寛永《かんえい》二年（一六二五）刊）は、清

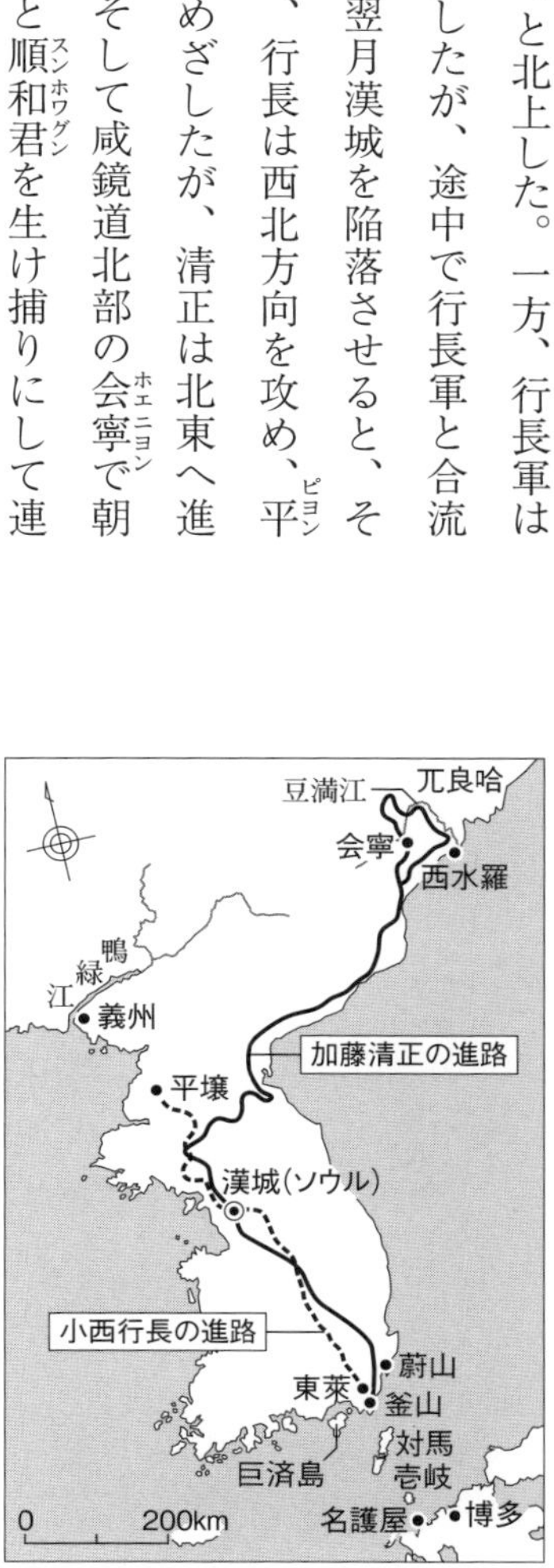


●加藤清正と小西行長の進路
加藤清正が豆満江を越えて兀良哈に入ったのは、文禄元年の七月末〜八月末のこと。兀良哈から明《みん》への道を探るのが、その目的だったとされる。

正の配下として参戦したと思われる下川兵太夫《しもかわへいだゆう》が、亡き主君の功績を称《たた》えるため綴《つづ》った物語である。そこには清正軍の行軍が詳しく語られているのだが、そのなかに兀良哈に入った清正のつぎのような逸話がある。

清正は、豆満江の下流域の「せいしう浦」（西水羅《ソスラ》）という場所で「北国の武者大将」セルトウスを捕らえた。その際に後藤《ごとう》というひとりの通詞《つうじ》（通訳）も一緒に生け捕りにしたのだが、この男は二〇年も前の天正《てんしょう》初期（一五七〇年代）に「日本松前《まつまえ》」から嵐に流されてきた漂流者であった。清正によって後藤二郎《じろう》（次郎）と名付けられたこの男の話によると、快晴の日には、「せいしう浦」から、日本海（東海）を隔てて、遠くの西南の方角の空の上に、富士山の姿を肉眼で遠望することができる、という。

男にとって富士山は、望郷の念から仰ぎみて心の痛みを癒《いや》す霊山であったかもしれないが、兀良哈と同じくらい富士山と離れている「日本松前」の人が富士山を富士山と認識できること自体、よく考えれば不思議なことである。

実話として語られたこの逸話は、富士山の標高と地球の曲率の相互関係を考えれば、地形的に不可能であることはいうまでもない。だがこの奇譚《きたん》は、近世に限らずのちの言説やイデオロギーに大きな影響を及ぼしたのである。そこには少なくとも四つのメッセージが含まれており、そのメッセージは、これ以降、日本の民間思想やイデオロギーの土壌に、膨張主義・征韓論などがはぐくまれていくうえで、豊かな肥料として働いたともいえるのではないかと、筆者には思われてならない。

その四つのメッセージとは、以下のとおりである。

①日本を護《まも》る霊山が遠い外地からも見える。

②富士山の霊験が朝鮮の兀良哈まで届き及んでいる。

③富士山の霊験が届く範囲は「日本」の領域となるべき地である。

④はるかなる外地まで勝ち進んだ清正の軍隊の最終勝利を、富士山が霊験で保証する（それが、外地を手中に収めるという日本全体の夢の正当づけともなる）。

豆満江河口にほど近い西水羅から富士山を遠望するという、地形的にはまったくありえないフィクションのそもそもの作者が、清正本人なのか、『清正高麗陣覚書』の作者下川なのか、あるいはほかの誰かなのかは、四〇〇年を経た今となっては、おそらく知る術《すべ》はないであろうが、ここで誕生した奇譚は、その後、長い間語り継がれていったことは確実である。以下、この奇譚を「富岳遠望奇譚」と呼ぶことにする。

**知識人の反応**

『清正高麗陣覚書《きよまさこうらいのじんおぼえがき》』に記されたこの富岳遠望奇譚《きたん》は、人々にはどのように受け止められたのだろうか。学者などの知識人と、一般庶民とに分けて、その受容のされ方をみてみよう。

まず知識人の間では、一七世紀末の元禄《げんろく》期ごろから、富岳遠望奇譚をいわば「科学的事実」として受け止める動きを認めることができる。富岳遠望奇譚を、はじめてオーソドックスな学問に取り入れたのは、おそらく博覧強記で知られる儒学者の松下見林《まつしたけんりん》であろう。見林の大著『異称日本伝《いしょうにほんでん》』（元禄四年（一六九二）刊）は、中国や朝鮮の歴代史書の日本関係記事を抜粋・収録し、関心のある点、不審な点、日本の史書と矛盾する点などについて、「今按《あん》ずるに」と始まる按文（コメント）を加えたものである。近世歴史学のなかで特記すべき書物であり、日本に限らず、朝鮮後期の実学者の間でも愛読され、内外に大きな影響を与えている。

見林が抜粋し、収録した書物のひとつに、一四七一年に刊行された、申叔舟《シンスクジェ》による『海東諸国紀《かいとうしょこくき》』がある。周知のとおり『海東諸国紀』は、当時の朝鮮にとって外交・国防・貿易政策上で必要な日本・琉球《りゅうきゅう》関係の情報をまとめた書物であり、一五世紀の朝鮮屈指の知識人である申叔舟が綴《つづ》った文章や、歴史地理学上も重要ないくつかの地図など、貴重な情報が数多く含まれている。

そのなかには、当時の日本と琉球を含めた「海東諸国」の全域を描いた地図や、本州と四国を示す「日本本国」、そして「日本国西海道九州」「日本国一岐（壱岐《いき》）」「日本国対馬《つしま》」などの部分図と、「琉球国」の図もあり、その地図にさまざまなデータが盛り込まれている。そのデータは必ずしも正確ではない

3

◉朝鮮人による一五世紀後半の日本理解
外交に必要な日本および琉球の情報をまとめた『海東諸国紀』に収録された日本地図の、東日本部分。富士山が絵とともに記されているが、著者の申叔舟は富士山を見たことがなかった。

にしても、当時の朝鮮が日本をいかにイメージし、いかに理解していたかを知るうえで、重要な史料である。見林もそうした認識に立ち、『海東諸国紀』のテキストの大部分とともに、地図の一部も模写し、収録したのである。

申叔舟自身は、朝鮮国王世宗《セジョン》が室町幕府へ派遣した通信使の書状官として、一四四三年（嘉吉《かきつ》三年）に京都を訪れたのだが、それより東へは行くことなく、自分の目で富士山を確かめてはいなかった。にもかかわらず、『海東諸国紀』の「日本本国之図」には駿河《するが》の上に険しくそびえたつ富士山を描いており、峰の上の余白に、「富士山、高四十里　四時有雪」と説明しているのである。『海東諸国紀』は、「凡例」に「一、道路用日本里数、其一里准我国十里」とあるように、日本の里程に拠《よ》っている。したがって富士山の標高は、一五万七〇〇〇メートルあまりという、途方もない数値になるのである。われわれ現代人にはまったくでたらめな数値だとわかるが、当時はそういう認識はなかったであろう。

**史実化する富岳遠望奇譚**

『異称日本伝《いしようにほんでん》』にも、『海東諸国紀《かいとうしよこくき》』の「日本本国之図」はもちろん掲載されており、松下見林《まつしたけんりん》はそこに描かれている富士山についてのみ、以下のような按文《あんぶん》を施している。

今按ずるに、前後の日本図、差し訛《あやま》って、真を失う。『富士山高さ四十里、四時雪有り』とは、その言殆《ほとん》ど近し。秀吉《ひでよし》、朝鮮を征する時、清正《きよまさ》、兀良哈《おらんかい》に於いて一人を捕獲す。名、世琉兜宇《セルトウ》須《ス》。元、日本松前《まつまえ》の人なり。嘗《かつ》て、漁舟に乗り、風飄《ふうひょう》するところ、済州《せいしゅう》に在ること二十年。清正悦《よろこ》びて、郷導《きょうどう》となす。名を後藤次郎《ごとうじろう》に改む。次郎がいうには、この地、天霽《はれ》れば、富士山甚だ近く見ゆるべし。（原文漢文）

セルトウスと後藤次郎（二郎）を同一人物としている点は異なるが、基本的には『清正高麗陣覚《きよまさこうらいのじんおぼえ》書《がき》』と同様の話が語られ、「高四十里」の根拠とされている。見林にとっては、清正の富岳遠望奇譚《きたん》は、兀良哈の地で実際に経験されたことであり、そこまで見える山なら「高四十里」は容易にありうる、まさしく「真に殆ど近」いことだったのである。

『異称日本伝』以降の、富岳遠望奇譚についての学者の議論を概観すると、まず新井白石《あらいはくせき》は、その著『藩翰譜《はんかんぷ》』（元禄《げんろく》一五年〔一七〇二〕成立）に加藤清正の略伝の項を設けているが、清正の兀良哈侵攻については簡単に述べるにとどめ、松前の漁師を郷導（道案内役）にしたという話には触れながら、富士山を遠望する話はいっさい紹介しなかった。怪しいことに疑問を投げかける習性の白石は、セルトウスが朝鮮の地方官僚である「節度使《せつどし》」であると突き止めたが、流れとして付随する富岳遠望奇譚にはまったく言及していないのである。白石の沈黙を「黙認」とみてよいのか、「黙殺」と読むべきなのか、定かではないが、筆者としては、白石がはっきりと否定していないことに興味をひかれる。

また、白石と同時代の大坂の医師寺島良安《てらじまりようあん》は、その膨大な編著『和漢三才図会《わかんさんさいずえ》』（正徳《しょうとく》三年〔一七一三〕刊）の「山の部」にある富士山の解説で、清正の富岳遠望奇譚を「百科事典的」な地理学上の事実として、さりげなく綴《つづ》っている。

さらに一九世紀には、儒学者の頼山陽《らいさんよう》も清正の富岳遠望奇譚を歴史的な事実として受け止め、『日本外史《にほんがいし》』（文政《ぶんせい》一〇年〔一八二七〕成立）のなかに取り入れている。山陽の叙述には、セルトウスや後藤二郎を省き、そのかわりに富士が見えるとの証言を「韓の捕虜」の口に託すなど、いくつか変化がみられるが、そのなかでもっとも注目すべきは、「終《つい》に海浜にいたり、西南に望んで高山を得たり」と、清正自身が海浜から富士山を眺めたとしていることである。のちほど詳しく説明するが、これはこの時期の、富岳遠望奇譚の語られ方のひとつの特徴ともいえるからである。

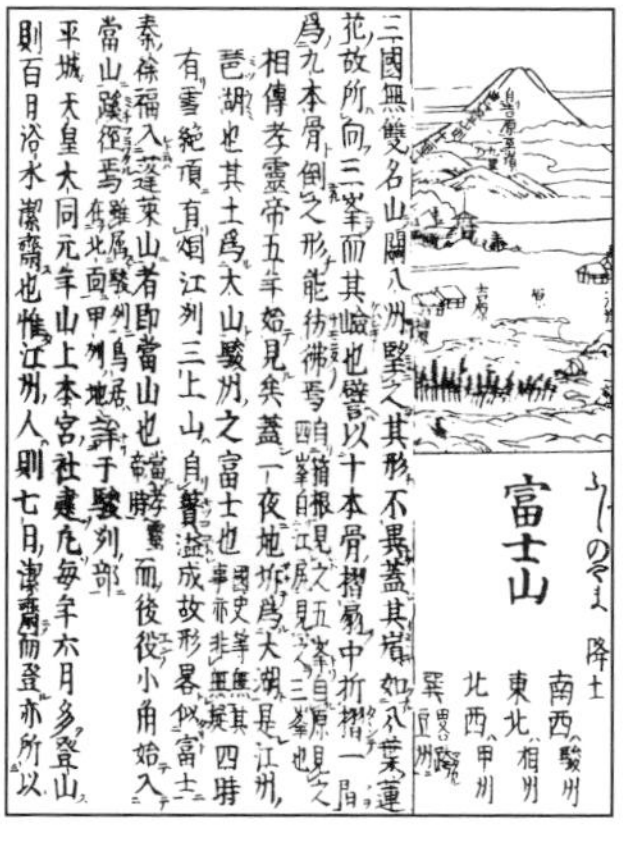


◉『和漢三才図会』にみる富士山
寺島良安が、天・地・人の三才に分けた明《みん》末期の類書『三才図会』を「和漢」化した百科事典。「山の部」に載る富士山の項目に、科学的事実として清正の富岳遠望奇譚を添える。

# 一般教養化した富岳遠望奇譚

## 庶民への普及

一九世紀前半に刊行された『日本外史《にほんがいし》』は、幕末から明治時代の日本におけるベストセラーのひとつとして、志士たちに読み親しまれており、『日本外史』によって富岳遠望奇譚《きたん》は社会へと浸透していった。とはいえ、そもそも漢文で書かれていた『日本外史』の読者層は、かなり高い教養と識字能力を有する人々に限られていた。それ以前の、一七世紀末の『異称日本伝《いしょうにほんでん》』や、一八世紀前半の一〇五冊からなる『和漢三才図会《わかんさんさいずえ》』も、裕福で、高度な教養のある知識人という、狭い読者層を出ることはなかったであろう。富岳遠望奇譚と、富士山が遠く異国からでも見えるという「事実」は、はたして一般の庶民に伝わったのだろうか。

加藤清正《かとうきよまさ》の武勇譚自体は、かなり早い段階から庶民に親しまれ、祭りのパフォーマンスの題材として取り上げられていることなどを考えても、広く全国的に伝播《でんぱ》していたことは間違いないだろう。ただ、祭礼演目としての清正は、おもに「虎退治」の武勇譚が中心のようで、富岳遠望奇譚がパフォーマンス化した証拠は、今のところ見つかっていない。

富岳遠望奇譚の一般庶民への普及は、先に紹介した『清正高麗陣覚書《きよまさこうらいのじんおぼえがき》』などを参照して一七世紀なかばに成立した、清正の生涯を描く『清正記《きよまさき》』に拠《よ》る部分が大きい。『清正記』は江戸時代を通じてさまざまな版が繰り返し刊行され、そのなかで富岳遠望奇譚も多くのバージョンが語り継がれたので、『清正記』を通じてかなり広く流布したと思われる。その普及にさらに拍車をかけたのが、一八世紀末から一九世紀初めの寛政《かんせい》・享和《きょうわ》期に数年にわたって上《じょう》梓《し》された絵入り読本《よみほん》『絵本太閤記《えほんたいこうき》』と、十返舎一九《じっぺんしゃいっく》の手になる往来物（教科書）『諸国名山往来《しょこくめいざんおうらい》』であろう。

『絵本太閤記』は、「太閤」豊臣秀吉《とよとみひでよし》の一生を描いたものなので、清正は重要な脇役《わきやく》のひとりにすぎないのだが、この八四巻からなる長大な歴史小説を通じて、秀吉に次いでもっとも英雄視されている人物でもある。富岳遠望奇譚は、数多い秀吉の伝記類の代表作とされる小瀬甫庵《おぜほあん》の『太閤記』（寛永《かんえい》二年〔一六二五〕自序）には語られておらず、もっとも広く親しまれた『絵本太閤記』の段階で導入された挿話と考えられる。そこで語られる富岳遠望奇譚は、『清正高麗陣覚書』を脚色したものであり、その名場面を描いた挿絵も添えられている。

ただし、ここにはその後の富岳遠望奇譚を描く絵画類の表現を大きく左右したと思われる変化が起こっている。「済州《せいしゅう》」（西《ソ》水羅《スラ》）の海辺に至った清正に、地元の「漁人」はつぎのように

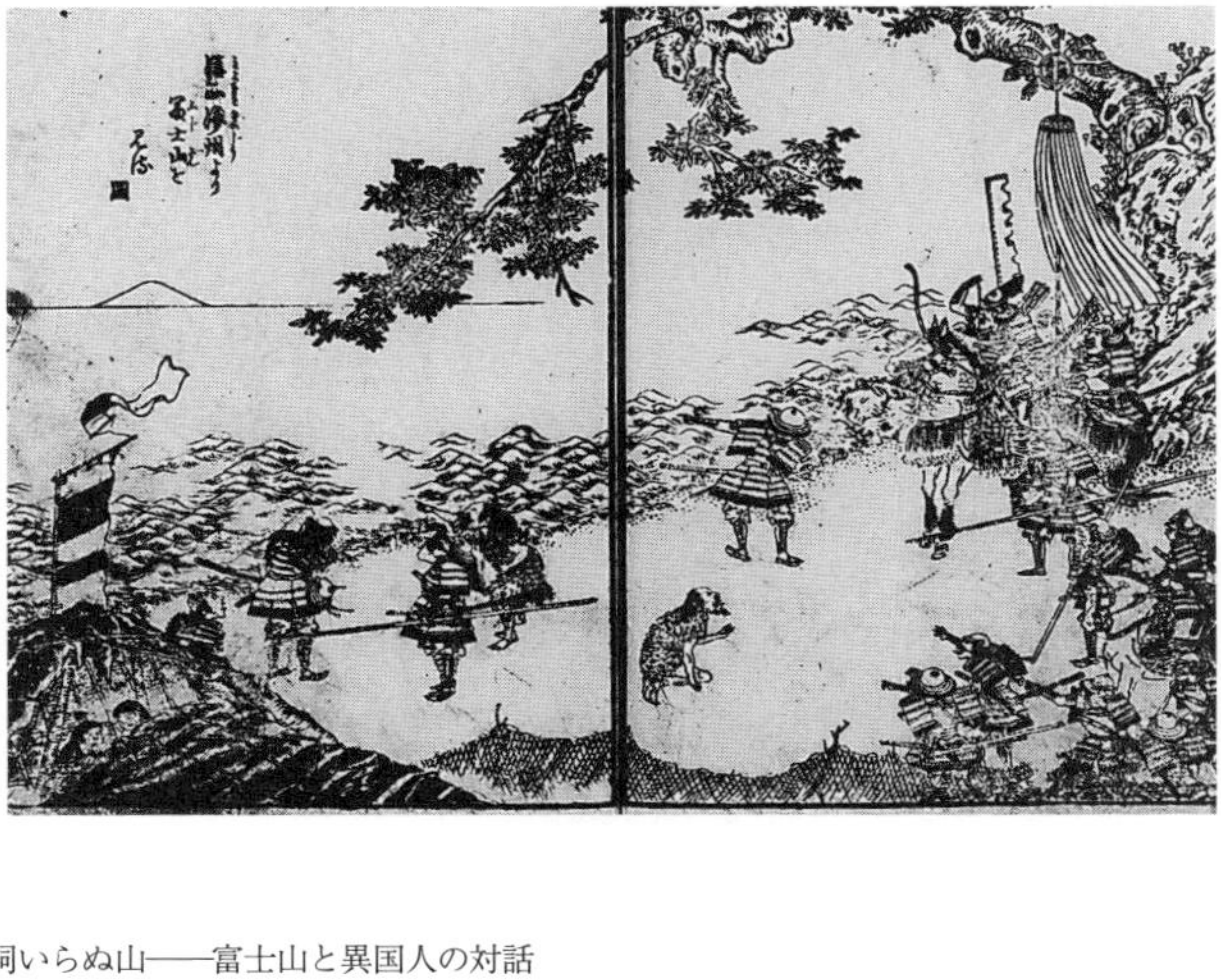
4

◉『絵本太閤記』に描かれた富岳遠望奇譚
秀吉は天下統一の節目ごとに、自分の行動を記録させていた。それらを素材にまず『太閤記』が、続いて読本『絵本太閤記』が上梓された。

語る。

あれ〳〵御覧候《そうら》へ、あの沖中遙《はるか》に見え候小《ちいさ》き山は、日本第一の高山芙蓉峯《ふようほう》と申す山のよし、古《いにしえ》へより申し伝えて候

そして挿絵では、「漁人」たちの網を干している「海辺」に、鎧兜《よろいかぶと》姿の日本武者十数人が集い、馬印と旗指物《はたさしもの》の前に、馬上の武将清正が右手を額の上にかざして遠く向こうを眺めている。武者たちと一緒に、異形《いぎょう》の二人がいる。二人とも、異国人の記号のひとつであるひげ、束ねていない頭髪、野蛮人を表象する毛皮の服、裸足《はだし》という姿で描かれている。ひとりは、恐る恐る這《は》い出るポーズで清正に何かを言上し、もうひとりはわくわくした様子で海の向こうを手で指し、二人の武者の注意をひいている。キャプションに「清正済州より富士山を見る」とあるとおり、はるかに見える富士山が水平線の上に姿を現わしている。

すなわち、これまで清正は、後藤二郎《ごとうじろう》（あるいはセルトウス）の証言によって、「兀良哈《おらんかい》」や「せいしう浦」から富士山が見えるという「事実」を聞くだけだったのに対して、『絵本太閤記』では、清正自身が海辺から富士山を見ているのである。先ほども触れたように、頼山陽《らいさんよう》の『日本外史《にほんがいし》』にも同様の叙述があり、一八世紀末から一九世紀にかけて富岳遠望奇譚の言説に大きな変化が起こったことがうかがえる。

## 対外危機感と異国征伐

一方、十返舎一九《じっぺんしゃいっく》の『諸国名山往来《しょこくめいざんおうらい》』は、文政《ぶんせい》七年（一八二四）に上梓《じょうし》されたものであり、そこには、富士山に関してつぎのような説明がある。「朝鮮兀良哈《おらんかい》より、天晴《はれ》たる時は富士山近く見ゆるといへり、誠に三国無双の高山なり」と。加藤清正《かとうきよまさ》にはまったく触れていない。ただの常識・事実として、日本の名山富士はエキゾチックで遠い異国の地からも見える。だからこそ「三国無双」、つまり、世界に並ぶもののない高い山であり、逆にいえば、全世界に「無双」に高いので、はるかなる異国の地からも見えるのだ。

『絵本太閤記《えほんたいこうき》』は、貸本屋などを通じて多くの人に愛読され、さらに明治・大正・昭和と、近代になってからも繰り返し版を重ねていった重要なロングセラーとして、注目に値する。それに対して『諸国名山往来』は、おそらく児童教育の教科書として使われたであろうと推測される。一九の教科書を通して、こうした「事実」は手習い塾（寺子屋《てらこや》）の児童たちに教えられていったのである。

◉『諸国名山往来』に描かれた富士山
教科書にあたる「往来物」の体裁で書かれた、十返舎一九による名山ガイド。一九は稿料だけで食べていた、日本最初の職業作家のひとり。

これらの異国退治の読み物や往来物の出版と、読者の受容のあり方の背後には、安永《あんえい》・天明《てんめい》期（一七七二〜八九）のころに生まれた、対外危機感の存在を忘れてはならない。蝦夷《えぞ》地《ち》で頻発するロシア人との対立、とくに明和《めいわ》八年（一七七一）のベニョフスキー事件と寛政《かんせい》四年（一七九二）のラクスマン来航などにより、北方から迫ってくる脅威に対する危機感が、まず武士や知識人の間で急速に高まったのである。

その後一八世紀末から一九世紀にかけて、幕府の蝦夷地直轄、レザノフによる再度のロシアとの通商要求、ナポレオン戦争の東アジアへの波及、太平洋岸に頻出するアメリカをはじめとする西欧の捕鯨船など、対外関係がいっそう緊迫の度を高めるなかで、対外危機感は日本各地の庶民にまで広まっていった。不安に駆られた人々は、古《いにしえ》の異国征伐・退治への関心を高め、神功《じんぐう》皇后の「三韓《さんかん》征伐《せいばつ》」神話や蒙古《もうこ》襲来の退治、そして文禄《ぶんろく》・慶長《けいちょう》の役《えき》などにまつわる数多くの文学・戯曲・祭礼パフォーマンスなどが盛んになっていった。『絵本太閤記』も『諸国名山往来』も、こうした背景を抜きにして読み解くことはできない。

こうして富岳遠望奇譚は、一方では『異称日本伝《いしようにほんでん》』や『和漢三才図会《わかんさんさいずえ》』『日本外史《にほんがいし》』などの学問書によって知識人に継承され、また一方では『清正記《きよまさき》』の重版を経て、ついに読本《よみほん》の『絵本太閤記』、往来物の『諸国名山往来』の語りと挿絵にまで取り入れられ、地域的にも階層的にも広範囲にわたる一般教養になっていったことがわかる。

## 絵馬に描かれた富岳遠望

富岳遠望奇譚《きたん》が一般庶民の常識と化していった様子を知るうえで、もうひとつの貴重な史料として、一枚の絵馬《えま》を紹介したい。

『諸国名山往来《しょこくめいざんおうらい》』から六年、『日本外史《にほんがいし》』からは二年ばかり下る文政《ぶんせい》一三年（一八三〇）、常陸国八代《ひたちのくにやしろ》村（茨城県龍ケ崎《りゅうがさき》市）の富士浅間神社《せんげんじんじゃ》に、雪山岩松《せつざんがんしょう》という絵師が描いた一枚の大絵馬が奉納された。「参宮講中《さんぐうこうちゅう》」（伊勢《いせ》講《こう》）の「拾九人連」が資金を出し合い、雪山岩松に注文して描かせ、神社に奉納したのである。雪山については詳しくはわからないが、絵の出来栄えからして、かなり優秀な町絵師であったと思われる。

荒波が打ち寄せる山あいの磯辺を彩色で描いた巧みな構図である。おそらく、『絵本太閤記《えほんたいこうき》』に掲載された岡田玉山《おかだぎょくざん》の挿絵を意識しながら、よけいな人物を取り払って構図を左右に反転したものであると、筆者にはみえる。玉山の挿絵では画面全体に配置されていた加藤清正《かとうきよまさ》の家臣たちが、ここでは清正のまわりに固まっていること、異形《いぎょう》の人はひとりに絞られていることなど、構図の簡素化を図っているが、それだけに迫力を増しているといえよう。

磯辺の、向かって左端に、日本の荒武者《あらむしゃ》が描かれている。当世具足《とうせいぐそく》姿

6

●富岳遠望の大絵馬
清正が兀良哈から、はるかに富士を望む富岳遠望奇譚が、広く一般庶民にまで知られていたことを端的に示す大絵馬。開国前夜の時勢に、神社に奉納された一枚。

の武将は、胴に赤い日の丸、その上に肩口襞飾《かたぐちひだかざ》りがついた南蛮《なんばん》風流《ふりゅう》の陣羽織《じんばおり》を身にまとい、頭に鹿の角《つの》と、丸形の印を飾った烏帽子兜《えぼしかぶと》姿である。そのまわりに、輪形を縦に並べた旗指物《はたさしもの》を持つ従者（日の丸の陣笠）と、鎧・日の丸鉢巻《はちまき》姿の二人の家臣が座って控えている。武将は、左手を額のあたりにかざして遠くを見るしぐさをする。武将と対面して、異形のひとりがいる。「日本の人」を意味する月代《さかやき》頭と、「異国人」「野蛮」の記号である草の腰蓑《こしみの》を巻いたこの男は、前かがみにひざまずき、膝《ひざ》に左手をついた服従の姿勢をとっている。この異形の男は、右手を差しのべて海のかなたを指している。男のしぐさと武将の視線を追ってみると、海の向こうに逆さの白扇の形をした山頂の雄姿がのぞかれる。その山が富士山であることは、いうまでもないだろう。

この絵馬が、『絵本太閤記』が語り描く清正の富岳遠望奇譚と同様に、海辺に至った清正に対し、土下座する後藤二郎《ごとうじろう》（セルトウス）が、海の向こう、雲の上に見えてくる富士山を手で指しながら、「富士山甚《はなは》だ近く見ゆるべき」ことを、清正に説いている場面を描いていることは明ら

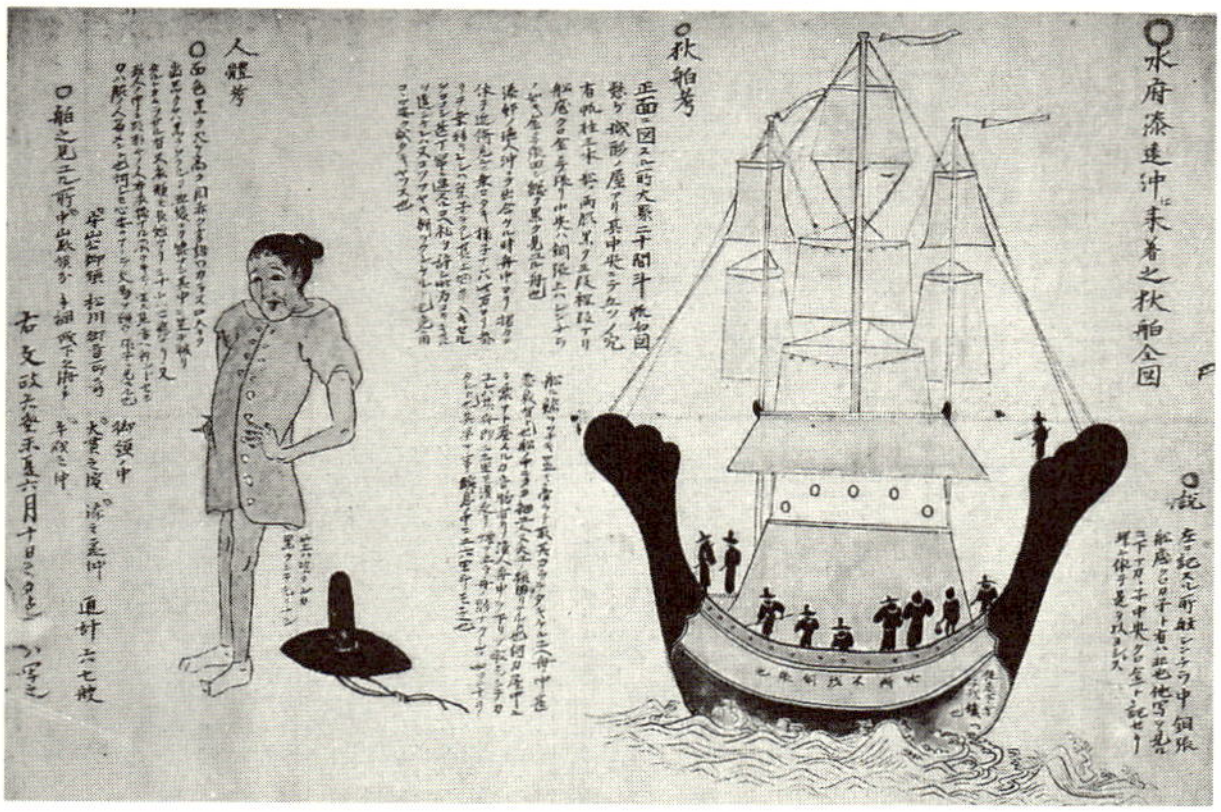
7

◉大津浜へのイギリス捕鯨船の出現
二隻のイギリス捕鯨船は停泊して、船員たちは上陸した。事件の衝撃は幕府にも及び、翌年、幕府は「異国船打払令《いこくせんうちはらいれい》」を布告した。

かであり、絵馬に一言も説明がないのは、奇譚が民衆の意識に浸透していたことを示す。

文政のころの常陸国といえば、文政七年にイギリス捕鯨船が大津浜《おおつはま》に来航し、翌年には会沢正志斎《あいざわせいしさい》が対外危機感にあおられて『新論《しんろん》』を著わしている。八代の庶民がはたして『新論』を知りえたかどうかはわからないが、イギリス船来航の衝撃は伝わっていただろうから、異国船退治の願掛け《がんか》として奉納された可能性は多分にあるだろう。

このことから、ストーリーの詳細はともかくとして、清正の富岳遠望奇譚が広く諸地域、諸身分層に伝播《でんぱ》していたことがうかがえる。清正が兀良哈《おらんかい》で富士山を遠望した話は、もはや「常識」の一部となっていたといえるだろう。

### 北斎と富士山

富岳遠望奇譚《きたん》が一般民衆の常識となったことをうかがわせる例として、葛飾北斎《かつしかほくさい》が天保《てんぽう》五年(一八三四)以降に上梓《じょうし》した『富嶽百景《ふがくひやっけい》』(全三編)の、「兀良哈《おらんかい》の不二《ふじ》」と題した図がある。

北斎ならではの巧みな構成の絵であるが、ここで北斎は、加藤《かとう》清正《きよまさ》本人をあえて登場させず、異国情調めいた服装の二人が茅《かや》葺《ぶき》の小屋の側に立ち並び、海の向こう、雲の上にかすかに見える逆さ扇の雪峰を遠望するシーンを描いている。北斎は、読者




8

◉北斎が描いた「兀良哈の不二」
葛飾北斎が百態の富士を描いた『富嶽百景』のなかの一枚。異国装束の二人が、海のかなたに富士を望む姿に、清正奇譚を重ね合わせる。

が清正の富岳遠望奇譚を熟知していることを前提として、この絵を構築したに違いない。

異形《いぎょう》な姿の二人は、韃靼《だったん》風の貴人と、薪《たきぎ》を背負い辮髪《べんぱつ》を垂れ下げている下僕というコンビで、清正が「生け捕り」にした朝鮮の王子とその下僕であろう。これだけで読者がもとの奇譚にたどり着けることを期待して、じつに複雑なメッセージを送ろうとしているのである。王子と下僕は富士山に心を打たれているように描かれていることから、二人が富士山の霊験に屈して、日本に寄り添うであろうという幻想、あるいは、富士山がここからでさえ見えるのだから、われわれはその脅威に勝てるわけがないと感じるはずだ、というダブル・メッセージが盛り込まれているとしか思えない。

北斎が、『富嶽百景』のほかにも『富嶽三十六景』など数多くの「富士」を残していることは、あまりにも有名である。そして八代《やしろ》村の富士浅間神社《せんげんじんじゃ》の絵馬《えま》が奉納された文政《ぶんせい》期や、北斎の絵本が上梓された天保期の関東地方は、富士信仰がもっとも隆盛な時期で、富士講も活発であった。北斎自身も富士信仰に染まり、富士講のメンバーであった可能性も指摘されている。また日蓮宗《にちれんしゅう》の信者でもあったらしいので、北斎にとってみれば、富士山の霊験を「国際化」してより強固なものに見せることは、みずからが信奉する神仏への崇拝にも通じていたとも考えられる。そしてまた、富士山にまつわる絵画には、それだけの市場需要があったことも忘れてはならない。おそらく、清正の富岳遠望奇譚の普及とも、無関係ではないだろう（ちなみに清正も日蓮宗信者だった）。

また、同様のモチーフの作品に、浮田《うきた》一蕙《いっけい》と杜《と》庵《あん》による寄せ

**◉明治時代にも描かれた清正の富岳遠望**
明治二〇〜四〇年代に活躍した延一の手になる三枚続きの錦絵。ワイド画面を生かし、はるかかなたを遠望する清正を力強く描いている。

書きの肉筆画がある。画面の左方は、杜庵の手になるシーンである。唐松《からまつ》の老木一本が立つ兀良哈の浜辺に、当世具足《とうせいぐそく》・烏帽《えぼ》子兜《しかぶと》をまとう清正は勇ましい出陣姿であり、海辺から内陸のほうへと戦《いくさ》に向かおうとしている。駿馬《しゅんめ》も力をみなぎらせ、後ろ脚を曲げ、片方の前脚を上げて、今にも駆け出しそうなエネルギーが伝わってくる絵である。太刀《たち》を帯び左手に鑓《やり》を持つ清正は、「南無妙法蓮華経《なむみょうほうれんげきょう》」の旗指物《はたさしもの》でみずからの信仰をアピールするように描かれている。

戦に馳《は》せ参じようとするところで、清正は一瞬、ひとりの異国人（朝鮮の髷《まげ》であるサントゥ・ひげ面《づら》・朝鮮式の服・靴）に引き止められる。海の向こうにかすかに見える峰へと清正の視線を導くしぐさをするこの人物は、まさにセルトウスである。セルトウスが指して清正が眺める峰は、浮田一蕙が描いた彼岸《ひがん》の富士山である。八代の富士浅間神社の絵馬と同じように一言も説明がないこの絵は、清正の富岳遠望奇譚が常識となってこそ通用するものであり、当時のメンタリティーに富岳遠望奇譚がどれだけ浸透していたかを物語ってくれるのである。

9

前にも少し触れたように、一九世紀の日本では、対外危機感が日に日に増していくなか、日本が異国と戦った「異国退治譚」を述懐する歴史の読本《よみほん》や絵本が大いに流行した。神功《じんぐう》皇后の「三韓征《さんかんせい》伐《ばつ》」神話や清正の「朝鮮征伐」、そして「蒙古《もうこ》退治」の本が飛ぶように売れていったのである。

そのひとつに、水戸藩士川口長孺《かわぐちちょうじゅ》が著わした『征韓偉略《せいかんいりゃく》』（天保《てんぽう》二年刊）がある。長孺は簡潔に、「清正は済州《せいしゅう》で後藤《ごとう》次郎《じろう》という者を生け捕りにする。次郎は松前《まつまえ》の漁師であったが、風に流され、済州にたどり着いた。次郎のいうことには、空が晴れていると、富士山が近くに見える」と、『日本外史《にほんがいし》』と同じように、富岳遠望奇譚を歴史上の事実として述べている。これは、対外危機感との関係は一目瞭然であろうが、本の題名からも、幕末から徐々に勢いを増した征韓論《せいかんろん》とつながるものでもあることは、看過してはならない。

清正の富岳遠望奇譚は、明治時代に入ってからも、日本が朝鮮で戦を展開していく際に、民間によるプロパガンダにたびたび利用された。たとえば、日清《にっしん》戦争の前夜、明治二六年（一八九三）に、延一《のぶかず》（渡辺次郎）が、馬上の清正と彼の部将たちが海の向こう、雲の上の山を遠望する三枚続きの錦《にしき》絵《え》（新聞錦絵）を上梓した（前ページ図版）。タイトルは『加藤清正朝鮮ヨリ富士ヲ望ム』とあって、やはりその逸話を誰もが熟知していることを前提に制作されたと思われる。

このように、清正が朝鮮・兀良哈で立てた手柄や、朝鮮での「偉い」勝利は、目前に迫ってくる「外夷《がいい》」の脅威を痛感していた当時の人たちにとっては、たんなる過去の話ではなく、これからの日本がなしとげる将来の夢でもあったに違いない。

# 異国人を引き寄せる富士山

## 富士山はどこまで見えるか

加藤清正《かとうきよまさ》の富岳遠望奇譚《きたん》が示しているとおり、富士山は日本に限らず、遠く離れた異国の地からも見えると思われたようである。その遠望性が、清正とは別に独り歩きを始め、独立した「事実」として近世の言説で語られるようになり、富士山が世界一の山であること、普遍的に慕われていること、その霊験が広範囲に及ぶこと、富士山が見える遠くの異国から異国人を引きつけていること、日本を護《まも》っていること、などといったストーリーを、つぎつぎと生み出していったのだろう。

そこでまず、そうした言説のなかで、富士山はいったいどこまで見える山とされていたのかを、少し検討してみよう。

清正の奇譚は、文学の場においてもっとも頻繁に繰り返し語られたのであろうが、絵画の世界でも、富士山が「見える」範囲は徐々に広がっていったのである。この動きは、すでに一八世紀から確認できるが、ここでは制作時期よりも富士山との距離に注目してみたい。

朝鮮の北東の果てである兀良哈《おらんかい》からも富岳遠望が可能だとすると、倭館《わかん》の所在地である釜山《プサン》はどうか、と連想されよう。日本へと赴く朝鮮通信使も、みな釜山から出航して対馬《つしま》・壱岐《いき》を経て日本の本土へと進むので、釜山から見えるとされても不思議はない。『諸国里人談《しょこくりじんだん》』（寛保《かんぽう》三年〔一七四三〕

刊）によれば、「朝鮮人来朝の時、駿河《するが》にて富士を指して、此《この》山《やま》、我国に見ゆる云」とあるように、「来朝」する朝鮮人は事前に富士山の姿を知っているというフィクションが、もっともらしく語られていた。

一八世紀の後半に、狩野典信《かのうみちのぶ》は日本へと向かう朝鮮船が仰ぎ見る富士山を描いている。その絵を見ると、日本絵画の約束事からして「唐船《からふね》」（朝鮮船）と見受けられる一艘が、岩の間から出航している。追い風に膨れ上がる帆の下、舳先《へさき》に立つ朝鮮人二人のほかに、人の姿は描かれない。前方の男は、黄土色の服に大きな帽子。一歩下がった白衣の男は、サントゥ（髷《まげ》）を剥《む》き出しにしている。二人とも海の遠い向こうを眺める姿勢であり、彼らの視線を追ってみると、波濤《はとう》のかなた、雲の上にそびえる富士山を眺めていることがわかる。ただ、この絵がどこを描いたものかは定かでない。釜山浦とする説もあるが、確証はない。それでも、朝鮮人は遠くに見える富士山を航海の目印にして日本へ赴く、ということになるであろう。

釜山から見えることを確実に示す絵画はないが、高井蘭山《たかいらんざん》

10

●狩野典信が描いた朝鮮船と富士山
狩野尚信《なおのぶ》の系統に属する典信は、田沼意次《たぬまおきつぐ》から木挽町《こびきちょう》の土地を得て移転した。こののち、この系統は木挽町狩野と呼ばれ、狩野芳崖《ほうがい》、橋本雅《はしもとが》邦《ほう》もこの系統に連なる。

編・中村経年《なかむらつねとし》補輯《ほひつ》・菊川英山《きくかわえいざん》画による『江戸《えど》大節用海内蔵《おおせつようかいだいぐら》』（文久《ぶんきゅう》三年〔一八六三〕刊）には、とても興味深い地図が載っている。「朝鮮国図」というのだが、朝鮮が半島というより群島のようにみえる、不思議な地理感覚に基づく地図である。でたらめな地図であるといわざるをえないが、肝心なのは、「釜山海」や「能川」（「熊川《ウンチヨン》」の誤り）からやや北東へ上がったところ（慶尚道《キヨンサンド》の北部か江原道《カンウオンド》の南部か）に、「此所ヨリ日本不二山見ユル」、とある書き込みである。これまでみてきた言説とあわせ考えれば、富士山は慶尚道・江原道あたりの海岸からでも、兀良哈からでも見える。つまりは日本海を時計回りに進んだとき、つねに見える目印とされたと考えていいだろう。

天保《てんぽう》三年（一八三二）、葛飾北斎《かつしかほくさい》はもうひとつの興味深い企画を手がけている。『琉球八景《りゆうきゆうはつけい》』という、錦絵《にしきえ》の揃《そろ》い物《もの》である。おもしろいことに八景のうち三景、すなわち「長虹秋霽《ちようこうしゆうせい》」「城《じよう》嶽霊泉《がくれいせん》」「中島蕉園《なかじましようえん》」には、琉球の空の上に富士山の雄大な姿がのぞき、なかでも「中島蕉園」には富士山の雪傘《ゆきがさ》が鮮明に見えるように描かれているのである。『清正高麗陣覚書《きよまさこうらいのじんおぼえがき》』の「せいしう浦」と同じく、「天気能時《よきとき》は、富士殊之《ことの》外《ほか》近く相見へ申候」ところには、一五〇〇キロメートルも離れた琉球も含まれていることになる。

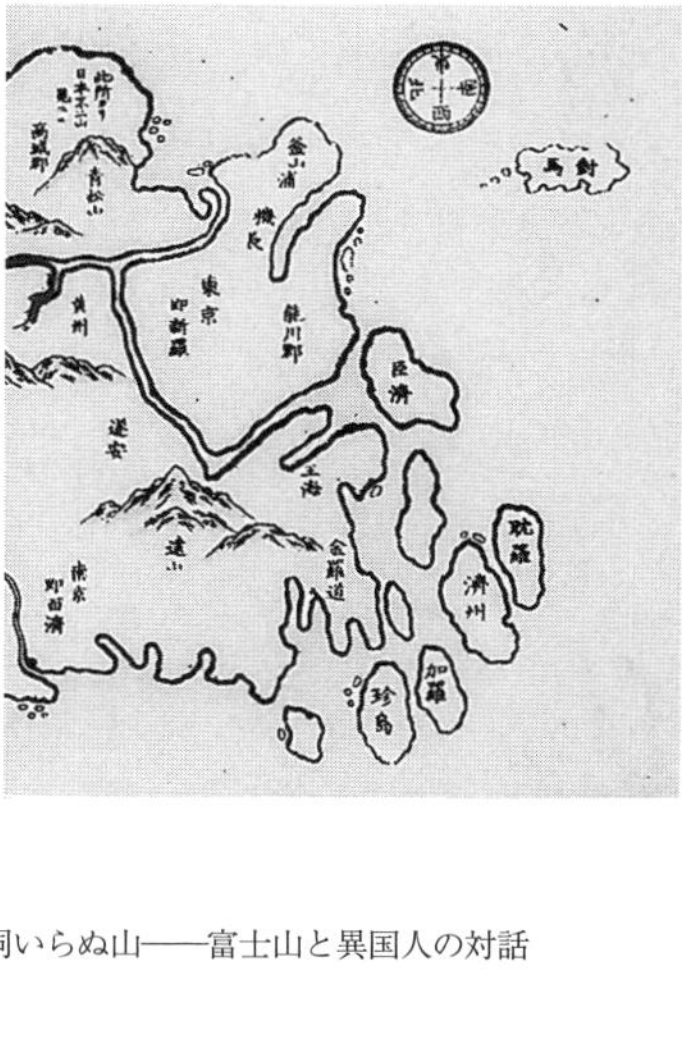

11

◉「此所ヨリ日本不二山見ユル」
地図としての正確さには大いに疑問が残るが、朝鮮半島から日本の富士山を望むことができるという但し書きは注目に値する。

西南の琉球からも見えるならば、北東の蝦夷地《えぞち》でもその景勝は遠望できるであろう。そもそも清正遠望奇譚が最初に語られた『清正高麗陣覚書』にも、すでに後藤二郎《ごとうじろう》（次郎）を「日本松前《まつまえ》より獵《りょう》船《せん》に乗、風に放され」たものでありながら富士山の勇姿を認知していたとあり、これは松前もまた遠望可能な範囲内だったと思わせる表現であろう。松前から富士山を遠望する言説は今のところ確認されていないが、逆に富士山の肩越しに「日本松前」を俯瞰《ふかん》する遠景は、一八世紀なかばの宝暦《ほうれき》

12

13

◉富士とともに描かれた琉球と松前
葛飾北斎が琉球の名所八景を描いたシリーズの一枚。琉球を訪れたことのなかった北斎は、中国で刊行され、のちに幕府が模刻して刊行した『琉球国志略』の「球陽《きゅうよう》八景」から題・構図を取り入れて描いた。「松前屏風」は、秋の松前城下の繁栄ぶりを、海側から俯瞰して描いているが、手前には白く雪を抱いた富士山が描かれる。（上／葛飾北斎『琉球八景』より「中島蕉園」、下／『江差松前屏風』左隻「松前屏風」部分）

年間の松前の様子を描いた『江差松前屏風《えさしまつまえびょうぶ》』に描かれている。同じように、蝦夷地の上空から日本全域を俯瞰する、鍬形蕙斎《くわがたけいさい》（北尾政美《きたおまさよし》）の日本図、葛飾北斎の日本図も、富士山の遠望可能な地域は蝦夷地まで及んでいるという前提に立っている。

**雪舟が中国で描いた富士山**

ところで、富士山を画題にしたもっとも有名な絵のひとつは、雪舟等《せっしゅうとう》楊《よう》が描いたといわれる『富士三保清見寺図《ふじみほせいけんじず》』であろう。現在残っているのは模本のみだが、雪舟は応仁《おうにん》元年（一四六七）に明《みん》へ渡り、二年後の文明《ぶんめい》元年（一四六九）まで留学しており、詹仲和《せんちゅうわ》と名のる明人が、画中の余白に賛《さん》を施していることから、雪舟は在明中にこの絵を描き、賛をもらって持ち帰ったという言い伝えがある。

この逸話は、平賀《ひらが》源内《げんない》が宝暦《ほうれき》一三年（一七六三）に上梓《じょうし》した戯作《げさく》『風《ふう》流志道軒伝《りゅうしどうけんでん》』に取り上げられている。『風流志道軒伝』は、井《い》原西鶴《はらさいかく》『好色一代男《こうしょくいちだいおとこ》』の主人公「世之介《よのすけ》」を、「深井《ふかい》浅之《あさの》進《しん》」という浅知恵のヒーローに置き換えて、彼の色好み放浪を語った物語である。『好色一代男』は、世之介が長崎から「女護《にょご》の島《しま》」をめざして長崎を出航するとこ

14

◉雪舟『富士三保清見寺図』
寧波《ニンポー》の文人詹仲和による賛は、「羽衣」伝説にも触れながら、富士山が日本の名山として中国にもよく知られていることを物語る。

ろで終わるのだが、淺之進は大清《だいしん》へ渡り、隠れ蓑《みの》を使って紫禁城《しきんじよう》の後宮に潜り込むのに成功し、そこで正体が露呈して皇帝（乾隆帝《けんりゆうてい》）の前に呼び出される羽目となるのである。

淺之進は乾隆帝に拝謁し、日本の風土・文物について語るうち、不二（富士）山が世界に比べるもののない名山であることを皇帝に自慢する。すると帝は驚き、「昔日本の画工雪舟といへる者」がわが国に来て不二山を描いたことがあったが、それは想像で描いた「絵空言」だと思っていた。お前の話を聞いて、ほんとうに不二山は世界一の山なのだと知ったと述べ、この「事実」を無念に思い、清の国に不二山を築くことを命じた。淺之進はひとまず日本に帰り、不二山の「雛形《ひながた》」（模型）を持ってきたいと嘆願する。淺之進は、乾隆帝に「不二山張抜太夫《はりぬきたいふ》」を任じられ、職人と紙や糊《のり》を与えられて、大船団を率いて不二山の模型をつくるべく、日本へと出航する。

その後の展開についてはのちほど触れるが、ここで乾隆帝が言い出した「昔日本の画工雪舟といへる者」の「絵空言」富士山とは、『富士三保清見寺図』であることは、いうまでもないだろう。乾隆帝と淺之進の対話は、雪舟が在明中にこの絵を描いたという逸話を前提として、お国自慢をしようと思った雪舟が富士山の画を明に描き残し、その「絵空言」を介して富士山の自慢話が明に広がり、清の乾隆帝の宮殿でも常識として語り継がれている、という設定になっている。

源内の戯作から半世紀あまり下った文政《ぶんせい》期に、雪舟の『富士三保清見寺図』にまつわる逸話をさらにいっそう深めたのが、葛飾北斎《かつしかほくさい》である。『北斎漫画《まんが》』第一〇編（文政《ぶんせい》二年（一八一九）刊）の小画面（一紙の半分）にさりげなく描かれた、唐土《もろこし》名所のひとつである西湖《せいこ》の典型的なシーンを見てみよう。波静かな湖面に小舟一艘が浮かび、その舟に優雅な遊びをする数人の姿が描かれている。一見、西湖を描く定型パターンと思われるが、彼《ひ》岸《がん》の湖畔のはるか上にかすかに見える緩やかな曲線の峰は、まぎれもない富士山である。画中にも「雪舟唐土《とうど》に富士を画《えが》く」とあるように、雪舟の名作は、故郷を懐かしむ心境で富士山を思い出し、想像画として描かれたのではなく、西湖からも肉眼で遠望できる富士山を写生して描いたと、北斎は見立てているのである。加《か》藤清正《とうきよまさ》の富岳遠望奇《き》譚《たん》では一〇〇〇キロメートル近く離れた兀良哈《おらんかい》からも見える富士山だったが、その見える範囲が一挙に遠く二〇〇〇キロも離れた唐土本土の西湖にまで広がったことになる。

　こうした文脈の延長上にあるものとして、福岡藩に仕官した儒者・医師の亀井《かめい》南冥《なんめい》が、蘭学《らんがく》の一環として日本に入ってきた西洋の情報に接して、一八世紀末の寛政《かんせい》期に、西洋では「海外の七奇」という言い方があるが、富士山を加えて「八奇」とすべきだとして、日本をも世界の視野のなかに眺めようとしていることは、注目に値する着想と思われる。新しく認識されつつあった「蘭学」「洋学」の言説のなかに富士山を位置づけ、そ

●**北斎が描いた西湖より富士を望む絵**
中国浙江《せっこう》省杭州《こうしゅう》市の西側に位置する西湖は、中国の代表的な景勝地として画題にもよく取り上げられ、日本でも影響を受けた絵が描かれた。

こから日本そのものが世界中に驚嘆されるべきだと考えたのだろう。もはや「三国一」が、万国一となろうとしていた。

## 「心あらば　今ひと旅の　深雪めでなん」

以上、見てきたとおり、富士山は世界一の山であり、朝鮮や兀良哈《おらんかい》という海の向こうの異国の地からもその姿を遠望できるというレトリックは、江戸時代のかなり早いころから定着していた。この一連の言説は、近世初期早々に加藤清正《かとうきよまさ》の逸話として芽生えて生成し、あらゆるメディアを介して民心に深く浸透していったのである。そして語り継がれていくなかで、文化の地面の下で根を網の目のようにしっかりと張っていき、言説の思いがけないところに、筍《たけのこ》のように芽を地面の上へ出した。

海外でも見えるとされる富士山は、「心あらば　今ひと旅の　深雪《みゆき》めでなん」と思わせ、さまざまな異国人を呼び寄せても、まったく不思議はないであろう。朝鮮や琉球《りゅうきゅう》からの使節団、江戸参府のオランダ商館長一行など、少なからぬ異国人が江戸への往復途中、富士山の麓《ふもと》を通った。富士山が彼らを招いたといわんばかりの言説や、彼らが富士山を「崇拝」したかのように見せかける言説は、『犬百人一首《いぬひやくにんいつしゆ》』以来、絶えることはなかった。

こうして、富士山が海を越えたところからも見えるという奇想は、近世日本の言説のなかで、そのフィクション性を徐々に脱皮して「事実化」した。そして異国人が富士山をめざして来日するという言説も、前述したように断続的に古代・中世からあったが、近世に入ってから急速に高まったのである。

謡曲『富士山』の根底に、秦《しん》の始皇帝《しこうてい》が不死長寿の仙薬を求めて徐福《じょふく》を海中の蓬萊《ほうらい》へ派遣したという、『史記《しき》』に初見の伝承が流れていることは、すでに見たとおりである。その伝承は、漢学が盛んな江戸時代に入ると以前よりも多くの人に注目されるようになり、やがて富士山との関係が強調される運びとなった。そもそも徐福と富士山を結びつけたのは日本の思い込みではなく、一〇世紀の中国の野史《やし》（民間の史書）『義楚六帖《ぎそろくちょう》』である。そのテキストは、先に紹介した松下見林《まつしたけんりん》の『異称日本《いしょうにほん》伝《でん》』にも収められている。

こうして、中国の史書でも、徐福がめざした蓬萊は「富士と名づく」山の別名であるということ、すなわち秦の始皇帝のころから富士の名が唐土《もろこし》までも隠れなき名山であることは、歴然とした史実として受け止められていたのである。先に見たとおり、『海東諸国紀《かいとうしょこくき》』「日本本国之図」にある、「富士山、高四十里」の裏付けを、清正の富岳遠望奇譚《きたん》に求めた見林や寺島良安《てらじまりょうあん》

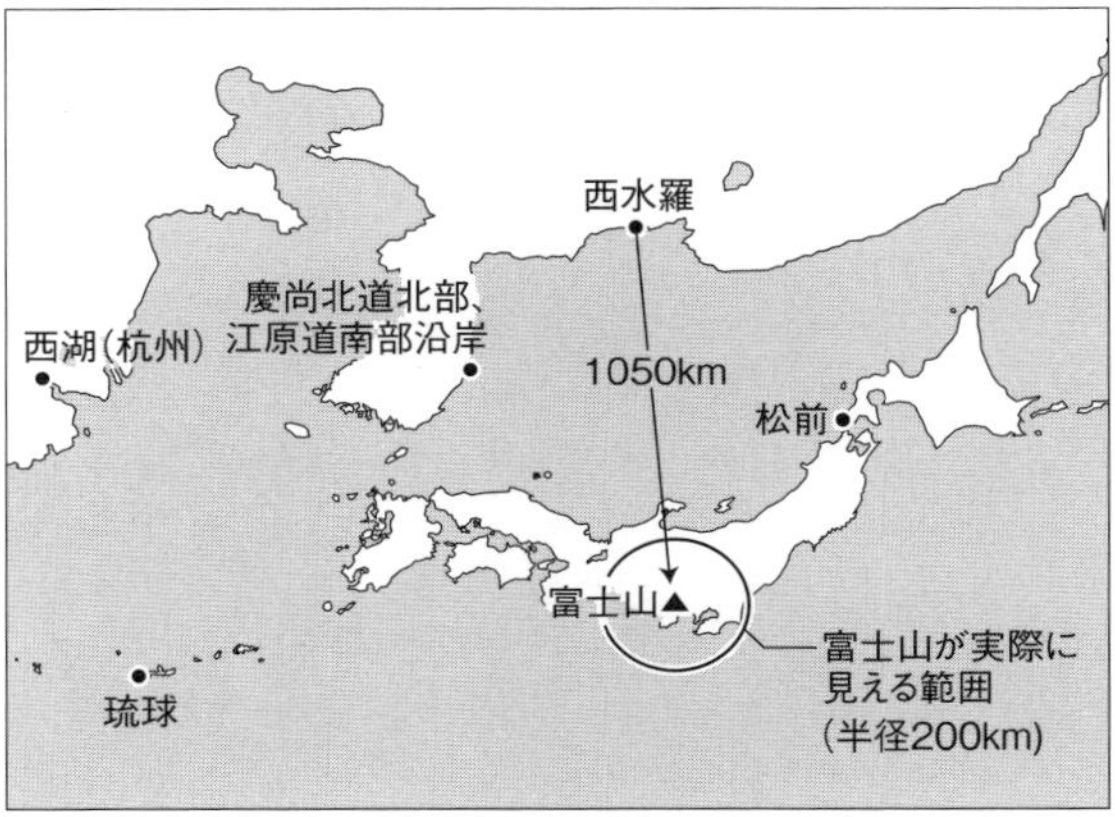


●富士山が見えるとされた土地
実際に富士山が見える範囲は、半径二〇〇km以内が限度とされる。富士山遠望奇譚の荒唐無稽さがよくわかる。

であったので、この記事も歓迎したに違いない。これによって、富士山の引力圏が唐土本土まで広がったことは、のちの平《ひら》賀《が》源内《げんない》『風流志道軒伝《ふうりゅうしどうけんでん》』と共通しているのである。

　時代はやや下るが、葛飾北斎《かつしかほくさい》は『富嶽三十六景《ふがくさんじゅうろっけい》』『富嶽百景』のほかにも多くの「富士」を描き、その画業のなかで異国人と富士山の、さまざまな対話を夢想している。それがはじめて見えてくるのは、寛政《かんせい》末期から享和《きょうわ》期（一八〇〇年前後）ごろの『東海道五十三次《とうかいどうごじゅうさんつぎ》』のなかである。そこから富士山が見える宿《しゅく》駅《えき》を描く際に、唐人《とうじん》を添える奇想に基づいたものが数点あって、そのひとつが「原《はら》」（静岡県沼津《ぬまづ》市）である。

『犬百人一首』で見た「東下《あずまくだ》り」に倣った構図で、「福」と「壽」の異体字を飾った「清道旗《せいどうき》」の見立てに先導された主役（馬上）と従者四人が、雲の上、枠外にはみでてそびえたつ富士山の裾《すそ》を通ろうとするところで、「福」の旗持ち、手前を歩く従者のひとりや目に手をかざすもうひとりの従者の視線は、鑑賞者の目が届かない枠外の山頂へと向けられている。主役も横斜め向きの顔で、富士山のほうを見ている。まさしく「心あらば」「深雪めで」ている姿勢である。

16

◉『東海道五十三次』に描かれた通信使一行　日本の叙情的風景画を代表する歌川広重《うたがわひろしげ》の『東海道五十三次』よりも先に、北斎が手がけた同題のシリーズのなかの一枚。北斎は五十三次の旅に目をつけて何種類かのシリーズを手がけた先駆者であったが、のちの広重のようには話題にならなかったようだ。

## 朝鮮通信使の反応

ところで、来日した異国人は、実際のところは必ずしも、平《ひら》賀《が》源内《げんない》が描く乾隆帝《けんりゆうてい》や、松下見林《まつしたけんりん》が想像する徐福《じよふく》、葛飾北斎《かつしかほくさい》が描くさまざまな異国人ほど、富士山を絶賛したわけではない。朝鮮通信使の三使以下の人々が日本で行なった筆談や漢詩の唱和会の詳細な研究によれば、富士山を目のあたりにした通信使がつねに話題にするのが、富士山と金剛山《クムガンサン》の比較だったという。富士山を、それなりの美をもつ一名山として認めながらも、自国一の名山であり、かつ霊山である金剛山には及ばない、と朝鮮人たちは必ず言ったというのである。

朝鮮は慶尚《キヨンサン》・江原道《カンウォンド》の海岸、兀良哈《おらんかい》から、蝦夷《えぞ》は松前《まつまえ》から、また琉球《りゆうきゆう》から、さらには唐土《もろこし》本土からも見える富士へと、「三国一の名山」の遠望圏が広がるなかで、心ある「唐《とう》の者ども」に詠じられ、描かれても当然となるだろう。現に江戸時代初期、江戸や駿府《すんぷ》まで旅した南蛮《なんばん》・紅毛《こうもう》人たちの手記には、富士山に触れた例が散見する。全一二回の朝鮮通信使の随員が残した見聞録も、京都止まりの二回目、対馬《つしま》止まりの最終回を除い

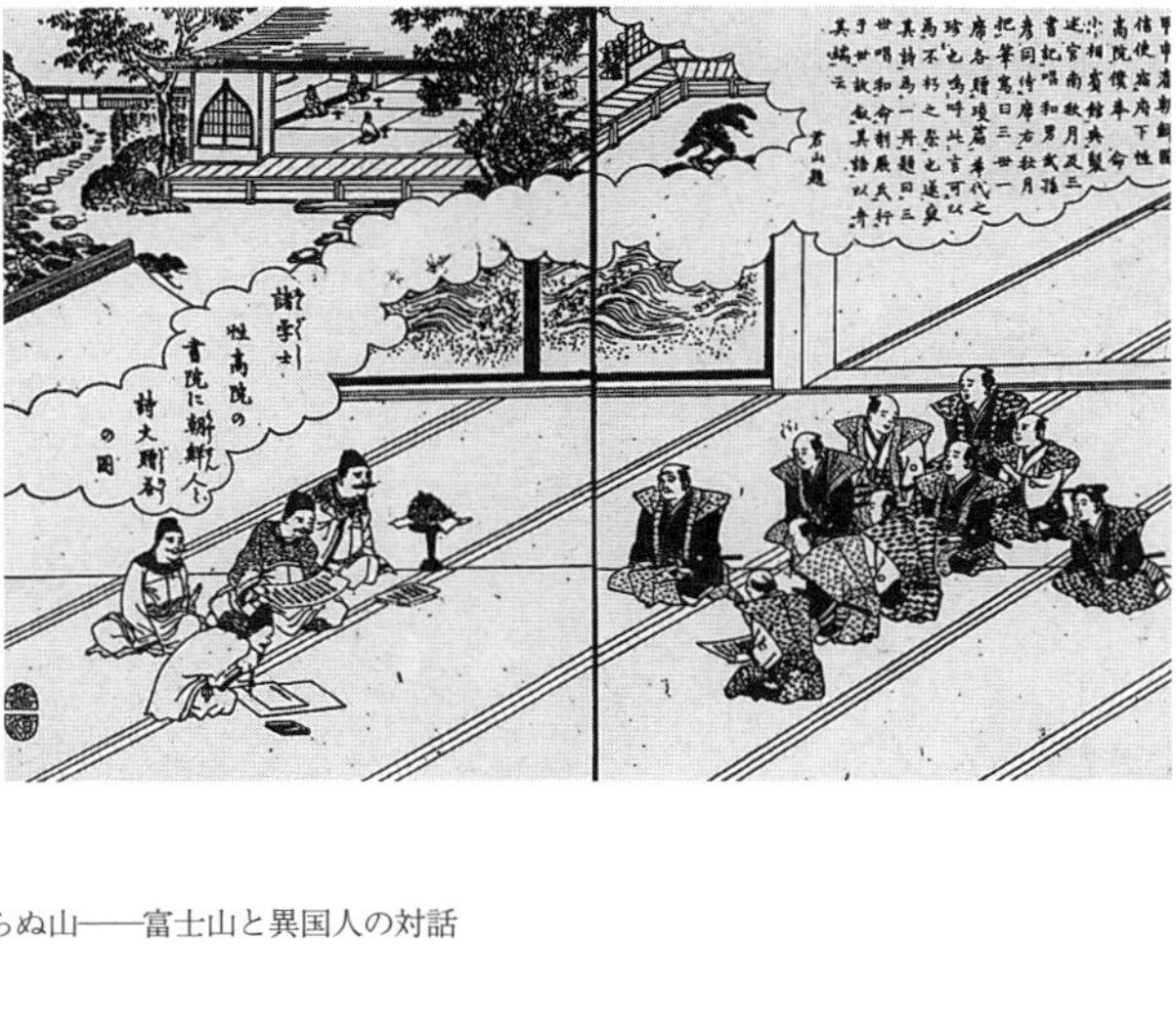

17

●通信使との唱和会
通信使が泊まる宿では、文人が訪れ、詩歌や文章を互いに贈呈しあう唱和会が開かれた。これは、通信使が名古屋に到着した夜、大須性高院《おおすしようこういん》での唱和会の場面。(『尾張名所図会《おわりめいしよずえ》』)

て、必ず富士山に触れている。第一回目（慶長《けいちょう》一二年〔一六〇七年〕）の副使慶暹《キョンソン》は、かなり冷静に富士山を見ていて、その壮高さや形状、気象現象などについてその手記に記しているが、「これを望めば、銀山玉峯《ぎんざんぎょくほう》の如《ごと》し」の直喩《ちょくゆ》以外は、その美に触れることなく、賛歌とは決していえない。ただ、慶暹の手記は復命報告として書かれたものなので、日本で知られることはなかっただろう。

ところが、時代が進むにつれて、富士山についての感想を、日本側から積極的に来日した朝鮮人や琉球人に求めることが多くなった。その結果、筆談や漢詩の唱和会、あるいは絵画のかたちで彼らの富士山についての感想が残され、また富士山の美を称《たた》える漢詩なども日本に広く流布した。

通信使の来日ごとに、日本側は富士山の称賛を引き出すべく、筆談・唱和会で富士山を話題とした。それに応じなければならなかった朝鮮人たちは、どんな心境であっただろう。彼らが富士山を描いた例もあるが、日本の絵画の約束事に染まっていない朝鮮人は、独自の描き方が多かった。寛《かん》延《えん》元年（一七四八）の画員李聖麟《イソンニン》による画帳『槎路勝区図』の富士山は代表的である。三保《みほ》の松原越しに富士山・清見寺《せいけんじ》を遠望する構図は、雪舟《せっしゅう》の『富士三保清見寺図《ふじみほせいけんじず》』を彷彿《ほうふつ》させながら、山の形は日本の絵画伝統にない、まったく別系統のものを呈している。

それと対照的に、享保《きょうほう》四年（一七一九）の画員咸世輝《ハムセフィ》が、日本側の誰かに贈り物として描いたと思われる『富士山図扇面《ふじさんずせんめん》』は、日本画家がイメージする富士山に酷似しており、おそらく日本の絵師なり文士なりの富岳図を見たうえで描かれたと思われる。扇面には書記張応斗《チャンウンデュ》による賛が施されており、富士山が美しいだけでなく、押し寄せてくる危険、外敵を雄々しく鎮める（雄鎮）天帝の宮殿

（金闕《きんけつ》）であるがゆえに、日本は末永く安泰《あんたい》（扶桑万歳安）であろう、というメッセージが読みとれるのである。

富士を有数の名山のひとつと認めながらも、自国の金剛山を世界随一の名山として推し、冷淡にしか富士山を称えることができない異国人は、当然のことながら、必ずしも歓迎されなかった。かといって、富士山を無条件で称賛されても、必ずしも喜ばれなかったようでもある。大田《おおた》南畝《なんぽ》の『寝惚先生《ねぼけせんせい》文集』には、明和《めいわ》元年（一七六四）の朝鮮通信使が江戸を去ったあと、異国人たちを見送る狂詩の七言律が載っている。そのなかに、「富山美《ふじさんほ》められて　還《かえ》つて迷惑　少し計《ばか》りの餞《はなむけ》　御目《おめ》に懸《か》け難《がた》し」とあり、そんな冷淡な称賛を決して喜んでいなかったようである。

## 通詞いらぬ山

こうして、富士を美《ほ》められて「迷惑」したその一方では、『犬百人一首《いぬひやくにんいつしゆ》』や松下見林《まつしたけんりん》・葛飾北斎《かつしかほくさい》、つぎに触れる英一蝶《はなぶさいつちよう》などは、富士山が心ある「唐《とう》の者ども」に必ず愛《め》でられ、「美《ほ》められて」いるかのように詩文や絵画で表現し、そのフィクションを、識字層に限らず広く浸透させていったのである。異国人の来日目的自体も、富士山を愛でる心にあるとする言説すらあったのである。

『犬百人一首』のような、風刺《ふうし》・見立ての遊び心だけでなく、シリアスな精神で表現されることも、江戸時代のかなり早い時期からみられる。天和《てんな》二年（一六八二）度の朝鮮通信使が来日したころの作と思われる『朝鮮通信使駿州行列図屏風《すんしゆうぎようれつずびようぶ》』は、雪舟《せつしゆう》の『富士三保清見寺図《ふじみほせいけんじず》』以来のパターンを意識しながら、画面左上に富士山を配し、その下の山あいから現われてくる朝鮮人行列が、小高い丘の上の清見寺の前、興津《おきつ》（静岡市）の宿場町を通過する様子を想像で描いている。富士山が見守る名所とはいえ、これらの「唐の者ども」は、『犬百人一首』のそれと異なり、「ふじの山」に心打たれるさまを見せることなく、名山に関心を示すような動きはいっさい表現されていない、不思議な構図である。屛風の主題は富士山なのか、朝鮮人行列なのか、微妙なところだが、筆者は名所絵として位置づけて、定型の富士山・三保の松原・清見寺という名所に、異国人行列という趣向を加えたと考える。

しかしながら、ここで描かれる「唐の者ども」の無関心さは気になる。「心あらば　今ひと旅の深雪《みゆき》めで」るべきであろう。その深雪を愛《め》で、それに完全に魅了された「唐の者」は、英一蝶が描いた正徳《しようとく》元年（一七一一）頃の柱絵《はしらえ》に見ることができる。後ろ姿を見せる馬上の朝鮮人が、通信使のシンボルでもある形名旗《けいめいき》を翻しながら、道中に立ち止まり、頭をひっくり返して真上の空をじっと眺めている姿であるが、何を見ているかはうっかりすると気がつかない。朝鮮人の頭上は、白紙が延々と伸びていくのだが、細長い紙の上端をよく見つめれば、薄くぼかした墨《すみ》でかすかに確認できるのが、かの富士山の三峰《みつみね》である。

よけいなものがいっさい排除され、富士山がこの異国人に直接語りかける。富士山は一対一の対話を求めており、異国人は全身全霊で山の話、霊山のお告げを聴《き》こうとするのである。これまで見てきたように、富士山は異国からでも見える山であり、異国人を呼び寄せる霊験がある。とすれば、富士山の語りはひとつの言語にとどまらず、日本語などという限られた言語を超えて、あらゆる言葉に通じるであろう。その超言語能力を、一蝶はこの絵でとらえているのではないだろうか。

富士山の超言語能力は、ただたんに一蝶による絵空事ではなかった。時代は一〇〇年ほど下るが、最後に通信使が来日した文化《ぶんか》八年（一八一一）の川柳《せんりゅう》に、「来朝に通詞《つうじ》もいらぬ山一つ」とあるように、江戸の川柳界でも富士山の超言語能力をアピールし歌に詠じる者がいた。一蝶が描こうとしたのは、まさに富士山の普遍性、霊山の全人類に通ずる能力だったのではないだろうか。

一蝶の柱絵から半世紀あまり下った明和《めいわ》元年（一七六四）に、本土を訪れる最後の朝鮮通信使が来日した際、鈴木《すずき》春信《はるのぶ》も同じように、富士山が「通詞もいらぬ」ず、言語を超えて異国人に直接語りかけ彼らを引きつけるという場面を、「東下り」ではなく「曾我《そが》兄弟」の世界に託して描いている。それは無題の紅摺絵《べにずりえ》で、馬上の朝鮮人二人と、彼らの案内をする馬子《まご》が富士・三保・清見寺の名所で喫煙休憩するシーンを描いている。二人は、一蝶の描く朝鮮人と違って富士山を見上げてはおらず、むしろ逆に、彼らの東海道中が山に見守られているかのように描かれている。

## 幻想の広まり

これより一六年前の寛延《かんえん》元年（一七四八）、一〇回目の朝鮮通信使の来日を前に、見物人の熱狂的な需要を見込んで三都の版元が数種のガイドブックを版行《はんこう》した。そのひとつに、『朝鮮人来朝物語《ちようせんじんらいちようものがたり》』という絵入りの冊子がある。全体的にもひじょうに興味深いガイドブックだが、富士山との関係においてとくに関心をひくのは、二つの見開きに広がる「朝鮮人江戸道中行烈《えどどうちゅうぎょうれつ》」の挿絵である。通信使の「行烈（列）」は、高くそびえたつ富士山の三峰《みつみね》の裾《すそ》に沿って、山道を蛇行《だこう》していくさまをなして江戸へ進む。形名旗《けいめいき》や楽隊の先導に続いて、清道《せいどう》旗《き》やさらなる形名旗を前後に置いた「正使」と「副使」の行列図である。随所に、朝鮮人の言葉として、戯作《げさく》挿絵のようにさまざまな台詞《せりふ》が書き込まれているが、そのなかに、「ふしの山ハ三ごく一の山じや」という、感動のあまりの褒め言葉がある。富士山が「三ごく一の山」である絶対的な「事実」を、来日した異国人に託して国際的な確認をとっている、ということになるだろう。

　しかも、富士山がその霊験の及ぶ範囲を異国にまで広げ、日本の力の及ぶ範囲を拡張して、異国人を海の向こうから引きつけて、日本へ呼び寄せるという幻想は、江戸周辺に限られた言説ではなかった。寛延度のつぎの明和《めいわ》元年（一七六四）の通信使が来日した際、大坂の絵師北尾《きたお》辰宣《ときのぶ》も『朝鮮人来朝行列』という一冊の絵入りガイドブックを描いた。使節が到着する予定より一年近くも先に版行されたこと

18

◉『朝鮮人来朝物語』
日本を訪れた朝鮮通信使の日本での行状を絵入りで紹介した版本。この富士山の近くを進む絵など、ほかの本に類例のない貴重な図版も多い。

は、通信使に寄せられた熱狂的な期待をうかがわせる。辰宣の挿絵は、漢城《ハンソン》から江戸までの旅を想像で描いた、他に類を見ない点が多い。

使節一行が漢城の城門を出ていくところから始まり、釜山《プサン》で国書と将軍への贈与の品々を船に積むシーンへと続く。やがて日本陸路の途につくと、勇壮で優雅な富士山の広がる裾を通るようになる。『伊勢物語《いせものがたり》』の「東下《あずまくだ》り」の段が連想されるが、当時の人々もそう思ったようである。宝暦《ほうれき》元年（一七五一）の落書《らくしょ》に、新年に将軍が楽しむ催し物のひとつに、「朝鮮人来朝の次第」、五月の狂言に「朝鮮人東下り」が演じられたとの話が見えるが、富士山の麓《ふもと》を通る朝鮮人行列の読みを深めたことを、示すものであろう。

そして、朝鮮通信使の来日が途絶えると、琉球《りゅうきゅう》使節は祭礼や絵本での「朝鮮物」の人気を継承した。天保《てんぽう》七年（一八三六）、名古屋凉源寺《りょうげんじ》の薬師会《やくしえ》では趣向を凝らした多くの見世物が出たが、そのひとつとして、富士山の麓を通る琉球使節の行列の巨大な模型が、多くの見物人を楽しませた様子を、小田切《おだぎり》春江《しゅんこう》が描いている。このことから、来日する異国人と富士山が結びつけられる言説、とりわけ、異国人たちの来訪自体が、富士山の魅力によって日本へ引きつけられてきたものだという言説は、日本各地に広がっていたことがわかる。

19

◉富士山と琉球使節の作り物
このときの凉源寺の作り物は、琉球使節道中のところは寒天、富士山は浅草海苔《のり》などでつくられていて、とくに評判が高かったという。（小田切春江『名陽見聞図会《めいようけんもんずえ》』）

# 夷狄と霊山

ところで富士山は、ただたんに異国人を温かく迎える温厚な山というだけではなかった。すでに述べたように、一八世紀後半の明和《めいわ》・安永《あんえい》・天明《てんめい》のころになると、北方から迫ってくるオロシヤ（ロシア）、太平洋沿岸に出没する西洋の捕鯨船などの接近により、全国の知識層をはじめ、日本各地の多くの人々は対外危機感を覚えるようになった。その前兆は、すでに享保《きょうほう》期（一七一六〜三六）のころにも見えはじめている。

**「我守護の名山」**

近松門左衛門《ちかまつもんざえもん》の『本朝三国志《ほんちょうさんごくし》』の設定では、朝鮮侵略に赴く豊臣秀吉《とよとみひでよし》は、肥前名護屋《ひぜんなごや》へ出陣する前に富士山に願を掛ける。蒙古《もうこ》襲来を退治した例を拠《よ》り所に、異国を退治した原動力が富士山であっただろうと、近松はほのめかしている。つまり、秀吉は朝鮮侵略の武運を富士山に託して「異国退治」に挑んだ、と近松は想像したのである。

「異国退治」といえば、先に触れた平賀源内《ひらがげんない》『風流志道軒伝《ふうりゅうしどうけんでん》』で、乾隆帝《けんりゅうてい》に別れを告げ、日本へと出航した深井淺之進《ふかいあさのしん》が率いる唐人《とうじん》たちの大船団は、その後どうなったのだろうか。『風流志道軒伝』の続きへ戻ってみよう。

「三十萬艘の唐船《もろこしぶね》」艦隊がめざす目標は、ほかならぬ富士山である。異国唐土《もろこし》に富士の「雛形《ひながた》」を盗まれては、「日本の恥」。のみならず、富士山自体が「我守護《わがしゆご》の名山」なのであるからこそ、淺之進らの目標が達成されれば、日本そのものが異国に奪われるも同然となる。したがって、日本の国土を鎮護する神々の「神ンつどい」が富士山の「絶頂」を集会の場にして招集され、一三世紀の文《ぶん》永《えい》・弘安《こうあん》の役《えき》の元《げん》軍になぞらえたこの船団を、蒙古《もうこ》襲来の例に倣って「雨の神風の神」を遣わして撃退・撃沈し、国土の保全を達成した、というストーリーが展開する。迫りくる異国に対する危機管理を、作者の源内はこのように想像を広げて描いたのである。

富士山は、海の向こうのどこからでも見えて、「唐の者ども、心あらば」その唐人を積極的に魅了して日本へ引きつけ、呼び寄せるプラスの引力があるだけでなく、淺之進の船団やそれより五〇〇年前の蒙古のような、日本を脅かす異国人を退散させる力も備わっているという本性《ほんしよう》も、近世言説の前提のひとつとなっていたのである。

今までみてきた、富士山の能力・特徴に、もうひとつの霊験が見えてくる。すでにみてきたとおり、富士山は、①日本一、三国一の名山であり、②南北東西の、海を隔てた異国異域の地からでも見える。そして、③見える範囲は、本来霊山の守護域であり、④外征にあたって日本の勝利を見守る。しかしさらに、⑤富士山は日本だけに通じる霊山ではなく、言葉を超越して誰にでも通じる「通詞《つうじ》もいらぬ山」であり、異国人を魅了して、彼らをわが国へ引きつける力もあり、遠く古《いにしえ》は徐《じよ》福《ふく》、近くは朝鮮通信使などの異国人を日本へ招来する力を備えている。

さらに加えて、富士山を慕って拝み見る良性の異国人は温かく迎えられるのに対して、⑥悪性の招かざる客、好ましからざる客、すなわち日本に対して悪意をもち、国を侵し、襲来する異国人を跳ねのける「我守護」の力もある。

対外危機感が高まっていく近世後期に、この「我守護の名山」に託した思いは、ますます表に現われてくるのである。

### 増加する異国退治譚

一八世紀末から一九世紀にかけて高まりつづけた対外危機感は、文政《ぶんせい》八年（一八二五）の「異国船《いこくせん》打払令《うちはらいれい》」や、同年刊行の会沢正志《あいざわせいし》斎《さい》『新論《しんろん》』などのかたちで表現された。幕府や水戸藩主徳川斉昭《とくがわなりあき》に建議する立場にある正志斎は、こうした言論活動によってみずからの危機感と無力感を、ごく一部とはいえ拭《ぬぐ》いえたかもしれない。しかし、そういった手段をもたない多くの人たちは、もっぱら伝承に慰みを求めるしかなかった。

その現われのひとつが、これまで語ってきた富岳遠望奇譚《きたん》に代表される加藤清正《かとうきよまさ》の英雄譚《えいゆうたん》や、蒙《も》古《こ》襲来の退治、神功《じんぐう》皇后の「三韓征伐《さんかんせいばつ》」神話などを語る書物のブームである。先ほど触れた『絵本《えほん》太閤記《たいこうき》』以外にも、中川昌房《なかがわまさふさ》の文章に丹羽桃渓《にわとうけい》の挿絵で飾られた『絵本三韓軍記《えほんさんかんぐんき》』（寛政《かんせい》一二年（一八〇〇））、若林葛満《わかばやしくずみつ》（天山《てんざん》）文・石田玉峰《いしだぎょくほう》画の『清正真伝記《せいしょうしんでんき》』（文化《ぶんか》九年（一八一二））、烏有散人《うゆうさんじん》文・歌川国芳《うたがわくによし》画の『清正一代記《きよまさいちだいき》』（天保《てんぽう》一〇年（一八三九））、為永春水《ためながしゅんすい》文・歌川芳年《よしとし》画の『清正一代記』（天保一一年）、山月庵主人《さんげつあんしゅじん》文・葛飾戴斗《かつしかたいと》画の『三韓退治図会《さんかんたいじずえ》』（全五巻、天保一二年）、室鳩巣《むろきゅうそう》『加藤清正伝』（嘉永《かえい》三年〔一八五〇〕写）、山崎尚長《やまざきひさなが》輯『朝鮮征討始末記《ちょうせんせいとうしまつき》』（嘉永七年）、矢野玄道《やのはるみち》『神功皇后御伝記《ごでんき》』（上下、安政《あんせい》五年〔一八五八〕）など、数多くの絵入り本が出版された。

こうした異国退治物は、嘉永六年のペリー艦隊来航以降、「内憂外患」の勢いがいっそう激しくなるなかで活発に出版されるようになったと見なす説もあるが、今列挙した例を考えると、すでにペリー来航のかなり以前からブームが始まり、黒船来航以降さらに過熱したとみたほうが妥当ではないだろうか。

異国退治物ブームのなか、そのひとつとして安政五年に江戸・大坂・京都の三都で同時出版された石川真清《いしかわますみ》の『蒙賊記《もうぞくき》』をみてみよう。「蒙賊」すなわち文永《ぶんえい》・弘安《こうあん》の役《えき》の蒙古襲来を語る絵入りの読み物であり、挿絵のほとんどは、文永・弘安の役に出陣した竹崎季長《たけざきすえなが》が描かせた『蒙古襲来絵巻《もうこしゅうらいえまき》』を段を追って絵解きした形式のものなのだが、そこに一点だけ『蒙古襲来絵巻』にモデルをもたない挿絵がある。

文永の役（一二七四年）の翌年建治《けんじ》元年初夏に、元《げん》のフビライ（世祖《せいそ》）から派遣された正使杜世忠《とせいちゅう》ら五人の使者団が大宰府《だざいふ》に現われたことは、周知のことであろう。やがて鎌倉にたどり着いた使節の五人は、鎌倉龍口《たつのくち》でひとり残らず斬首《ざんしゅ》され、その首が由比ヶ浜で晒《さら》された。季長とはまったく縁のない話なので、『蒙古襲来絵巻』には取り上げられなくても当然だが、攘夷《じょうい》機運が高まる安政期となれば、この話は落とすわけにはいかない。『蒙賊記』には、そのエピソードだけでなく、つぎのような挿絵も挿入された。

松の枝越しにかいま見える、五つの晒し首が並ぶ砂浜である。そこに立つ高札《こうさつ》は「牒使杜世忠《ちょうしとせいちゅう》を初として五人の者ども由《ゆ》井《い》が浜にて梟首《さらしくび》の図」と、画題と場所を明記する。総髪を垂らした首の面《おもて》に注目すると、繁った眉毛《まゆげ》とひげは、江戸時代における異国人の絵画コードに即して描かれている。正面を向いていれば面はよく見えるであろうが、そうすると、夷狄《いてき》記号の「高い鼻」が十分目立たないので、斜め向きに描かれている。目は閉ざされているものの彼らの面は、日本を守護する富士山へと向けられている。彼らを斬首《ざんしゅ》した神霊、そして「蒙賊」の襲来を退治し神国日本を鎮護したのが、ほかならぬ富士山であると無言に語るのである。

### 英国人による富士登山の衝撃

しかし嘉永《かえい》・安政《あんせい》の夷狄《いてき》襲来に対しては、富士山の鎮護もむなしいものだった。ペリー艦隊の来航に始まり、安政五年（一八五八）の日米・日英などの修好通商条約、翌六年五月の長崎・横浜・箱館《はこだて》開港、さらにイギリス駐日総領事オールコックなど外国公使の着任・江戸常駐と事

20

◉『蒙賊記』に挿入された一枚の絵
異国の脅威に対して攘夷の気運が高まるなか、『蒙古襲来絵巻』をもとに書かれた『蒙賊記』には、元本にはない、守護神としての富士山を物語る、新たな絵が付け加えられた。

態は進展していったが、このたびの夷狄襲来はついに「退治」されることはなかった。

年改まり万延《まんえん》元年（一八六〇）、オールコックは条約で外交官に限って保証された日本全国の内陸を自由に行動できる権利を実行しようと、幕府に対して富士登山を申し込んだ。オールコックがのちに著わした『大君《たいくん》の都《みやこ》』（山口光朔《やまぐちこうさく》訳）によれば、「われわれ外交使節団は、条約によって首都における居住の権利と、帝国内をどこでも自由に旅行する権利を保証されている。その条約の明白な規定を一国の外交使節団の長が行使すること」を、「名の知れわたった神聖な山」である富士山の登山・遊覧によって確固たるものにすることが、登山計画の主要な目的のひとつであった。

攘夷《じょうい》論の勢いが過熱するなかで、外国人の安全を保証できない幕府は、なんとかしてオールコックの富士登山を阻もうとした。そこには、激しく燃える「尊王攘夷」という炎に、新しい油を注ぎたくなかったという面もあるだろう。しかし、台風が発生しやすい時期だから危険だという幕府の警告にも聞く耳をもたないオールコックが断固として強要すると、七月にとうとう登山旅行の許可が下りた。

オールコックの手記によると、登山はなんの問題もなく進み、やがて山頂に達したオールコックたちは、一望の素晴らしいことに感動すると同時に、「科学」を掲げる西洋文明の代表として、富士山の標高測量も部下のロビンソン大尉に行なわせた。その結果、最高峰は一万四一七七フィート（四三二一メートル）、火口底が一万三九七七フィート（四二四〇メートル）という数値を得、さらに緯度・経度の測量もなしとげた。

こうして、五四五メートルの誤差が生じたとはいえ、「科学」のためにひとつの快挙を達成したと思ったオールコック一行は、「無二の」山の下山の途についた。ところが、急速な天気の崩れに見舞われ、「濃厚なスコットランド風の霧が立ちこめた。やがて、この霧はどしゃ降りの雨に変わった」が、台風が来たのは下山後だったと、オールコックは記している。

江戸へと向かった一行が神奈川宿《しゅく》（横浜市）に入ると、すでに「同地が台風に襲われたさいに、その台風はあらしの国の神聖な領域を汚した外国人にたいする神々の怒りのしるしだというわさがひろまったとのことである」とオールコックの手記にあるように、たちまちにして流言が広がっており、オールコックたちの耳にも入っていたのである。

**オールコックへの反発**

こうした流言は、一部の地域に限ったものではなかった。オールコックの富士登山要請を長々と拒みつづけた幕府と当時微妙な関係にあった水戸徳川《とくがわ》家の家老《かろう》戸田忠則《とだただのり》は、幕府とイギリス公使の交渉攻防を耳にし、事態を予感し、その思いを日記に託した。

◉仮名垣魯文《かながきろぶん》『滑稽富士詣《こっけいふじもうで》』
万延元年のオールコック富士登山の報は、すぐさま文学や錦絵の題材となった。魯文も絵入りの戯作小説の刊行を始めた。これは「ミニストル（公使）」富士登山東海道旅行の図。

戸田はオールコック一行が富士登山を行なったが激しい雷雨に打たれた「事実」を記し、この行動に対して攘夷《じょうい》の気分が高揚し、神罰によって一行が変死したとか、あるいは無理に登ろうとしたところ病気になり、神威を恐れて引き返したといった、さまざまなうわさや風説が飛び交ったことを伝えている。そしてこうした風説が、富士山信仰を支えた「御師《おし》」や、あるいは「読《よみ》売《うり》」と呼ばれた瓦版《かわらばん》などのメディアによって広く流布し、それによって攘夷論の炎が、さらにあおられていったことにも戸田は触れている。

また仙台藩士の桜田良佐《さくらだよしすけ》や、由井宿《ゆいしゅく》（静岡県由比町《ゆい》）で本陣を営む小池《こいけ》某などといった人物が残した記録からも、戸田と同じ気持ちで、汚れた異国人が聖なる「不二」という日本一の名山の頂上まで登ったことに対し、己《おの》が怒りを神の怒りと置き換えてみていたことが、読みとれる。

江戸の速報メディアである瓦版は、このような刺激的な情報をネタとして取り上げずにはいられなかった。たとえばある瓦版（下の図版）は、天狗《てんぐ》の姿で出現した富士山の神が、黒い雨雲の上から神風でオールコック一行を山から吹き下ろすように

21

◉「オールコック、富士で被雷」の瓦版
富士山は女人禁制だったが、庚申の年だけは女性の登山が許されたという。万延元年がその年にあたり、オールコック一行も登山したが、富士の怒りに触れ、雷雨に見舞われた、とする。

描いている。オールコックの「富岳吹き下ろし一件」とでもいうべきこの話は、いくつものかたちで流布し、この時期の攘夷的感情の炎をさらにあおりたて、日本各地へと広げていった。

また、オールコックらの「異国人」が、「富士御山」にあてて「詫《わ》び状」を書いたと、絵入りで記す瓦版もみられた。そこでは、彼ら異国人は「ふらちしごく(不埒至極)のよし、御しかりをこうむりおそれいりたてまつり候」結果、守護神としての富士山の恐ろしさを知り、見るだけでも怯《おび》えるようになったとされている。

オールコック一件の風聞を受けて、富岳遠望奇《き》譚《たん》は新しい趣向を加えた。歌川芳盛《うたがわよしもり》は万延《まんえん》元年(一八六〇)に、這《は》いつくばった辮髪《べんぱつ》姿の唐人《とうじん》が富士山を望遠鏡で眺める一方、欧米のどこからか来た毛《け》唐《とう》人《じん》が富士山の恐ろしさのあまりに畏縮《いしゅく》した表情と姿勢を示す、という図柄の錦絵《にしきえ》を描いた。

東西を問わず、世界中の夷狄《いてき》は、オールコックの一件によって、富士山の力を思い知らされた——流言を発した人たち、瓦版や錦絵をつくった人たちの多くは、そう信じたくてこれらの風説を

22

◉歌川芳盛筆『日本名山之不二』
万延元年～明治五年頃まで、横浜に来た外国人を題材に制作された一連の浮世絵を、横浜浮世絵、または横浜絵と呼ぶが、これはそのうちの一枚。霊峰富士を目にし、その威光に打たれるさまを描く。図版は万延元年作。

流布させたのであろう。

**富岳対話の近・現代への遺産**

以上、みてきたように、近世を通じて富士山に託された異国人との対話は、話の内容と媒体の広がりをさまざまに見せながら、徐々に濃密な言説に発展していき、思想的・文化的に重要な位置を占めるようになった。

ところで、対外危機感が高まりはじめた一八世紀後半から一九世紀は、庶民の間で地図を楽しむブームが高まった時期でもあった。そこで、地図における富士山の描かれ方に注目してみよう。

第二章でも触れた、長久保赤水《ながくぼせきすい》による『改正日本輿地路程全図《かいせいにほんよちろていぜんず》』（安永《あんえい》八年〔一七七九〕初版）は、多大な人気を呼び、幾度も再版が摺《す》られた。印刷された地図としてははじめて経線と緯線のグリッドを示した赤水日本図は、関東から以東を矮小化《わいしょう》して描いていたそれまでの石川流宣《いしかわとものぶ》などの日本図に比べると、「現実」に近くなってきており、したがってそれまでは東寄りだった富士山の位置も、中央に近くなっている。ただし、富士山の描き方そのものは、従来の流宣日本図などとは大きく変わっていない。

ところが、文化《ぶんか》元年（一八〇四）の作とされる鍬形蕙斎《くわがたけいさい》の『日本名所之絵《にほんめいしょのえ》』は、斬新《ざんしん》なとらえ方をしている。房総半島・伊豆大島越しに日本全域を俯瞰《ふかん》するこの絵地図の前景中央には、全身白雪に覆われた富士山がそびえ、左右に広がる日本列島のはるかかなたには、水平線からギザギザと突出する「朝鮮」の山々が、海原《うなばら》と同じ蒼海《そうかい》色で描かれている。向かって右上には松前《まつまえ》と蝦夷地《えぞち》が配置されており、二〇〇〇年前、松前から兀良哈《おらんかい》へと漂流した後藤二郎《ごとうじろう》（またはセルトウス）の存在が思い出されるだろう。

そして幕末になると、世界の中心位置に富士山を据え、あたかも地球の枢軸かのようにみる世界観も表出された。幕末に刊行された『万国人物絵図《ばんこくじんぶつえず》』を見ると、富士山だけがイギリスより大きく、真っ白にそびえたつ不思議な構図で、旭日《きょくじつ》が富士山の西方にあるが、「大日本」は富士山、伊勢神宮の二つからのみ構成されていて、そのまわりに士農工商を代表する人物が配置されている。

幕府が崩壊し、年が改まった慶応《けいおう》四年（一八六八）正月に、江戸の本屋から「万国渡海雙六《ばんこくとかいすごろく》」というゲーム錦絵《にしきえ》が発売された。「出帆乗出」（ふりだし）は、駒《こま》の色分けに応じて「南京」「無人島」など六つあっ

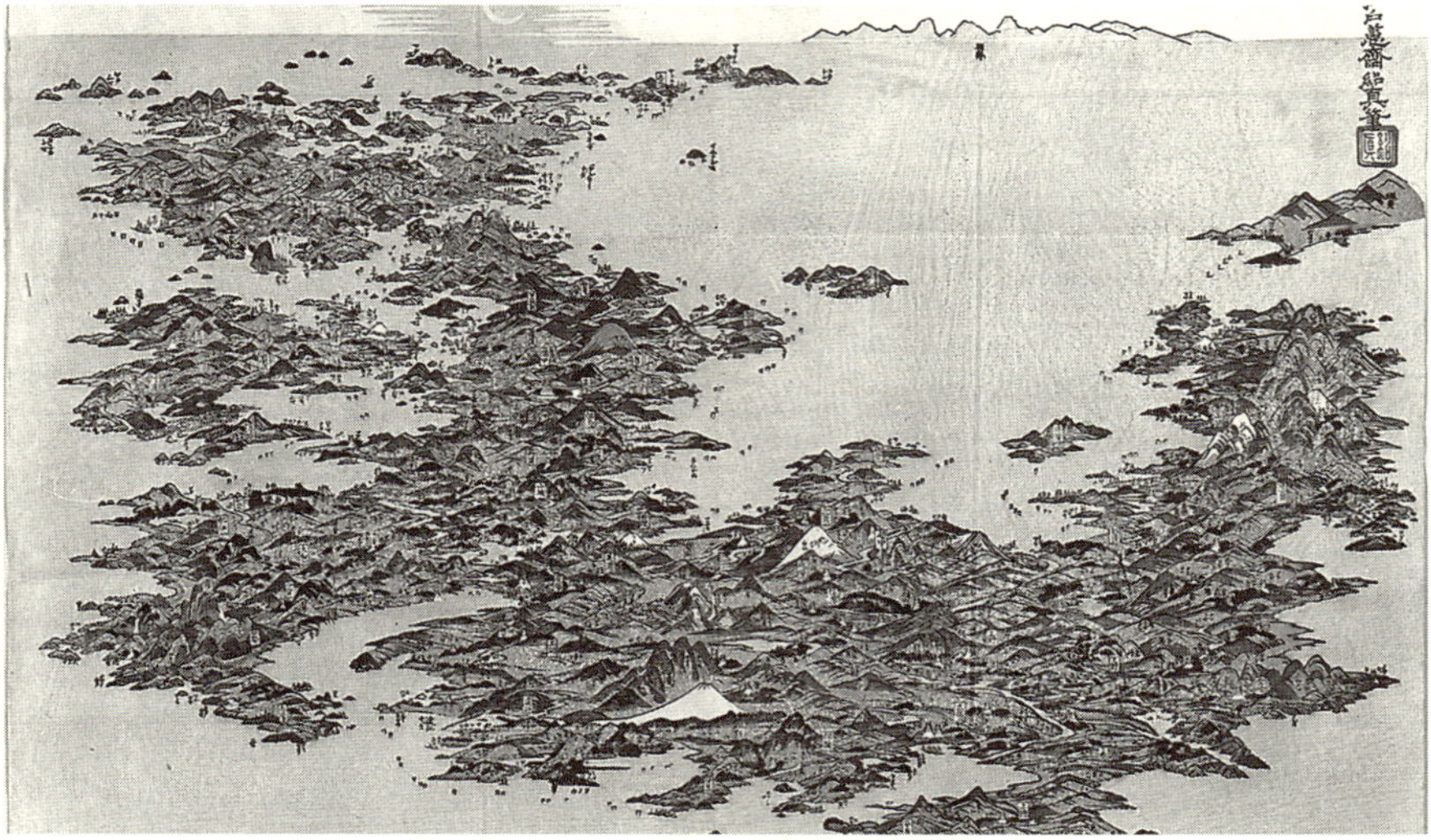
23

て、世界各地から「渡海」する駒々（人々）がめざすのは当然日本であるが、その「大日本」は、ほかならぬ富士山の雄大な姿と、そのかなたから光線を放つ旭日で示されている。

深井《ふかい》淺之《あさの》進《しん》の船団を壊滅させ、オールコックを吹き下ろした「恐るべき」山と、「兀良哈の不二」など、その霊験と優美な姿で異国人を引きつける山という二つの顔をもつ富士山という言説は、体制が入れ替わっても、持続するだけの力をもっていた。明治時代に入ってからも、民間レベルにおいても素直に自国の伝承を引き継いだ作家や出版社によって、加藤清正《かとうきよまさ》の伝記類などが頻繁に上梓《じょうし》された。また、愛国心の高揚を図った政府の思惑《おもわく》で、国定教科書でも清正が朝鮮で果たした「雄飛」が語られ、学童に教えられるようになり、清正は国民的英雄に担ぎ出されたのである。

先に紹介した、日清《にっしん》戦争直前に出された延一《のぶかず》による『加藤清正朝鮮ヨリ冨士ヲ望ム』という新聞《しんぶん》錦絵《にしきえ》も、江戸時代に築きあげられてきた富岳遠望奇《き》譚《たん》や、富士山対異国人という言説のさらなる力を雄弁に物語っているのではないかと思われる。

じつは、昭和期に入っても、こうした富士山をめぐる言説は持続し、さらに進展を示している。たとえば、日米関係が悪化の一途《いっと》を歩むなか、一九三九年（昭和一四年）に開催されたニューヨーク万国博覧会に、広大な日本館が政府主導で建設された。その日本館には、アメリカ人を中心とした

◉鍬形蕙斎筆『日本名所之絵』
上空に視点を定め、地理的情報と透視図法を駆使して、日本全土を描き出した一枚。雪を抱いた富士山を中心に据え、南北に延びる日本列島を弓なりに描く。「江戸名所之絵」「江戸一目図」など独自の地図を手がけた蕙斎ならではの作品。

客を迎えるウェルカム・シンボルとして、三〇メートルにも広がる富士山のパノラマ写真が飾られたのである。この写真は、伊豆半島の付け根、達磨山《だるまやま》高原から撮影されたもので、湾曲する沼津《ぬまづ》の海岸越しに展望された霊峰富士は、日本国および日本国民を具現化したシンボルと化している。ここにも、富士山対異国人という言説の生命力が感じられるだろう。

そして、太平洋戦争中、太平洋を横断飛行してアメリカ本土を空爆可能な爆撃機を設計・生産する計画が、東京三鷹《みたか》の中島飛行機工場で進行されていた。その爆撃機の名称は「富嶽」であった。計画の道なかばで終戦となったので、実現することはなかったのだが、敵国遠征の飛行機を富士山に託していたことは、近世期に構築されてきた重層的・多面的な「富岳・異国」に関する言説の生命力を感じさせる。

# おわりに

「鎖国」という外交

## 日朝関係の評価をめぐって

これまで、日本と東アジアとの関係を中心に、近世日本の外交の実態をみてきた。そのなかでもとくに、朝鮮通信使を通じて日本と朝鮮の問題をいろいろと述べてきた。そこで最後に触れておきたいのが、豊臣秀吉《とよとみひでよし》による侵略戦争を経て、国交を回復してからの、江戸時代の日本と朝鮮の関係をどのように評価するか、という問題である。

朝鮮通信使についての研究が進むなかで、江戸時代の朝鮮と日本の関係は、「善隣外交」「誠信外交」と呼ぶべき、友好的・親善的なものだった、とよくいわれるようになってきた。日本と朝鮮両国の間に「誼《よしみ》」が結ばれ、両国家は対等のつきあいをしており、日本の学者も一般庶民も、朝鮮に対して好意的で、学問や文化の面でも尊敬と憧憬《しょうけい》の念をもっていた、という考え方である。

たしかに、江戸時代の日本と朝鮮の間には、目立った衝突はなかった。朝鮮通信使をめぐっても、事件と呼ばれるようなものは、「唐人殺《とうじんごろ》し」事件ぐらいであった。これは、明和《めいわ》元年（一七六四）の朝鮮通信使に随行した訓導《くんどう》（通訳）崔天宗《チエチヨンジヨン》と、対馬《つしま》藩の朝鮮通詞《つうじ》鈴木伝蔵《すずきでんぞう》との間になんらかのトラブルがあって、鈴木伝蔵が崔天宗を大坂で刺し殺したというものである。だがこの事件も、伝蔵がただちに処刑されることで収拾され、両国間の大問題とまでは至らなかった。その意味では、両国の関係は波風の立たない「善隣外交」だった、という見方も一面では成り立つかもしれない。

だが、日本の学者や一般庶民が朝鮮に対して好意や尊敬の念をもっていたとまでは、言い切れないのではないだろうか。というのは、江戸時代においてはっきりとそういう意識を表明していた日本人は、雨森芳洲《あめのもりほうしゅう》くらいしか筆者には思いつかないからである。

雨森芳洲は、寛文《かんぶん》八年（一六六八）生まれの儒者で、木下順庵《きのしたじゅんあん》の門下のひとりである。元禄《げんろく》二年（一六八九）に順庵の推薦で対馬藩に仕え、家老の補佐役として朝鮮との交渉にあたった。正徳《しょうとく》元年（一七一一）と享保《きょうほう》四年（一七一九）の朝鮮通信使来日の際には、真文役《しんぶんやく》（朝鮮側との交渉役）として通信使に同行して江戸に向かっている。享保四年の通信使の製術官《せいじゅつかん》（筆談・唱和の担当者）申維翰《シンユハン》との交流は有名である。また、芳洲の提言によって享保一二年には対馬に朝鮮通詞の養成所が設立されたりもしている。

このように朝鮮との関係が深かった芳洲は、『交隣提醒《こうりんていせい》』（享保一三年成立）など多くの著作において、朝鮮との「誠信之交」の必要性を強調している。芳洲が「善隣外交」「誠信外交」の強い意志をもっていたことは疑いない。

だが、このような人物はほかに見当たらない。そもそも芳洲自身も、従来はさほどその存在が知られていなかった人物であった。芳洲が広く注目を浴びるようになったのは、一九九〇年に来日した当時の韓国大統領盧泰愚《ノテウ》が、宮中晩餐会のスピーチで、江戸時代に朝鮮と「誠意と信義の交際」をした人物として雨森芳洲の名前をあげたことがきっかけであった。その後芳洲の存在がクローズアップされるようになり、江戸時代の日朝関係を語る際に、しばしば芳洲が代表的な人物として紹介されるようになってきたのである。しかし、芳洲ひとりをもって、当時の日本人一般がみな同じ意識をもっていたと見なすことには無理があるのではないだろうか。

筆者がわざわざこのようなことをいうのは、江戸時代の日朝関係が友好的で「誠信」のものであるということを強調すれば強調するほど、それならばなぜ明治時代に急に「征韓論《せいかんろん》」が生じてくるのかが説明できなくなるように、筆者には思われてならないからである。

### 征韓論の土壌

日本と朝鮮の関係は、一九世紀にはしだいに希薄になっていた。第五章でも触れたが、一八世紀前半までは朝鮮通信使が短いサイクルで来日したが、一八世紀後半になると回数が減り、江戸まで向かう朝鮮通信使は明和《めいわ》元年（一七六四）が最後だった。最終となる文化《ぶんか》八年（一八一一）の通信使は、「易地《えきち》聘礼《へいれい》」（お互いが都合のいい場所で接待を行なう）の名のもと、対馬《つしま》で接待された。その後、朝鮮通信使の招聘が検討されることも二回ほどあったが実現には至らず、朝鮮通信使は形骸《けいがい》化し、日本と朝鮮の国家間の交流は図られなくなっていったのである。

そのような状況下で政権を握った明治政府は、明治元年（一八六八）、従来どおり対馬藩の宗《そう》氏を通して、王政復古の通告をしようとした。だが、日本側の書簡に明治天皇を朝鮮国王の上位に置くような表現があったことから、朝鮮は書簡の受け取りを拒否した。日本は朝鮮の態度を、天皇に対してはなはだ無礼であると見なし、なかには武力によって国交を開くべしという意見もあった。それ以前に木戸《きど》孝允《たかよし》が「征韓《せいかん》」をとなえるなど、明治政府の首脳のなかにはすでに征韓の考えが存在していたのである。

その後、版籍奉還《はんせきほうかん》・廃藩置県《はいはんちけん》を契機に、明治政府はそれまで対馬藩が担っていた朝鮮外交の役割をみずからのものとしようとして、朝鮮側の反発を招いた。それでも明治政府が強引に釜山《プサン》の倭館《わかん》を接収して役人を派遣したため、朝鮮の反発は強まった。それに対して明治六年には、政府首脳が遣欧使節団として欧米視察に出かけて不在となる間を任された留守政府の西郷隆盛《さいごうたかもり》らが、朝鮮征伐を主張し、帰国した岩倉具視《いわくらともみ》らとの間に「明治六年の政変」と呼ばれる争いが起こった。最終的に朝鮮征伐は中止され、「征韓論派」の西郷隆盛や板垣退助《いたがきたいすけ》は下野したのである。

ここで疑問となるのは、朝鮮が日本の天皇に対して「無礼」な振る舞いをしたなどという理由から、なぜ「朝鮮を征伐すべし」という征韓論がすぐに主張されるのか、という点である。江戸時代の日本と朝鮮の関係を平和的で対等だったと見なす考え方では、この疑問は解けないのではないだろうか。日本に都合のいいように解釈された征韓論が生じてくる土壌は、いったいいつごろからはぐくまれ、その背景には何があったのだろうか。

先ほど、明治初年に木戸孝允にすでに「征韓」の考え方がみられることを指摘した。さらにさかのぼっていくと、幕末の長州《ちょうしゅう》の志士、吉田松陰《よしだしょういん》にも同じ考え方を見てとることができる。松陰は、幕府の書物奉行《しょもつぶぎょう》の近藤重蔵《こんどうじゅうぞう》が編纂《へんさん》した『外蕃通書《がいばんつうしょ》』（文政《ぶんせい》元年〔一八一八〕成立）を読んで、「人民に外交なし」と激怒した。『外蕃通書』は、江戸時代初期の幕府が諸外国と交わした書簡や朱印状といった外交文書を収録したものだが、松陰は天皇が認めていないのに将軍や武家が勝手に外交を行なうことは僭上行為《せんじょうこうい》である、と見なしたのである。そして松陰は『外蕃通略《がいばんつうりやく》』（安政《あんせい》四年〔一八五七〕

序）を著わして、幕府の外交政策に徹底的な批判を加えた。

松陰の私塾「松下村塾《しょうかそんじゅく》」には、地元長州の藩士だけでなく、西日本各地の藩士たちが数多く入門した。松陰は門下生たちに、将軍が朝鮮国王と対等につきあうというのも古《いにしえ》の上下関係を忘れた恥ずべき行為であり、日本と朝鮮の関係は、本来日本が主で朝鮮が従であると教え込んだのである。そして松陰がその根拠としたのが、神功《じんぐう》皇后による「三韓征伐《さんかんせいばつ》」神話であった。

**近世の「三韓征伐」神話の広がり**

「三韓征伐《さんかんせいばつ》」神話とは、『古事記《こじき》』『日本書紀《にほんしょき》』に由来するもので、仲哀《ちゅうあい》天皇の后《きさき》、神功《じんぐう》皇后が新羅《しらぎ》征伐を決意して、戦わずして新羅を降伏させて、日本に従わせた、というものである。神功皇后は実在の人物とは考えにくく、神話自体ももちろん史実ではないが、一三世紀の蒙古《もうこ》襲来以降、八幡《はちまん》神《しん》と神功皇后の子の応神《おうじん》天皇とが結びつくなかで、八幡信仰のなかに「三韓征伐」神話が取り込まれていき、全国に普及していったと思われる。

「三韓征伐」神話は、本文でも何度か言及したように、祭りの練物《ねりもの》に取り入れられたり、対外危機感の高まりに応じて注目されたりするなど、近世においてももちろん広く知られていた。第五章で触れた、龍ケ崎《りゅうがさき》市歴史民俗資料館所蔵の『神田明神祭礼絵巻《かんだみょうじんさいれいえまき》』に描かれた「三韓攻出陣」も、「三韓征伐」神話をモチーフとしたものである。同じ絵巻には、これも第五章で触れたが、朝鮮通信使を模したと思われる「朝鮮人来朝」という唐人《とうじん》行列も描かれていて、朝鮮通信使と「三韓征伐」神話との関係をうかがわせる。

そのような、神功皇后の「三韓征伐」神話と朝鮮通信使とを結びつける考え方は、当時の人々が残した史料からもうかがうことができる。一例をあげると、寛延《かんえん》元年（一七四八）の朝鮮通信使を接待した淀《よど》藩の藩士渡辺善右衛門《わたなべぜんえもん》守業は、その顛末《てんまつ》を記した『朝鮮人来聘記《ちようせんじんらいへいき》』のなかで、朝鮮通信使が来日した理由を、つぎのように述べている。

すなわち、朝鮮が「貢《みつ》ぎ」を日本へ贈るのは、ひとえに神功皇后の「御神力《ごじんりき》」によるものであり、それに続いて豊臣秀吉《とよとみひでよし》が朝鮮を討ったので、その威光は末世の今日にまで照り輝いている。そして九代将軍徳川家重《とくがわいえしげ》の「高情」が朝鮮国王にまで届いていて、朝鮮国王が正使・副使・従事官の三使を選んで、船に「数多《あまた》の貢ぎ」を乗せて日本へと向かうのである。

神功皇后、さらには豊臣秀吉の朝鮮侵略も持ち出して、それを根拠にあたかも朝鮮通信使を属国の朝貢使節かのように描いていることがわかる。

本文でも述べたが、いうまでもなく朝鮮側には「属国」とか「朝貢」という意識はない。朝鮮側にとって朝鮮通信使とは、日本の幕府の要請に応じて「信《まこと》」を通わすために派遣するものである。それを、「朝貢」と見なしたり、朝鮮通信使が持ってくる贈り物を「貢物《こうもつ》」と扱ったりするのは、明らかに日本側の思い込みである。

そこには江戸幕府の意向が大きく影響していた。幕府は、朝廷や諸大名たちにみずからの「御威《ごい》光《こう》」を示すために、人々に朝鮮通信使を「朝貢使節」と思い込ませようとした。そしてそこに記紀神話に由来する神功皇后の「三韓征伐」神話や、豊臣秀吉の「朝鮮征伐」という言説が加わって、「朝鮮は日本の属国だから来日し、貢物をもってくるのが当たり前」という図式が人々の心の底に描かれるようになったのだといえるだろう。

### 時代の特殊性と連続性

だが、筆者は筆を急がせすぎたようだ。みずからに与えられた時代とテーマをはるかに超えて、明治時代の征韓論《せいかんろん》にまで話が及んでしまった。「はじめに」で述べたように、日本による朝鮮の植民地支配の時代から日朝関係の問題を考えはじめた筆者には、征韓論は避けて通れない課題であるために、どうしてもひとこと指摘しておかずにはいられなかったのである。

ただ、歴史について考えるときには、ある時代がその前後の時代とどう違うのか、ある時代がどのような特徴をもつのかを考えることがもちろん大切だが、その一方で、ある時代とその前後の時代がどのようにつながっているのか、何が共通し連続しているのかを認識することも、同じように重要だと思われる。

江戸時代は、その直前に起こった豊臣秀吉《とよとみひでよし》の朝鮮侵略、その直後に叫ばれた征韓論といった、前後の時代の対立・緊張した日朝関係と異なって、善隣・友好的な日朝関係を築いた時代だった。こうした考え方は、江戸時代の特徴や特殊性を強調したものだということができる。もちろんそうした一面があることは否定できないが、近・現代の征韓論の土壌に、近世以前からの神功《じんぐう》皇后の「三《さん》韓征伐《かんせいばつ》」神話や近世初頭の秀吉の朝鮮侵略があり、神功皇后や秀吉がらみの言説が江戸時代を通じてもみられることを考えると、明治期になって征韓論というかたちで発露する日本人の朝鮮認識は、江戸時代以前から萌芽がみられ、江戸時代にも途切れることなくその根を伸ばしつづけていたのではないだろうか。ある時代の特殊性と連続性、そのどちらか片方だけを強調するのではなく、つねに両方を意識しながら、歴史をみていくべきだろう。

筆者がこの巻で述べてきたことは、筆者の興味関心に基づく限られた範囲のことが中心で、それは近世という時代の一面にしかすぎない。「はじめに」で述べたような「新しい近世像」を呈示できたかは、はなはだ心もとないが、その点は読者の皆さんの判断に任せることとして、そろそろ筆をおくこととしよう。

つぎの巻からは、筆者が明治時代にまで進めてしまった時計の針をもう一度近世に戻して、江戸時代の成立期から始めて時代を約一〇〇年単位で区切って、その諸相を細かくみていくことになる。とくに外交問題に関しては、これまで公開されていなかったロシア側の史料が近年になって利用可能となってきたことから、日本とロシアをめぐる問題について新しい研究が続々となされている。そういった新成果も盛り込まれているので、楽しみにしていただきたい。

出版社、2004年
• 中野嘉太郎『加藤清正伝』隆文館、1909年
• 成瀬不二雄『富士山の絵画史』中央公論美術出版、2005年
• 朴賛基『江戸時代の朝鮮通信使と日本文学』臨川書店、2006年
• 松下見林『異称日本伝（上下）』国書刊行会、1975年
• 三谷博『明治維新とナショナリズム―幕末の外交と政治変動』山川出版社、1997年
• 矢野隆教編『江戸時代落書類聚（全3巻）』東京堂出版、1984−85年
• 大和文華館編『富士の絵―鎌倉時代から現代まで』大和文華館、1980年

### 全編にわたるもの

• 朝尾直弘『日本の歴史17　鎖国』小学館、1975年
• 朝尾直弘『日本近世史の自立』校倉書房、1988年
• 朝尾直弘編『日本の近世1　世界史のなかの近世』中央公論社、1991年
• 荒野泰典「18世紀の東アジアと日本」歴史学研究会・日本史研究会編『講座日本歴史6　近世2』東京大学出版会、1985年
• 荒野泰典『近世日本と東アジア』東京大学出版会、1988年
• 荒野泰典ほか編『アジアのなかの日本史（全6巻）』東京大学出版会、1992−93年
• 荒野泰典編『江戸幕府と東アジア』吉川弘文館、2003年
• 池内敏『「唐人殺し」の世界―近世民衆の朝鮮認識』臨川書店、1999年
• 池内敏『近世日本と朝鮮漂流民』臨川書店、1998年
• 池内敏『大君外交と「武威」―近世日本の国際秩序と朝鮮観』名古屋大学出版会、2006年
• 紙屋敦之『大君外交と東アジア』吉川弘文館、1997年
• 北島万次『豊臣秀吉の朝鮮侵略』吉川弘文館、1995年
• 金光哲『中近世における朝鮮観の創出』校倉書房、1999年
• 黒田日出男『絵画史料の読み方』週刊朝日百科日本の歴史別冊「歴史の読み方」1、朝日新聞社、1988年
• 黒田日出男『王の身体　王の肖像』平凡社、1993年
• 洪啓禧・趙曮編『海行惣載』朝鮮古書刊行会、1914年
• 辛基秀・仲尾宏責任編集『大系朝鮮通信使（全8巻）』明石書店、1993−96年
• 申維翰（姜在彦訳注）『海游録―朝鮮通信使の日本紀行』平凡社、1974年
• 崔官『文禄・慶長の役（壬辰・丁酉倭乱）―文学に刻まれた戦争』講談社選書メチエ、1994年
• トビ, R.（速水融・永積洋子・川勝平太訳）『近世日本の国家形成と外交』創文社、1990年
• トビ, R.「朝鮮人行列図の発明―『江戸図屏風』・新出『洛中洛外図屏風』と近世初期の絵画における朝鮮人像」辛基秀・仲尾宏編『大系朝鮮通信使第1巻』明石書店、1999年
• トビ, R.「朝鮮後期の日本観」吉田光男編『アジア理解講座4　日韓中の交流』山川出版社、2004年
• 林復斎編『通航一覧（全8巻・復刻）』清文堂出版、1967年
• 林復斎編『通航一覧続輯（全5巻・復刻）』清文堂出版、1968−73年

1500−1900』リブロポート、1998 年
• トビ, R.「近世初頭対明の一外交文書諸本の系譜—誤写・誤読・誤記の系譜と日本型華夷論」『史料編纂所研究紀要』13 号、2003 年
• 林春勝・林信篤編『華夷変態（全 3 巻）』東洋文庫、1958−59 年
• 前栄平房昭「『鎖国』日本の海外貿易」朝尾直弘編『日本の近世 1　世界史のなかの近世』中央公論社、1991 年
• 松方冬子『オランダ風説書と近世日本』東京大学出版会、2007 年
• 村井章介『アジアのなかの中世日本』校倉書房、1988 年
• 山口和雄『藩札史研究序説』日本銀行調査局、1966 年
• 柳成龍著・朴鐘鳴訳注『懲毖録』平凡社、1979 年
• 劉鳳雲『清代三藩研究』中国人民大学出版、1994 年

### 第四章

• ゴンブリッチ, E. H.（瀬戸慶久訳）『芸術と幻影—絵画的表現の心理学的研究』岩崎美術社、1979 年
• 田中健夫「遣明船貿易家楠葉西忍とその一族」佐藤信一編『日本人物史大系 2　中世』朝倉書店、1959 年
• 土井忠生ほか編訳『日葡辞書　邦訳』岩波書店、1980 年
• 東京大学史料編纂所編『大日本近世史料 3　唐通事会所日録（全 7 巻）』東京大学出版会、1984 年
• トビ, R.「和藤内の月代・韃靼の辮髪—ヘアスタイルと民族的帰属の自覚」『創文』375 号、1996 年
• トビ, R.「『毛唐人』の登場をめぐって—近世日本の対外認識・他者観の一側面」村井章介・佐藤信・吉田伸之編『境界の日本史』山川出版社、1997 年
• トビ, R.「近世日本人のエトノス認識」山内昌之・古田元男編『日本イメージの交錯—アジア太平洋のトポス』東京大学出版会、1997 年
• トビ, R.「人類へのまなざし—近世日本の想像力と視覚人類学の誕生」樺山紘一編『岩波講座世界歴史 12　遭遇と発見』岩波書店、1999 年
• トビ, R.「近世文化としての異国使節—他者と日本のアイデンティティー」川勝平太編著『「鎖国」を開く』同文館、2000 年
• トビ, R.「唐の彼方より—天竺・南蛮人と中近世のコスモロジーの変容」古屋哲夫・山室信一編『近代日本における東アジア問題』山川出版社、2001 年
• 名古屋市博物館編『泉涌寺霊宝拝見図・嵯峨霊仏開帳志』「名古屋市博物館史料叢書 3 猿猴庵の本」13、名古屋市博物館、2006 年
• 日蘭学会法政蘭学研究会編『阿蘭風説書集成（上・下）』吉川弘文館、1977−79 年

### 第五章

• 大野瑞男校註『榎本弥左衛門覚書—近世初期商人の記録』平凡社、2001 年
• 大田南畝（仲田勝之助編校）『浮世絵類考』岩波文庫、1941 年
• 岡泰正『めがね絵新考—浮世絵師たちがのぞいた西洋』筑摩書房、1992 年
• 『神田明神祭礼絵巻』神田神社社務所、1974 年
• 岸文和『江戸の遠近法—浮絵の視覚』勁草書房、1994 年
• 倉地克直『近世日本人は朝鮮をどうみていたか—「鎖国」のなかの「異人」たち』角川選書、2001 年
• 黒田日出男『絵画史料で歴史を読む（増補）』ちくま学芸文庫、2007 年
• 黒田日出男・トビ, R. 編著『行列と見世物』朝日百科日本の歴史別冊「歴史を読みなおす」17、朝日新聞社、1994 年
• 作美陽一『大江戸の天下祭り』河出書房新社、1996 年
• 辛基秀編『わが町に来た朝鮮通信使（I）』明石書店、1993 年
• 辛基秀『朝鮮通信使—人の往来、文化の交流』明石書店、1999 年
• 「特集　江戸天下祭図屏風」『國華』104 巻 4 号、1998 年
• トビ, R.「久隅守景筆『朝鮮人行列図屏風』について」『國華』109 巻 5 号、2003 年
• トビ, R.「通信使の行列を『読む』」吉田光男編『アジア理解講座4　日韓中の交流』山川出版社、2004 年
• 横山學『琉球国使節渡来の研究』吉川弘文館、1987 年

### 第六章

• 青柳周一『富岳旅百景—観光地域史の試み』角川書店、2000 年
• 岩科小一郎『富士講の歴史—江戸庶民の山岳信仰』名著出版、1983 年
• 岡田甫校訂『誹風柳多留全集（全 13 篇）』三省堂、1976−1984 年
• 狩野博幸『葛飾北斎筆凱風快晴—「赤冨士」のフォークロア』平凡社、1994 年
• 北島万次『加藤清正—朝鮮侵略の実像』吉川弘文館、2007 年
• 木村直也「幕末の日朝関係と征韓論」『歴史評論』516、1993 年
• 申叔舟（田中武夫訳注）『海東諸国紀』岩波文庫、1991 年
• トビ, R.「還日本海の富岳遠望」青柳正則・トビ, R. 編『還流する文化と美』角川書店、2002 年
• トビ, R.「『平和外交』が育んだ侵略・征韓論」吉田光男編『アジア理解講座4　日韓中の交流』山川

弘文館、2006年
• 近藤重蔵『近藤正斎全集（全3巻）』国書刊行会、1905年
• 志筑忠雄没後200年記念国際シンポジウム報告書『蘭学のフロンティア—志筑忠雄の世界』長崎文献社、2007年
• 信夫清三郎『江戸時代—鎖国の構造』新地書房、1987年
• 関山直太郎『近世日本の人口構造』吉川弘文館、1958年
• 鶴田啓「十七世紀の松前藩と蝦夷地」藤田覚編『17世紀の日本と東アジア』山川出版社、2000年
• 東京帝國大學史料編纂掛・東京大学史料編纂所編『大日本古文書　幕末外国関係文書（既刊51巻）』東京大学出版会、1910年〜
• トビ, R.「境界領域の近世的認識—日本図を中心に」黒田日出男・ベリ, M. E.・杉本史子編『地図と絵図の政治文化史』東京大学出版会、2001年
• 中村質『近世対外交渉史論』吉川弘文館、2000年
• 林述斎編『徳川実紀（全10巻）』（『国史大系』第38〜47）吉川弘文館、1964−67年
• 林述斎編『続徳川実紀（全5巻）』（『国史大系』第48−52）吉川弘文館、1966−72年
• 福井保『江戸幕府編纂物（全2巻）』雄松堂出版、1983年
• 藤田覚『松平定信—政治改革に挑んだ老中』中公新書、1993年
• 藤田覚『近世政治史と天皇』吉川弘文館、1999年
• 藤田覚編『17世紀の日本と東アジア』山川出版社、2000年
• 藤田覚『近世後期政治史と対外関係』東大出版会、2005年
• ホブズボウム, E., レンジャー, T. 編（前川啓治・梶原景昭ほか訳）『創られた伝統』紀伊國屋書店、1992年
• 松尾龍之介『長崎蘭学の巨人—志筑忠雄とその時代』弦書房、2007年
• 宮城栄昌『琉球使者の江戸上り』第一書房、1982年
• 山口啓二「寛政改革と『宇下人言』」松平定信『宇下人言・修行録（覆刻版）』岩波文庫、1970年
• 山本博文『寛永時代』吉川弘文館、1989年
• 山本博文『対馬藩江戸家老—近世日朝外交をささえた人びと』講談社、1995年
• 山本博文『鎖国と海禁の時代』校倉書房、1995年
• 頼山陽（頼成一ほか訳）『日本外史（全3巻）』岩波文庫、1976−81年
• ル＝ロワ＝ラデュリ, E.（稲垣文雄訳）『気候の歴史』藤原書店、2000年
• 和辻哲郎『鎖国—日本の悲劇』筑摩書房、1950年
• Bockstoce, John R. *The Opening of the Maritime Fur Trade at Bering Strait.* Vol. 95, pt. 1, Transactions of the American Philosophical Society. American Philosophical Society, 2005.
• Madsen, Axel. *John Jacob Astor: America's First Multimillionaire.* New York: John Wiley & Sons, 2001.
• Mosberg, Anders, Dmitry M. Sonechkin, Karin Holmgren, Nina M. Tatsenko and Karlén Wibjörn. "Highly Variable Northern Hemisphere Temperatures Reconstructed from Low−and High−Resolution Proxy Data." *Nature* 433 (2005): 613−618.
• Richards, John. *The Unending Frontier: An Environmental History of the Early Modern World* (University of California Press, 2003).
• Walker, Brett L. "Commercial Growth and Environmental Change in Early Modern Japan: Hachinohe's Wild Boar Famine of 1749" *Journal of Asian Studies* 60, no. 2 (2001): 329−351.

---

**第三章**

• 石原道博『明末清初日本乞師の研究』冨山房、1945年
• 石原道博「朝鮮側より見た明末の日本乞師について」『朝鮮学報』4輯、1953年
• 岩生成一「近世日支貿易に関する数量的考察」『史学雑誌』62巻11号、1953年
• 岩生成一『日本の歴史14　鎖国』中央公論社、1966年
• 岩生成一『朱印船貿易史の研究（新版）』吉川弘文館、1985年
• 岩生成一『南洋日本町の研究（続）』岩波書店、1987年
• 大庭脩『徳川吉宗と康熙帝—鎖国下での日中交流』大修館書店、1999年
• 神田信夫『平西王呉三桂の研究』明治大学、1952年
• 岸本美緒・宮嶋博史『世界の歴史12　明清と李朝の時代』中央公論社、1998年
• 後藤陽一・友枝太郎校註『日本思想大系30　熊沢蕃山』岩波書店、1971年
• 小葉田淳『鉱山の歴史』至文堂、1956年
• 小葉田淳『金銀貿易史の研究』法政大学出版会、1976年
• 佐々木潤之助「東アジアと幕藩体制」歴史学研究会・日本史研究会編『講座日本歴史5　近世1』東京大学出版会、1985年
• 田代和生『近世日朝通交貿易史の研究』創文社、1981年
• 田代和生『江戸時代朝鮮薬材調査の研究』慶應義塾大学出版会、1999年
• 田代和生『倭館—鎖国時代の日本人町』文春新書、2002年
• 田中健夫編『善隣国宝記・新訂続善隣国宝記』集英社、1995年
• トビ, R.「『明末清初日本乞師』に関する立花文書」『日本歴史』498号、1989年
• トビ, R.「域内史の中の日本国史—目下の課題」川勝平太・濱下武志編『アジア交易圏と日本工業化

# 参考文献


## 第一章

• 李元植ほか『朝鮮通信使と日本人』学生社、1992 年
• 李元植『朝鮮通信使の研究』思文閣出版、1997 年
• 李進熙『李朝の通信使—江戸時代の日本と朝鮮』講談社、1976 年
• 李進熙『江戸時代の朝鮮通信使』講談社、1987 年
• 李烱錫『壬辰戰亂史（全 2 巻）』壬辰戰亂史刊行委員会刊、1967 年（『壬辰戦乱史—文禄・慶長の役（全 3 巻）』東洋図書出版、1977 年）
• 映像文化協会編『江戸時代の朝鮮通信使』毎日新聞社、1979 年
• 姜在彦『朝鮮通信使がみた日本』明石書店、2002 年
• 姜沆（朴鐘鳴訳注）『看羊録—朝鮮儒者の日本抑留記』平凡社、1974 年
• ギアツ, G.（小泉潤二訳）『ヌガラ— 19 世紀バリの劇場国家』みすず書房、1990 年
• 金仁謙著（高島淑郎訳注）『日東壮遊歌—ハングルでつづる朝鮮通信使の記録』平凡社、1999 年
• 呉市入船山記念館編『広島藩・朝鮮通信使来聘記』呉市、1990 年
• 曽根原理『徳川家康神格化への道—中世天台思想の展開』吉川弘文館、1996 年
• 曽根原理『神君家康の誕生—東照宮と権現様』吉川弘文館、2008 年
• 高木昭作『将軍権力と天皇—秀吉・家康の神国観』青木書店、2003 年
• 田代和生『書き替えられた国書—徳川・朝鮮外交の舞台裏』中公新書、1983 年
• 田代和生「朝鮮通信使行列絵巻の研究—正徳元年 (1711) の絵巻仕立てを中心に」『朝鮮学報』137 輯、1990 年
• 田代和生「寛永六年（仁祖七・一六二九）対馬使節の朝鮮国『御上京之時毎日記』とその背景（1−3）」『朝鮮学報』96・98・101 輯、1980−81 年
• 田中健夫・田代和生校註『朝鮮通交大紀』名著出版、1978 年
• 鶴田啓『対馬からみた日朝関係』山川出版社、2006 年
• トビ, R.（佐藤正幸訳）「近世における『日本型華夷観』と東アジアの国際関係」『日本歴史』498 号、1986 年
• トビ, R.「近世日本庶民文化に現れる朝鮮通信使像—世俗・宗教・生活上の表現」『韓』110 号、1988 年
• トビ, R.「変貌する『鎖国』概念」『国際交流』15 巻 3 号、1991 年
• トビ, R.「壬辰・丁酉倭乱の戦後処理と『朝鮮通信使』」吉田光男編『アジア理解講座4　日韓中の交流』山川出版社、2004 年
• トビ, R.「近世の都名所・方広寺前と耳塚—洛中洛外図・京絵図・名所案内を中心に—」『歴史学研究』841 号、2008 年
• 内藤雋輔『文禄・慶長役における被擄人の研究』東京大学出版会、1977 年
• 仲尾宏『朝鮮通信使と徳川幕府』明石書店、1997 年
• 仲尾宏『朝鮮通信使と壬辰倭乱』明石書店、2000 年
• 仲尾宏『朝鮮通信使—江戸日本の誠信外交』岩波新書、2007 年
• 中野等『豊臣政権の対外侵略と太閤検地』校倉書房、1996 年
• 中村栄孝『日鮮関係史の研究（全 3 巻）』吉川弘文館、1965−69 年
• バートン, B.『日本の「境界」—前近代の国家・民族・文化』青木書店、2000 年
• 朴春日『朝鮮通信使史話』雄山閣出版、1992 年
• 藤井讓治『幕藩領主の権力構造』岩波書店、2002 年
• 藤井讓治『徳川家光』吉川弘文館、1997 年
• 米谷均「近世日朝関係における戦争捕虜の送還」『歴史評論』595 号、1999 年
• 米谷均「松雲大師の来日と朝鮮捕虜人の送還について」仲尾宏・曹永禄編『朝鮮義僧将・松雲大師と徳川家康』明石書店、2002 年

## 第二章

• 稲垣国三郎編『中井竹山と草茅危言』大正洋行、1943 年
• 今井宇三郎ほか校註『日本思想大系 53　水戸学』岩波書店、1973 年
• 応地利明『絵地図の世界像』岩波新書、1996 年
• 太田善麿『塙保己一』吉川弘文館、1966 年
• 川上淳「日露関係のなかのアイヌ」菊池勇夫編『日本の時代史 19　蝦夷島と北方世界』吉川弘文館、2003 年
• 川村博忠『国絵図』吉川弘文館、1990 年
• 川村博忠『江戸幕府撰国絵図の研究』古今書院、1984 年
• 川村博忠『近世日本の世界像』ぺりかん社、2003 年
• 菊池勇夫『北方史のなかの近世日本』校倉書房、1991 年
• 菊池勇夫編『日本の時代史 19　蝦夷島と北方世界』吉川弘文館、2003 年
• キーン, D.（芳賀徹訳）『日本人の西洋発見』中公文庫、1968 年
• 黒田日出男『龍の棲む日本』岩波新書、2003 年
• 小堀桂一郎『鎖国の思想—ケンペルの世界史的使命』中公新書、1974 年
• 小宮木代良『江戸幕府の日記と儀礼史料』吉川

**スタッフ一覧**

| | |
|---|---|
| 校正 | オフィス・タカエ |
| 図版・地図作成 | 蓬生雄司 |
| 写真撮影 | 西村千春 |
| 索引制作 | 小学館クリエイティブ |
| 編集長 | 清水芳郎 |
| 編集 | 田澤泉 |
| | 阿部いづみ |
| | 宇南山知人 |
| | 水上人江 |
| | 一坪泰博 |
| 編集協力 | 青柳亮 |
| | 木村直樹 |
| | 小西むつ子 |
| | 志水昭 |
| | 菅谷淳夫 |
| | 塚越俊志 |
| | 林まりこ |
| | 安田清人 |
| | 山崎明子 |
| 月報編集協力 | ㈲ビー・シー |
| | 関屋淳子 |
| | 藤井恵子 |
| 制作 | 大木由紀夫 |
| | 山崎法一 |
| 資材 | 横山肇 |
| 宣伝 | 中沢裕行 |
| | 後藤昌弘 |
| 販売 | 永井真士 |
| | 奥村浩一 |
| 協力 | 株式会社モリサワ |

## 所蔵先一覧

所蔵先と写真提供者、撮影者が異なる場合は、（　）内にその旨を明記した。

### カバー・表紙

神戸市立博物館

### 口絵

1・3 神戸市立博物館／2・5 長崎歴史文化博物館／4 東京大学総合図書館／6 リー・ファミリー・コレクション／7 大阪歴史博物館／8 泉涌寺／9 サントリー美術館

### はじめに

1 国立歴史民俗博物館（国立歴史民俗博物館発行『第65回歴博フォーラム　江戸時代とは何か？』より転載）

### 第一章

1 米沢市上杉博物館／2・3・4・5・6・7・8・9・15・16・22 国立歴史民俗博物館／10 鍋島報效会／11 佐賀県立名護屋城博物館／12 長島美術館／13 九州国立博物館／14 長崎県立対馬歴史民俗資料館／17・18・20 日光東照宮宝物館／19 日光東照宮／21・25 東京国立博物館（提供：TNM Image Archives）／23 名古屋市博物館／24 泉涌寺／26 徳川記念財団／27 土津神社

### 第二章

1 京都大学附属図書館／2 九州大学附属図書館／3・8・18（上）東京大学史料編纂所／4・21 北海道大学附属図書館／5 国立公文書館／6 早稲田大学図書館／7 早稲田大学演劇博物館／9 個人蔵／10 本居宣長記念館／11・12 福島県立博物館／13・15 東京国立博物館（提供：TNM Image Archives）／14 沖縄県立図書館／16 称名寺（神奈川県立金沢文庫保管）／17 大阪城天守閣／18（下）国立歴史民俗博物館／19・20・22 神戸市立博物館

### 第三章

1・9・13 長崎歴史文化博物館／2 福岡市博物館／3・5 国立国会図書館／4 茨城県立歴史館／6・10・12 日本銀行金融研究所貨幣博物館／7 松浦史料博物館／8 神戸市立博物館／11・17 国立国会図書館ホームページ／14 国立公文書館／15 国立天文台／16 佐賀県立名護屋城博物館／18 東京大学総合図書館

### 第四章

1 四天王寺／2 法隆寺／3・5・27 神戸市立博物館／4 豊国神社／6 香雪美術館／7・10 宮内庁三の丸尚蔵館／8 下関市立長府博物館／9 ニューヨーク市立図書館／11 静嘉堂文庫美術館／12・13 パーク・コレクション／14 日光東照宮宝物館／15 泉涌寺／16 国立公文書館／17・28 高麗美術館／18・19 徳川記念財団／20 国立国会図書館／21・22・23・24・29 東京大学総合図書館／25 天満神社（複製：福井県立歴史博物館）／26 金沢美術工芸大学／30 大英博物館／31 大阪歴史博物館

### 第五章

1 石川県立歴史博物館／2 大阪市文化財協会（辛基秀コレクション）／3 東洋文庫／4 国立公文書館／5 九州大学附属図書館／6 佐賀県立名護屋城博物館／7 リー・ファミリー・コレクション／8 沖縄県立図書館／9 国立歴史民俗博物館／10・11 個人蔵／12・13・16・21 神戸市立博物館／14・19・25 東京国立博物館（提供：TNM Image Archives）／15・17 個人蔵／18 神奈川県立歴史博物館／20 大英博物館／22 林原美術館／23・24 天理大学附属天理図書館／26 個人蔵／27 国立国会図書館／28 龍ケ崎市歴史民俗資料館／29 ボストン美術館／30 国立国会図書館ホームページ／31 土浦市立博物館／32 京都大学附属図書館

### 第六章

1・8 山口県立萩美術館・浦上記念館／2・11・15・17・20 国立国会図書館／3 東京大学史料編纂所／4 東京都立中央図書館東京誌料文庫／5 東京学芸大学附属図書館／6 富士浅間神社／7 茨城県立歴史館／9 名古屋市秀吉清正記念館／10 個人蔵（提供：大阪歴史博物館）／12 浦添市美術館／13 個人蔵（提供：大阪歴史博物館）／14 永青文庫／16 名古屋市博物館／18 京都大学附属図書館／19 東洋文庫／21 東京大学大学院情報学環／22 神奈川県立歴史博物館／23 三井文庫

**ま行**



**や行**



**ら行**



**わ行**

**な行**



**は行**

---

**た行**

# 索引

**000** —詳しい説明のあるページを示す。
000*—写真・図版のあるページを示す。

**全集　日本の歴史　第9巻　「鎖国」という外交**

2008年8月30日　初版第1刷発行

著者　ロナルド・トビ
発行者　蔵　敏則
発行所　株式会社小学館
〒101-8001 東京都千代田区一ツ橋2-3-1
電話　編集　03(3230)5118
販売　03(5281)3555
印刷所　凸版印刷株式会社
製本所　株式会社若林製本工場


Printed in Japan ISBN978-4-09-622109-9

小学館創立八五周年企画

# 全集 日本の歴史 全十六巻

編集委員 平川 南／五味文彦／倉地克直／ロナルド・トビ／大門正克

一 旧石器・縄文・弥生・古墳時代
## 列島創世記
出土物が語る列島4万年の歩み

文字が発達する前の社会は、「モノ」が文字の代わりだった。「モノ」と人との関係から描く、斬新な列島文化史。

松木武彦 岡山大学准教授

二 新視点古代史
## 日本の原像
稲作や特産物から探る古代の生活

二二〇〇年前、日本の稲作技術はすでにほぼ現代のレベルに達していた。出土文字資料から読み解く古代社会の実像。

平川 南 国立歴史民俗博物館館長／山梨県立博物館館長

三 飛鳥・奈良時代
## 律令国家と万葉びと
国家の成り立ちと万葉びとの生活誌

時の支配や文字の普及から、「日本」誕生のシステムを明らかにし、国家のもとで生きる人びとの暮らしを描く。

鐘江宏之 学習院大学准教授

四 平安時代
## 揺れ動く貴族社会
古代国家の変容と都市民の誕生

自然災害などで変質を迫られる政治体制のなか、激動する時代像を、文学資料を駆使して鮮やかにたどる。

川尻秋生 早稲田大学准教授

五

新視点中世史

## 躍動する中世

人びとのエネルギーが殻を破る

武家王権の誕生と展開、そして都市に群れ集う人びと。激動する社会を支えたエネルギーの源は何だったのか?

五味文彦 放送大学教授／東京大学名誉教授

六

院政から鎌倉時代

## 京・鎌倉 ふたつの王権

武家はなぜ朝廷を滅ぼさなかったか

武家政権はなぜ朝廷を滅ぼさなかったのか。日本独自の二重権力構造を通じて、武家政権誕生の背景を問う。

本郷恵子 東京大学准教授

七

南北朝・室町時代

## 走る悪党、蜂起する土民

南北朝の争乱と足利将軍

鎌倉幕府崩壊から応仁の乱まで。悪党・土民たちは徒党を組み、守護・地頭は国盗り合戦を始める、群雄割拠の時代。

安田次郎 お茶の水女子大学教授

八

戦国時代

## 戦国の活力

戦乱を生き抜く大名・足軽の実像

将軍・大名と兵士・民衆の両面から、戦乱の世を生き抜く人びとの実像に迫り、躍動する時代を活写する。

山田邦明 愛知大学教授

九

新視点近世史

## 「鎖国」という外交

従来の「鎖国」史観を覆す新たな視点

徳川幕府の外交政策はけっして「鎖国」ではなかった。外からの視点で見出された、開かれた江戸時代像。

ロナルド・トビ イリノイ大学教授

十

江戸時代（一七世紀）

## 徳川の国家デザイン

幕府の国づくりと町・村の自治

天下人の国づくり、町人・百姓の町づくり・村づくりから探る、現代に連なる徳川幕府のグランドデザイン。

水本邦彦 京都府立大学教授

十一 徳川社会のゆらぎ
江戸時代（一八世紀）
幕府の改革と「いのち」を守る民間の力

倉地克直 岡山大学教授

五代綱吉から、老中田沼の時代。幕政の安定とともに産業振興策が採られ、江戸・大坂などの都市が繁栄する。

十二 開国への道
江戸時代（一九世紀）
変革のエネルギーと新たな国家意識

平川 新 東北大学教授

開国へ向かう変革のエネルギーを生み出した背景を解明し、「新たな日本」をめざす時代のうねりを描く。

十三 文明国をめざして
幕末から明治時代前期
民衆はどのように"文明化"されたか

牧原憲夫 東京経済大学講師

大衆はいかにして"文明化"されたか。天皇はいかにして大衆に"認知"されたか。文明国を目指した日本の苦闘。

十四 「いのち」と帝国日本
明治時代中期から一九二〇年代
日清・日露と大正デモクラシー

小松 裕 熊本大学教授

帝国日本の発展の陰で、懸命に生きる市井の人々の声に耳を傾け、地に足の着いた新たな近代史を掘り起こす。

十五 戦争と戦後を生きる
一九三〇年代から一九五五年
敗北体験と復興へのみちのり

大門正克 横浜国立大学教授

戦争という大きな運命に否が応でも「参加」させられることを、日々の暮らしを生きるという視点から捉える。

十六 豊かさへの渇望
一九五五年から現在
高度経済成長、バブル、小泉・安倍・福田政権へ

荒川章二 静岡大学教授

物は溢れているのになぜか満たされない。「豊かさ」というキーワードから見えてくる、欲望の現代社会史。

http://sgkn.jp/nrekishi/